JN140881

図解入門ビジネス

Shuwasystem Business Guide Book How-nual

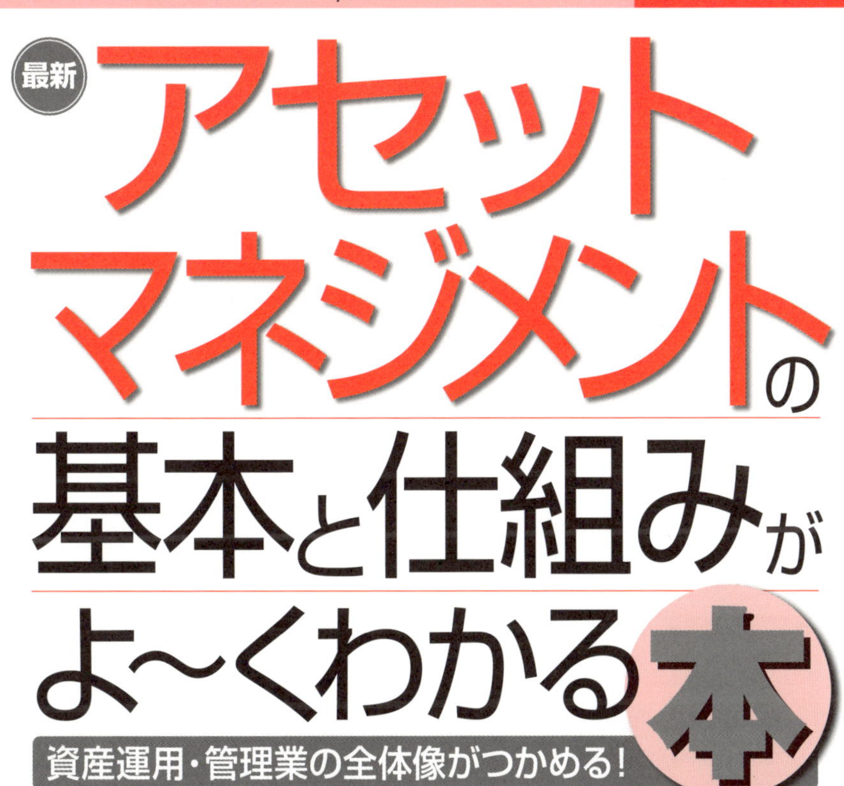

［第2版］

勝盛 政治 著

秀和システム

はじめに

アセットマネジメントは、専門的な知見を用いて顧客になり代わって投資を行い、成長性の高い企業などへの投資を通じて資産を増やすことにより社会に豊かさをもたらす、使命感の高い役割を担っています。扱うお金は数百兆円に達します。また、アセットマネジメントは資産の残高に応じて収益を得るフィービジネスであり、顧客の資産が増加すれば収益も増える、顧客とWin－Winの関係にあるビジネスでもあります。

多様な顧客のニーズに応えるために資産を運用・管理するこの分野は、関係者も多く、ビジネスとしての側面、求められる規範、また、投資理論をベースにした投資対象や投資手法は多岐にわたるなど、多くのテーマを併せ持つ世界です。

この世界には多くの人が関心を寄せる一方で、個々のテーマの専門性は高く、かつ、多岐にわたるため、全体像を示したものはあまり目にしません。大学院の講座として各テーマの専門家が分担して講義をするとか、各章ごとに執筆担当を割り当てる形で出版されています。そういった観点では、本書は意欲的な取り組みでもあります。

全体17章を大別すると5つのテーマに分かれます。最初に、アセットマネジメントの世界観とともに、全体に根差す受託者責任に基づく行動規範についてお話しします。次いで、投資の基本であるリスク・リターンや現代ポートフォリオ理論の考え方と実践、また、ポートフォリオに組み入れる株式や債券などの資産の特徴や評価方法について確認します。

さらに、運用会社のプレーヤーを中心に、アセットマネジメントに携わる関係者と役割をお話しします。そのうえで、市場の効率性に関して異なる前提に立つ、アクティブ運用とパッシブ運用の特性と代表的な投資手法を紹介します。最後に、これからの成長が期待される国民の資産形成とともに、アセットマネジメント全体における課題と展望を取り上げます。

私は年金運用の世界に長らく身を置き、資産管理、投資信託の評価や投資教育を経て、現在は受託財産運用に関するリレーション業務に従事しています。アセットマネジメントの世界を生きてきた30年です。執筆にあたっては、これらの経験から得たものもお伝えできるように努めたつもりです。

本書を通じて、少しでもみなさまのお役に立てることを願っています。

2022年　孟春

勝盛政治

図解入門 How-nual

図解入門ビジネス 最新アセットマネジメントの基本と仕組みがよ～くわかる本［第２版］

CONTENTS

第4章 投資の基本〜リスクとリターンの考え方〜

第5章 運用に息づく現代ポートフォリオ理論

第6章 投資対象のコア資産　株式と債券の投資評価

第7章 代替（オルタナティブ）投資

第8章 投資対象としての金融商品

第12章 パッシブ運用とアクティブ運用の特徴

第13章 パッシブ運用とアクティブ運用の投資手法

第17章 アセットマネジメント・ビジネスの課題と展望

第1章

アセットマネジメントの世界

この章では、アセットマネジメントの役割やアセットマネジメント・ビジネスの特徴についてお話しします。

アセットマネジメントは、顧客のお金を預かり、高度な専門的知見を用いて、運用・管理を行うことです。そこで求められるものは、顧客に良質なリターンの提供をすることです。

そして、顧客から預かった資産の価値が増えれば、アセットマネジメントの収益も増える、顧客とともにあるビジネスです。

図解入門
How-nual

1-1 アセットマネジメントとは

アセットマネジメントとは、高度に専門的な知見を用いて、顧客や投資家の資産を運用、管理することです。

アセットマネジメントとは

アセットマネジメントとは、**様々な資産を効率よく運用・管理**する業務のことを指します。投資家は、自ら投資を行い、資産を運用・管理することもできますが、それには多くの負担がかかります。リターンの獲得など目指す投資の目的に対して、どのような資産に投資すればよいのか、価格変動のリスクや運用状況をどのように管理するのかなど、専門的な知識や体制が必要になります。また、運用や管理を自ら行うには、相当の時間を費やすことにもなります。

それに対して、**高度な知見を有する専門家**に任せることで、より適切な運用を行うことが期待できます。運用以外の点でも、投資家に対する情報の提供や運用状況の報告、しっかりとした資産の管理が受けられるなど、トータルとして適切なサービスを受けることができます。

このように、投資家になり代わって資産の運用·管理を行うことを幅広く捉えて、アセットマネジメント・ビジネスと言います。

アセットマネジメントは多くの参加者によって成り立っている

アセットマネジメント・ビジネスの中心に位置するのは、**運用会社**です。運用会社は、アナリストやファンドマネージャーを擁し、高い専門性をもって投資家のお金を運用します。しかし、それだけではアセットマネジメント・ビジネスは成り立ちません。

個人や一般企業、学校法人などから広くお金を預かるには、金融商品を販売する銀行などの**金融機関**が主体的な役割を果たします。また、年金など個人のお金を預かり、運用を行う場合には、年金基金などが**機関投資家**として責任を持ち、運用を託す運用会社を選定します。さらには、実際のお金や資産の管理は、**信託銀行**が行います。

このように、アセットマネジメント・ビジネスは、運用会社を中心に、多くの参加者によって成り立っています。本書でも、幅広く捉えてお話しします。

投資家が運用を任せるには主に2つのタイプがある

投資家が運用会社に資産の運用を任せる場合には、大きく分けて2つのタイプがあります。年金のように、まとまったお金を元手として運用を任せる場合には、特定の投資家の意向や目的に合わせた**オーダーメイド型**の運用を行います。

一方で、幅広く投資家からお金を預かって運用を行うものとして、あらかじめ運用会社が用意した特定の投資目的を定めた金融商品の中から、投資家の意向に適った商品を購入してもらうことにより投資をする**レディメイド型**があります。個人が目にする投資信託はこのタイプになります。

アセットマネジメント・ビジネスのイメージ

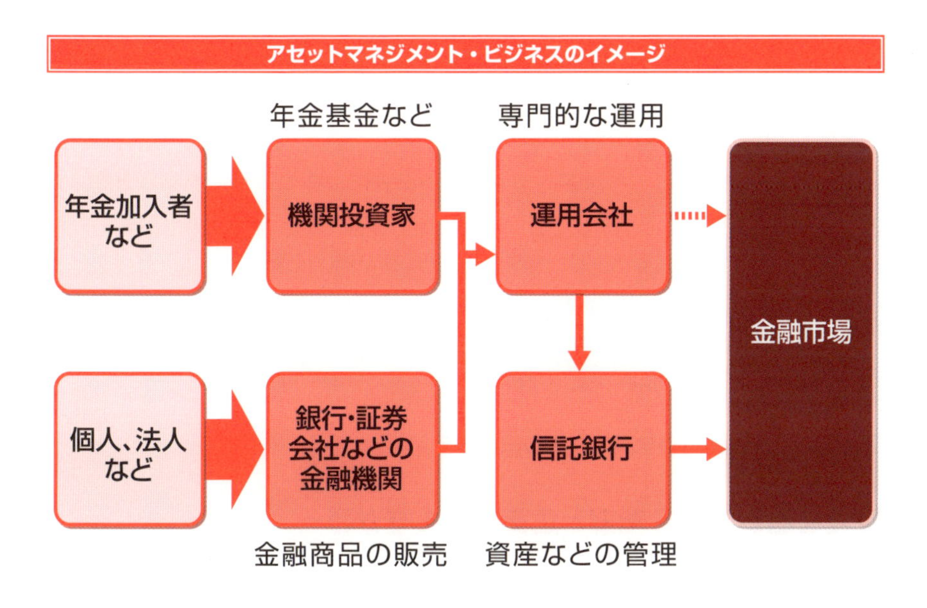

1-2 アセットマネジメントの使命と役割

アセットマネジメントの使命は、顧客の目的に適った良質なリターンを提供することです。また、投資を通じて、健全で成長性の高い企業などにお金を提供する役割を担っています。

アセットマネジメントの使命と役割

アセットマネジメントの中核となるのは、運用会社が行う**資産運用**です。資産運用は、顧客からお金を預かり、株式や債券などに投資して資産を増やし、その対価として運用の報酬を得るビジネスです。

運用会社が資産運用として目指すもの、また、顧客から期待されるものは、突き詰めればリターン（収益）の最大化です。顧客のために高いリターンを獲得し、それによって顧客の資産を増やすことが求められる役割です。

ただし、単にリターンを追求すればよいというものではありません。顧客の目的に適ったものであることが重要です。顧客のお金には様々な制約があります。大きなリスクは受け入れられないとか、運用期間が定まっているといった顧客の制約も踏まえたうえで、最善のリターンを提供するように努めることが求められる役割です。それが**良質なリターン**です。

具体的には、株式、債券などの金融資産や不動産を対象に、運用上の制約に配慮し、投資先を必要に応じて分散し、最適な組み合わせ（ポートフォリオ）を作ることにより、**資産価値**を高めるように努めます。

投資を通じた仲介機能と企業への働きかけ

資産運用は、顧客のお金を運用するとともに、金融市場における株式や債券への投資を通じて、資金ニーズがある企業などへお金を提供する立場にあります。つまり、金融市場を通じたお金の運用ニーズと調達ニーズの**仲介者**としての役割も果たしています。

そこで求められる役割は、単なるお金の仲介のみならず、投資を通じて、お金が健全で成長性の高い企業などへと流れることです。成長性の低い企業や社会的貢献度の低い企業にお金が流れることは、投資から得るリターンも低くなります。経済全体から見ても優良な企業にお金が流れないことはマイナスです。

投資を通じて、成長性が高い企業にお金を回すことが**望ましい資金配分**になります。そして、それは顧客にとっても高いリターンをもたらします。運用において、望ましい相手にお金を投じることは、日本経済全体で見ても大切な役割を果たしているのです。

持続可能な社会への貢献

近年では、株主である顧客になり代わって企業に投資する立場として、よりよい**経営への働きかけ（エンゲージメント）**も求められています。それも、短期的なリターンだけを追求するのではなく、社会との共生を前提とした持続的成長を促すことが期待されています。

最近はSDGsやESGの言葉が広く定着してきました。資産運用の世界においても、**投資を通じた持続可能な社会への貢献**が期待されています。顧客への直接的な貢献だけでなく、良質なリターンを顧客に提供することを通じて、より広い社会への貢献に向け、その役割と責任は高まっています。

運用会社が担う役割のイメージ

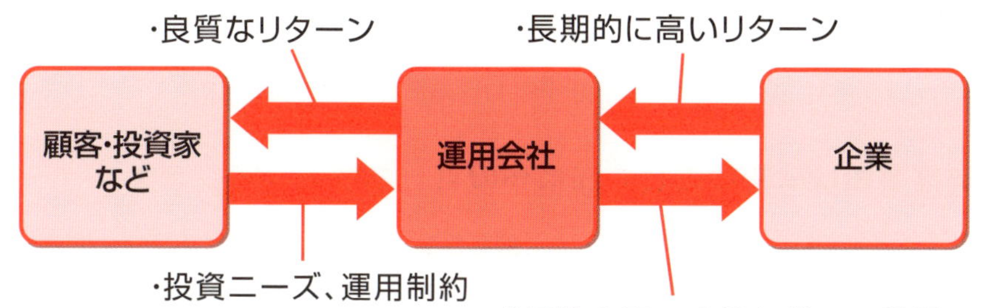

1-3 顧客とWin－Winの関係にあるストック型のビジネス

資産運用は、顧客の資産残高に応じて収益が得られるストック型のフィービジネスです。顧客の資産の増加が収益に結びつく、Win－Winの関係にあります。

顧客と長い関係を築くストック型のビジネス

アセットマネジメント・ビジネスの大きな特徴として、**ストック型のビジネス**であることが挙げられます。ストック型とは、資産の残高に応じて収益を得る（顧客からすれば費用を支払う）ものです。

証券会社が投資家に株式の売買を仲介するときに得られる手数料などを収益源とするビジネスを、**フロー型のビジネス**と言います。それに対してストック型のビジネスは、顧客の資産を運用する限り、その期間に応じて得られる収益です。

身近な例としては、住宅メーカーと不動産業者をイメージしてもらえばよいでしょう。住宅メーカーは、住宅やマンションを建設して、それを販売することで収益を得ます。それに対して不動産業者は、ビルやアパートを保有し、利用する居住者から月々の賃料を得ます。ストック型のビジネスは、不動産業者が契約している顧客から月々に得る賃料収入のようなものです。顧客との良好な関係を維持して契約を続けてもらう、また、顧客を増やすほど収益を積み上げることができます。

ただし、不動産業界と違うところは、金融商品は他の商品に乗り換えることが容易なこと、市場の環境によって価格の変動が大きいところです。そういった中で顧客から継続的に選んでもらうには、やはり信頼が大切になります。

資産運用は残高に応じて収益が得られるフィービジネス

資産運用で特徴的なのは、**フィー（顧客が支払う費用）の捉え方**です。資産運用では顧客から預かった資産の残高に応じてフィーを得ます。このフィーのベースとなる算定方法は、一般的に、時価で評価した資産の価格に対して一定の料率をかけ合わせたものになります。

短期的な市場の上げ下げに伴う時価の変化による影響はコントロールできませんが、資産の残高は、リターンを獲得して顧客の資産が増えれば増加します。また、顧客からどれだけ資産を預けてもらえるかによっても残高は左右します。そのためには、運用の精度を高めてよりよいリターンを顧客に提供すること、そして、顧客と長期的に良好な信頼関係を築くことにより、残高を維持し、さらに資産を預けてもらうことです。

顧客とWin－Winの関係

運用において良質のリターンを獲得して顧客に提供することは、それだけ顧客の資産が増えることになります。また、それにより顧客の資産が増えることは、運用会社などにとっても、そこから得られる収益が増えることになります。

このように、アセットマネジメントのビジネスは、本来、顧客と目指すものが同じであり、**成果を顧客と共有できるWin－Winの関係**にあるのです。その間をつなぐもの、それは顧客からの信頼です。

顧客とWin－Winの関係にあるアセットマネジメント・ビジネスのイメージ

1-4 アセットマネジメント・ビジネスの変遷

アセットマネジメント・ビジネスは、時間をかけて規制や制約が緩和されることにより、ビジネスが拡大し、残高を伸ばしてきました。

徐々に規制などが緩和された年金の運用

日本の資産運用の世界では、従来から**年金が大きな存在感**を示していました。今では、年金の資産運用は、各年金基金などの投資目的や意向に適った形で運用会社を選び、投資資産の配分を行っていますが、以前からそうしていたわけではありません。運用に関する様々な規制や制約があり、それが少しずつ緩和される中で、現在のような姿になったのです。

年金のお金を運用する会社としては、1990年頃までは、信託銀行と生命保険が運用をほぼ任されていました。その後、投資顧問会社による投資一任契約による運用ができるようになるなど、少しずつ**規制が緩和**されてきました。今では多くの運用会社が年金の運用を手掛けています。

また、投資資産の配分においても、今のように柔軟ではありませんでした。1990年代後半までは、年金資産が投資する資産の配分には「5：3：3：2規制」がありました。それは、日本国債など安全性の高い資産に5割以上、株式は3割以下、外貨建て資産も3割以下、そして不動産などは2割以下とされるものの数字をとった名称です。この規制も徐々に撤廃され、現在では年金の目的に従って**柔軟な資産配分**ができるようになりました。

国・地域では新興国などに投資をするのが一般的になり、資産も株式、債券に加えて、リート（不動産投資信託）やヘッジファンドなどの代替（オルタナティブ）資産への投資が進むなど、リターンの獲得と投資対象の分散の観点から、投資対象資産は広がりを見せています。

当初の年金の運用に多くの規制などがあったのは、大切な年金のお金であることが大前提ですが、今のように運用会社が十分な運用ノウハウを蓄積していなかったこと、金利が高かったため、債券などの安定した資産でも十分に年金が求めるリターンを確保できたことなどの理由によります。

銀行の販売により大きく残高を伸ばした投資信託

個人の側面に目を向けると、資産形成手段の中心は投資信託です。投資信託は、戦後間もなくの1951年に証券投資信託法が施行されてから存在しています。その後は中期国債ファンドなど、当時の金利水準が高いことを背景に、債券を組み入れる投資信託が人気を博した時期もありました。

その後、1998年に証券会社でしか買えなかった投資信託の**銀行窓口での販売が解禁**され、また、2005年には郵便局窓口での販売が解禁されるなど、販売窓口の拡大が進められました。これにより、投資信託は多くの人にとって身近な存在となり、**個人の資産形成の手段**として広く認知されるようになりました。

その後、上場型投資信託としてETF（Exchange Traded Fund）が商品化されたことにより、利用手段も拡大し、1985年には約20兆円の残高だった公募販売の投資信託は、現在ではETFを含めると約100兆円に増加しています。

このように、アセットマネジメントのビジネスは、規制などが緩和されることにより運用の自由度が増し、また、販売のすそ野が広がることにより、その残高を伸ばしていったのです。

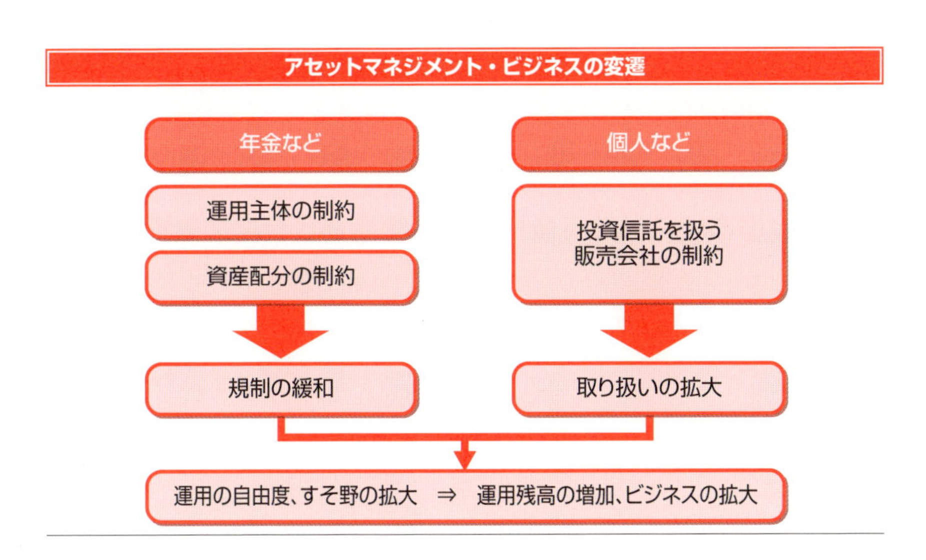

1-5 世界における日本の位置づけと国内特有の事情

アセットマネジメントビジネスでは、伝統による強みと金融市場の発達による多様な投資機会を背景に、欧米の運用会社が上位を占めています。

欧米と日本の運用会社の違い

世界には欧米中心に長い歴史を持つ、**伝統のある運用会社**が多数あります。欧州では古くから戦争の戦費調達などで債券市場が発達し、株式市場も産業革命や植民地開拓の資金調達手段として整備されるなど、古くから金融市場が活用されてきました。当初は富裕層が投資家の中心的な役割でしたが、中間層でも投資できる金融商品が生まれて投資家層が拡大する中で、運用会社も発展していったのです。運用会社の多くは独自で金融商品を販売するルートも持っています。

一方で、日本は長らく銀行による間接金融が強く、運用会社が活躍する場は限られてきました。また、日本の運用会社は大手銀行や証券会社の金融グループの1つとして位置づけられていて、欧米のような投資哲学に特色を持った会社というよりは、国内投資家向けの**総合的な運用会社**といった色彩が強く、運用商品の販売も金融機関に大きく依存する傾向がありました。しかし、近年ではアセットマネジメント・ビジネスの重要性が高まり、運用会社としての自主性が強まっています。また、メッセージ性の強い投資哲学を掲げた、新興の運用会社も育っています。

高度な金融市場における多様な投資機会がビジネスを育む

欧米は経済や通貨取引の中心であり、金融市場が高度に発達していることから**多様な投資機会**が提供されています。投資機会が多いところには投資家のお金も集まり、それに精通する運用会社のビジネスも拡大します。たとえば米国では、リスクが高いけれど期待リターンも高い、低格付けのハイイールド債は投資対象の選択肢として活発に取引されており、それに応じて運用会社が活躍する機会も広がります。一方で、日本ではこのような市場は未だ十分ではありません。日本は株式市場の時価総額こそ大きいのですが、債券市場などは欧米に比べて見劣りしています。経済規模のわりに、世界のお金を引き込む投資機会は多くなかったのです。

近年に成長著しいインデックス運用でも米国が上位に

欧米の運用会社は伝統的にしっかりとした立ち位置を有し、金融市場が発達していて活躍の場が多く、そこで育まれた金融商品をグローバルに展開することにより、世界の上位に名を連ねています。日本の運用会社が伍していくのは大変ですが、投資余力の大きい国内投資家に海外への投資機会を提供する、また、日本の構造変化による投資機会を海外投資家に提供することを足掛かりに、自前の運用力向上や海外運用会社との提携・買収を探りながら、挑戦を続けています。

近年は**インデックス運用**と呼ばれる、市場全体の動きや特徴を指数化して低コストで提供するパッシブ（インデックス）ファンドやETFに対するニーズが高まっています。こういったビジネスはスケールメリットが働きやすいこともあり、運用資産残高でみると、米国の上位数社が抜きんでています。従来からの伝統的な運用、低コスト商品の運用においても、欧米の優位は揺るぎそうにありません。

世界の運用会社の運用資産残高ランキング

ランク	運用会社	国	運用資産残高（百万＄）
1	BlackRock	U.S.	$8,676,680
2	Vanguard Group	U.S.	$7,148,807
3	Fidelity Investments	U.S.	$3,609,098
4	State Street Global	U.S.	$3,467,467
5	Allianz Group	Germany	$2,934,265
6	J.P. Morgan Chase	U.S.	$2,716,000
7	Capital Group	U.S.	$2,383,707
8	BNY Mellon	U.S.	$2,210,574
9	Goldman Sachs Group	U.S.	$2,145,000
10	Amundi	France	$2,126,391
33	Mitsubishi UFJ Financial Group	Japan	$852,892

ウィリスタワーズワトソン『世界最大の資産運用会社2021年』より
https://www.thinkingaheadinstitute.org/content/uploads/2021/10/PI-500-2021.pdf

1-6 アセットマネジメント・ビジネスの現状

世界的な低成長のもとで投資機会を求めるお金が増えることを背景に、アセットマネジメント・ビジネスは成長しています。その一方で、コストの引き下げ圧力と世界的な競争が進んでいます。

アセットマネジメントは成長産業

日本において、アセットマネジメントはこれまでも、そして、これからも成長産業と言っていいでしょう。お金の面で見れば、確定給付型の年金は、今後、給付が増える見込みなのでそれほど大きな伸びは期待できませんが、確定拠出型の年金は加入者数1千万人が視野に入ってきました。

また、家計の金融資産における1千兆円に近い預金などのお金は、今後の資産形成に向けた潜在的な投資余力です。少子高齢化と人生100年時代において、現役層もシニア層も自助努力による**資産形成、資産防衛の意識**は高まっています。

企業も余裕資金が増え、また、学校法人などの資金運用ニーズも高まっています。今までは、余裕資金を預金代わりに安定した日本国債などで運用してきましたが、超低金利が続く中で**運用の機会**を求めて、専門的な運用を行うアセットマネジメントにお金が入ってきています。

コスト引き下げ競争にあるアセットマネジメント・ビジネス

一方で、アセットマネジメント・ビジネスでは**コスト競争**が続いています。世界的な低成長下において期待リターンが低下する中、資産運用に支払う費用にも低下圧力が強まっています。

さらには、運用におけるパッシブ化が進み、パッシブ運用にお金の流れが続く中で、パッシブ運用はコストを抑えることにしのぎを削っています。この影響は、そのままアセットマネジメント・ビジネス全体にも、コスト引き下げの圧力として働きます。

世界的な競争にさらされる中で磨かれている運用業務

私たちの身近にある銀行や証券会社を見渡すと、ほとんどが日本の会社です。金融商品を幅広く販売するには法律や規制への対応などが必要なため、どちらかと言えば、国内の金融機関同士の競争です。

それに対して、**運用会社は世界との競争**です。日本は世界でも有数のお金持ちなので、世界の多くの運用会社の金融商品や金融サービスが日本に提供されています。金融商品を販売する金融機関は、日本の運用会社の金融商品にこだわる必要はありません。年金の運用においても同様です。よりよいリターンを顧客に提供できることが、選ばれる基準だからです。

これは、携帯電話の販売・サービス会社と、携帯電話を作って売る会社の関係をイメージするとわかりやすいでしょう。身近なサービスは国内の会社から受けますが、携帯電話の機器は世界の製品からよいものを選ぶでしょう。日本の運用資金のかなりの部分は、直接・間接に外国の運用会社にお金が流れています。運用会社は世界と競争している、言い換えれば、グローバルな競争の中で磨かれていると言えます。

アセットマネジメント・ビジネスを取り巻く環境

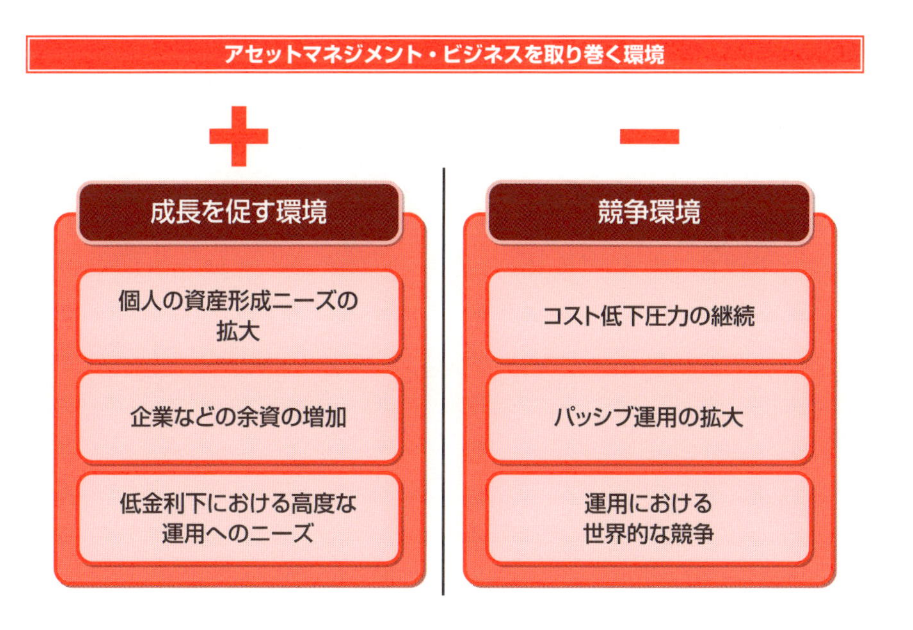

アセットマネジメント・ビジネスにおける運用会社の競争力の源泉

一般的に、企業の強みには、規模が重要な要素の1つになります。同じ金融の世界でも、銀行であれば、顧客から預金を受け入れて、自己のリスクでもって貸出などを行うため、いざというときのための資本力が問われます。また、多様なサービスを展開するための設備投資も必要であり、幅広く展開するためには組織的な規模の大きさも重要です。

それに対して、運用会社における強みの源泉は、長年の時間をかけて築き上げてきた投資哲学、それに基づいた運用のプロセスになります。企業文化のようなものです。これが顧客に良質のリターンを提供するための源泉になります。そのためには、必ずしも大きな規模、多くの人材が必要とは限りません。会社の投資哲学や運用プロセスを実行できる、専門性の高い集団こそが重要になります。

たとえば、衣料や装飾品の世界で、巨大資本ではないイタリアの老舗ブランドが、絶えず魅力的な商品を提供して人々を惹きつけているのと同じように、築き上げてきた伝統（投資哲学）を大切に、高品質で魅力的なデザインの商品（良質のリターン）を安定的に提供できる力（運用プロセス）と職人たち（運用者たち）のようなものです。

こういったことから、運用会社が買収などを行う場合にも、買収先の会社の企業文化を最も大切にします。組織のプラットフォームなど効率化を図る部分もありますが、運営や人材においては独立性を保つことが多いです。これも、欧州のブランド業界における買収の姿と似ていますね。運用会社のかなめは、競争力の源泉である企業風土であり企業文化だからです。

第2章

アセットマネジメント・ビジネスの顧客層

アセットマネジメント・ビジネスの主な顧客層は、従来からの主要な顧客である年金、大きな金融資産を有していることからその潜在性が期待されてきた個人、そして、長引く低金利下により運用ニーズが高まっている法人になります。

この章では、アセットマネジメント・ビジネスにおける主要な顧客層である年金、個人、法人について、その違いや特徴を見ていきます。

図解入門
How-nual

2-1 アセットマネジメント・ビジネスの顧客層と特徴

アセットマネジメント・ビジネスの顧客層には、年金制度に基づく投資家、大きな金融資産を保有する個人、近年に運用ニーズが高まる法人があります。

日本は貯蓄超過が続き、運用ニーズが高い

アセットマネジメントは顧客や投資家からお金の運用・管理を託されるビジネスです。直接的にお金を託されて運用する場合もあれば、アドバイスや金融商品の購入を通じて間接的に運用する場合もありますが、運用を目的とするお金が増えるほどビジネスは拡大します。また、運用を志向する投資家のすそ野が広がるほどビジネス領域は広がります。

日本経済は低成長が続き、輸出競争力を保つ産業も徐々に減ってきていることから、輸出で稼ぐ力は以前ほどではありません。しかし、これまでの投資の蓄積によって2020年時点でも30年連続で世界最大の債権国です。各経済主体に目を向けると、公的部門は財政赤字が続いていますが、企業や個人は黒字を保っており、**国全体では貯蓄超過**が続いています。お金が余剰な中で超低金利政策が長らく続いていることにより、運用を目的とするお金や投資家は時間の経過とともに広がっています。

主な顧客層は年金、個人、法人に大別できる

日本において、ビジネスをする側から顧客層を見ると、大きく3つに分類することができます。それは、公的年金や企業年金など**年金制度を背景にした投資家**、膨大な金融資産を有する**個人**、そして事業法人や学校法人などの**法人**になります。

日本に限らず、世界的にも**年金資金の運用は運用会社にとって重要な存在**です。先進国では何らかの公的年金制度が確立している国が多く、これらの資金は投資を通じて運用されます。また、個々の企業は従業員の福利厚生のために企業年金制度を用意しています。近年は確定拠出型年金が増えてきていますが、運用資金

で見ると確定給付型によるものが多く、加入者に対して将来の給付を行うために一定の利回りを求めて運用を行います。ただし、これらの年金は加入者が大きく増えないので、運用金額自体は大きな成長が期待できる分野ではありません。

一方、個人には制度的な運用が求められているわけではありません。日本には今や2,000兆円近い個人金融資産がありますが、その多くは運用されず、預貯金や保険という形で存在しています。従来から「貯蓄から投資へ」というフレーズがありましたが、なかなか変化の動きが見られないものでした。しかし、近年ではiDeCoやつみたてNISAなど資産形成促進への施策、様々な投資啓蒙による金融リテラシーの向上、人生100年時代のフレーズによる老後への備えが積極的に取り上げられることなどによって、**個人の資産形成への意識に変化**が見られます。

最後に、事業法人や学校法人などの法人についてです。上場企業の半分以上は実質的な無借金会社と言われるように、一般の企業もいまやキャッシュリッチです。そういった企業以外にも、非営利法人と呼ばれる学校法人や財団法人、宗教法人など世の中にはたくさんの法人があります。これまでこういった法人の資金は、金利が付いて確実に元本が戻ってくる国債を中心に運用されていました。しかし、国債の金利も低下する中で**運用方法の拡大を志向する法人**が確実に増えています。

お金がどこかにある限り、運用ニーズは生じます。このように運用を志向する顧客は広がりを見せていますが、顧客層によって運用への積極性や求めるニーズは異なってきます。

アセットマネジメント・ビジネスにおける顧客層と特徴

顧客層	顧客の運用ニーズ	特徴
年金	従来からメインの顧客層	年金制度に基づく運用 規模は大きいが伸び悩み
個人	従来から潜在顧客層	個人金融資産2000兆円弱 資産形成への意識の高まり
法人	近年ニーズが高まる層	国債中心の運用の代替 法人の種類によっても差異

2-2
公的年金と私的年金

年金を通じたお金は運用の世界における最も大きな存在です。公的年金や年金基金は、受託者責任のもとで高度に専門的な運用を行います。

公的年金と私的年金

一口に年金と言っても、その制度は複雑です。ここでは、運用の世界において最も大きな資金量を抱える年金について、その大枠を確認します。

年金には、大きく分けて**公的年金**と**私的年金**があり、**3階建ての構造**になっています。公的年金は国が運営する年金で、日本に住む20歳以上60歳未満のすべてが加入する国民年金（**1階部分**）と、会社員や公務員などが加入する厚生年金（**2階部分**）があります。これが年金運用の中で最も大きな存在になります。世界最大の年金運用であるGPIF（年金積立金管理運用独立行政法人）は、このお金を運用しており、100兆円をゆうに上回る運用残高を誇ります。

また、厚生年金に加入できない個人事業主のために、国民年金基金などがあります。それに対して、私的年金（**3階部分**）とは、公的年金の上乗せの給付を保障する制度です。企業が独自に行う確定給付型の年金制度などがあります。

私的年金における2つの切り口

私的年金には2つの切り口による整理が必要です。1つは**企業が行うものか個人が行うものか**、もう1つは、その中で**誰が運用を行うのか**の切り口です。

企業の制度による年金としては、厚生年金基金や確定給付型の企業年金は、お金を預かった基金が運用に責任を持ちます。これらは80兆円を超える運用残高になります（2021年現在)。一方で、確定拠出型の年金は、企業による制度のもとで加入者が自ら運用を行います。個人の場合も同様に、国民年金基金は基金が運用に責任を持ちますが、個人型の確定拠出年金（iDeCo）は同基金が運営する制度のもとで個人が運用を行います。

いずれも、最終的には加入者がその運用成果を受け取るのですが、制度の運営主体と、運用を行う主体によってそれぞれ年金には違いがあります。

受託者責任のもとで高度に専門的な運用を行う

公的年金や私的年金において、GPIFや年金基金が**加入者になり代わって行う運用**は、受託者責任のもとで、各年金の制度設計に基づいて運用のリスク水準を定めポートフォリオに基づいた運用を行うなど、高度に専門的な運用を行っています。運用会社への要求水準も高く、良質なリターン獲得のために評価会社を活用し、新たな投資機会の検討や投資手法の活用にも積極的です。運用を行う立場のアセットマネージャー（運用会社）との対比で、これら年金などの投資家をアセットオーナーと呼ぶこともあります。日本の運用の世界において最も大きな存在です。

それらに対して、最近に導入が進んだ確定拠出型の年金は、企業型、個人型ともに**加入者自らが運用**を行います。規模は両方合わせて20兆円程度なので、年金と名の付く制度の中では小さいものになりますが、加入者も増えて運用金額も年を追うごとに増加してきており、今後が期待される制度です。

公的年金と私的年金の区分と運用主体

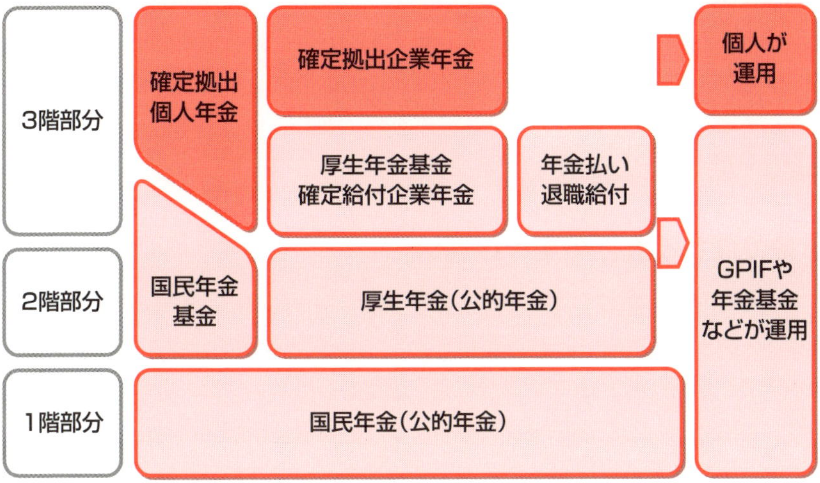

3階部分
2階部分
1階部分
確定拠出個人年金
確定拠出企業年金
個人が運用
厚生年金基金 確定給付企業年金
年金払い退職給付
国民年金基金
厚生年金（公的年金）
GPIFや年金基金などが運用
国民年金（公的年金）

厚生労働省『規制改革推進会議専門チーム会合提出資料4』（平成30年3月29日）より

2-3 個人の資産形成の概観

個人は間接的に年金を通じて、また、直接的に自身の資産形成を通じて、アセットマネジメント・ビジネスと広く関わりがあります。

年金における投資と自分の投資

個人のお金は、投資の経路としては、**年金によって運用されるお金**と**自分が投資するお金**に大別できます。年金については2-2「公的年金と私的年金」において、その区分や運用責任の違いなどについて詳しくお話ししました。

年金は、国や企業が運営してくれるものと自ら進んで利用するものの違い、また、年金の給付が定まっているもの（確定給付型）と自らの運用方法によって年金額に違いが出るもの（確定拠出型）があり複雑です。ただ、いずれも年金制度の枠の中なので、掛け金は税制面で大きく優遇されています。一方で、年金と名前が付くものは、基本的に老後に向けた投資であり、途中で勝手に解約して使うことはできません。

年金制度の器を用いた投資以外に、金融機関が販売する投資信託などの金融商品を選んで自ら投資することができます。この場合には基本的に税制面の優遇はないのですが、資産形成を促進する観点から、NISAと呼ばれる制度を用いると運用益などが非課税とされます。

お金の流れと責任の重みの違い

公的年金など、給付が定められている年金の場合には、年金基金などが運用しますが、加入者のために忠実に運用を行うという**受託者責任**が課されています。

一方で、年金の枠組みを用いずに自ら運用を行う場合には、取引の相手方は銀行や証券会社といった金融機関になります。投資信託の場合には、買いつけたお金をもとに運用会社が金融市場を通じて運用を行いますが、投資の成果も含め個人が**自己責任**で行うものです。

個人は、資産形成のニーズや必要性は高い一方で、投資に関する知識や経験が少ないため、金融商品を販売する金融機関は強い立場にあります。そういった金融機関に対して、個人の資産形成促進などに努めるよう、フィデューシャリー・デューティに基づいた顧客本位の業務運営が求められています。

長期投資による資産形成の広がり

公的年金や企業年金による、半強制的とも言える部分では、将来に向けた一定の資産形成がなされています。しかし、それ以外の部分においては、保険商品を通じた運用は多いものの、自ら進んで積極的に資産形成に取り組んでいるとは言えません。貯蓄性の保険は、変額保険でない限り、比較的低利回りで確定します。定められた年金と、低利でも利回りが見通せるものにお金が回り、その一方で、自ら投資に励む姿はまだまだです。

米国などの先進国では、資産形成のために投資に回すお金の割合が高く、それが国民の金融資産の増加に結びついています。ただし、以前からそうだったわけではなく、1970年代は今の日本と同じように、多くの人は投資をしていませんでした。日本でも確定拠出年金制度が根づき、つみたてNISAが始まったことにより、**積立型の資産形成**が広がりを見せています。

日米欧における家計の金融資産の構成

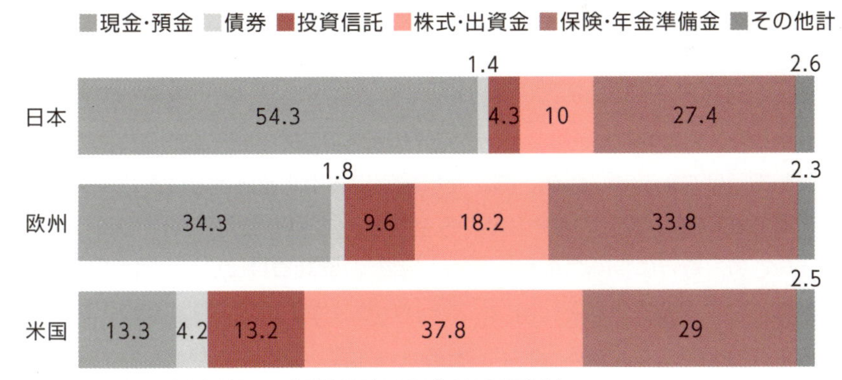

日本銀行調査統計局『資金循環の日米欧比較』(2021年8月20日)より

2-4 低金利下で運用ニーズが高まる法人

法人向けビジネスは、個人向けとともに、今後のアセットマネジメント・ビジネスの成長領域です。

法人にもいろいろな種類がある

アセットマネジメント・ビジネスにおいて、個人とともに注目されているのが法人です。しかし、その形態は多様です。私たちに馴染みがある法人と言えば、トヨタやソニーなど生活で目にするとか株式上場している製造業やサービス業の株式会社です。これらは**営利法人**になります。一方で、世の中には**非営利法人**として学校法人、財団法人、宗教法人、社団法人、NPO法人などが多数あります。

非営利法人というと、利益を出すことを目的としない慈善活動的な響きがありますが、必ずしもそうではありません。営利と非営利の違いは、利益を株主などに対して分配できるかどうかの違いであり、それを目的としない法人を非営利法人と呼ぶのであって、利益を出すこともでき、法人税もかかります。アセットマネジメント・ビジネスにおいては両方の法人が対象です。

低金利下で徐々に運用ニーズが拡大

法人が注目されているのは、長らく続く低金利下において、**運用を求める動き**が広がっているためです。そもそも、法人の多くは運用を目的とするために設立されたものではないため、本来、お金を積極的に運用する立場ではありません。営利法人である株式会社は、生み出した収益をもとに蓄積されたお金がたくさんあったとしても、それは企業の成長のために設備投資に回すとか、株主に報いるために配当として還元するなどに用いることが中心です。ただ、日本企業は潤沢な余裕資金を抱えており、超低金利下でその余資を少しでも金利が付くものに置いておきたいというニーズは広がっています。

学校法人や宗教法人などの非営利法人においては、寄付金などで潤沢な資金を有している法人も少なからずあります。これらの法人の多くでは、リスクがなくて確実に数%の金利が得られる日本国債を購入することで自ら運用していました。

しかし、国債の金利が低下する中でもう少し運用収益を得られないかとのニーズが高まり、国債以外の投資対象や金融商品を検討する動きが徐々に広まっています。また、米国の先端的な大学では積極的に資産運用を行って学校の運営資金に充てているところも多く、そのような潮流にも影響を受けています。

法人向けビジネスの難しさ

ビジネスを行う立場からすると、法人として**一括りにできない難しさ**があります。各種法人によってお金の運用に対する考え方は異なります。さらに、その中の個々の法人によっても、運用を志向する度合いは違います。適用される会計上の扱いから、提供できる金融商品のスキームに制約が生じることもあります。年金のように目標とする運用利回りが定まっているわけではなく、個人のように老後の備えなどといった投資の誘因が強く働くものでもありません。

これからの拡大が見込まれる大きなマーケットではありますが、年金や個人向けとはやや異なり、幅広く一律の商品やサービスを展開しづらいものでもあります。個々のニーズを確認し、それに合わせた対応をすることが求められます。

法人の運用ニーズの特徴

営利法人	**株式会社などよく目にする法人**
一般法人	企業が保有する余資の、安全かつ効率的な運用ニーズ
金融法人	預金のうち、貸し出しに回せないお金の運用ニーズ
非営利法人	**利益の分配を目的としない法人**
学校法人	運営資金や寄付金などの運用ニーズ 国債に代替できる、安定的な長期投資の運用ニーズ
宗教法人	
財団法人	

年金の運用はよいお手本になる

公的年金や企業の年金基金（確定給付型）が行う運用は、加入者への将来の給付のために、目標利回りを想定して行われています。この目標利回りは決して高い水準ではなく、一桁前半である、数%の水準を想定している場合が多いです。個人から見ても、「できれば、それほど大きな不安を持たずに、数%の利回りが得られればありがたい」と思う人はかなり多いと思われます。

年金の運用は、年金制度の下で、長年の運用ノウハウを積み重ねながら常にブラッシュアップされています。加入者に対して責任を持って運用をしていることから、資金を大きく棄損しないように、安定性も考慮しながら運用されています。

年金が実際に、どのような資産にどれくらい投資しているのかを調べることができます。本書でも追ってお話ししますが、私たちは投資信託などの金融商品を通じて、株式や債券を組み合わせたポートフォリオをコアとする年金と同じような運用ができます。

このように見てみると、個人にとって参考になることばかりです。裏を返せば、経済活動を享受できるこれらの資産に幅広く投資をしておけば、世界経済の成長率程度の利回りを得ることは、それほど難しいことではありません。

翻って、個人ではどうでしょう？　もちろん、年金だけを目的に運用すればよいお金と、生活資金（手元の流動性）や万が一への備え（保険）が必要な個人のお金を単純に比較することはできません。しかし、それを考慮したとしても、個人の金融資産は保守的であることは周知の事実です。個人に投資の説明をして勧める際にも、こういった年金運用の観点でのお話は参考になるはずです。

これは、法人でも、長期に運用することを目的とする資金であれば同じです。個人や法人では、年金のように運用利回りを想定して運用することは多くないかもしれません。しかし、それほど大きなリスクを取らず、安定した利回りを確保したいと考えるとき、長年磨き上げられてきた年金の運用は、よいお手本になるはずです。

第3章

アセットマネジメントに求められる行動規範

アセットマネジメントは、受託者責任のもと、成長性のある企業への投資や適正な経営への働きかけにより高いリターンを獲得し、国民の豊かさに結びつける役割を担っています。

この章では、受託者責任に基づいたアセットマネジメントに求められる行動規範について、日本の成長戦略との関係性から見ていきます。

3-1 アセットマネジメントと受託者責任

受託者責任とは英米法のトラストを起源とする理念で、資産運用に関連する人はおしなべて、顧客や受益者のために責任を果たすことが求められています。

受託者責任

受託者責任はわかりにくい概念ですが、アセットマネジメントとは切っても切り離せないものです。それは、顧客や受益者から信任を得て資産運用などを行う者がおしなべて課されているものだからです。

受託者とは、年金、投資信託の運営や運用に携わる人を言います。受託者は、年金の加入者や個人投資家などの受益者の大切なお金を任されているので、信じて託されたことに応えるように、受益者のために遂行すべき責任が生じるのです。これを受託者責任と言います。個々の契約や規定のもととなる、根本的な義務です。受託者責任は、主に**善管注意義務**と**忠実義務**が中心となります。

善管注意義務

善管注意義務は、「善良な管理者の注意義務」の略です。業務を任された人の職業や専門家としての能力、社会的地位から考えて通常期待される、合理的な注意を払うことが求められます。法律によっては注意義務としている場合もあります。

忠実義務

年金などの運用を任されている人や資産の運用に携わる人は、加入者や受益者の利益のためだけに、忠実に業務を遂行しなければなりません。

受託者責任は理念に基づく幅広い概念

受託者責任は、年金の運用に責任を持つ年金基金、実際に運用を行う運用会社、お金を含めた財産の運用や管理を託される信託銀行など、それぞれの立場に則した形で法律によって規定されています。たとえば、委託者である個人からお金などの財産を信託される信託銀行では、信託法において委託者や受益者に対して善管注意義務や忠実義務が課されています。確定給付企業年金においては、年金基金の理事は資産運用に対して、また、資産運用契約の相手方となる運用会社などについて法律上で定められています。

ただし、法律に明記されていなければまったく義務を負わない類のものではありません。英米法のトラストを起源とする理念に近いもので、資産運用に関連する**広い範囲の者を含む概念**であると理解しておくことが重要です。

受託者責任は、地位や能力などにおいて、社会通念上、要求される水準のものなので、具体的な相手方や内容は業種や業務内容により異なりますが、資産運用の担い手である限りは、善管注意義務や忠実義務など、受託者としての責務を認識して行動していくべきことになります。

アセットマネジメントと受託者責任の範囲

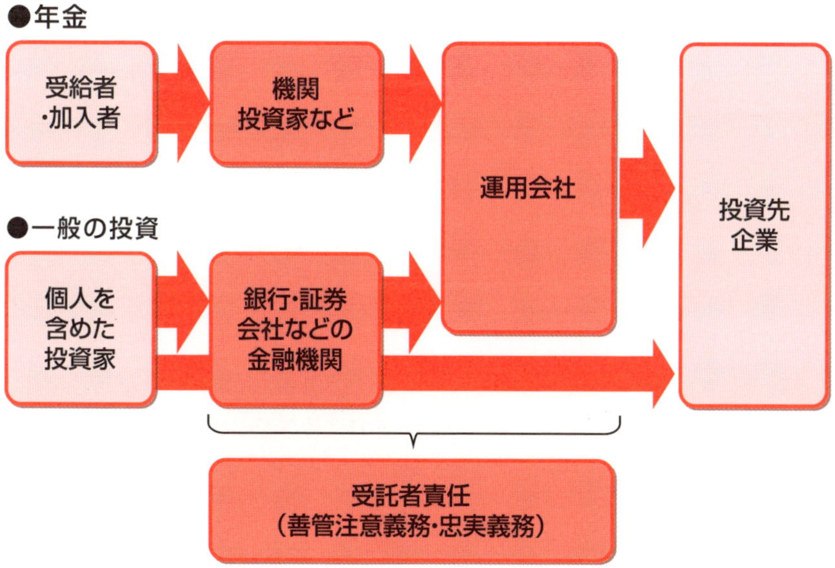

●年金
受給者・加入者
機関投資家など
運用会社
投資先企業

●一般の投資
個人を含めた投資家
銀行・証券会社などの金融機関

受託者責任（善管注意義務・忠実義務）

3-2
成長戦略のインベストメント・チェーン

投資家の長期的な投資リターンの拡大による持続的な成長を目指すインベスメント・チェーンの向上に向けて、金融市場の機能強化に向けた多くの取り組みが一体感を持って進められています。

成長戦略のインベストメント・チェーン

従来からの課題であった、金融市場の活性化と日本の成長を取り戻すための動きは、アベノミクスによる2013年の「日本再興戦略」により、具体的な形で進められてきました。企業や投資家を取り巻く環境が大きく変化する中、資本市場の機能の発揮を通じ、最適な資金フローを実現し、企業価値の向上と収益の果実を家計にもたらしていくという好循環を実現することが目指されました。

そのために、金融市場の機能強化に向けた施策の柱として、機関投資家の行動規範である**スチュワードシップ・コード**（2014年策定、2020年改訂）、次いで、上場会社の行動原則である**コーポレートガバナンス・コード**（2015年策定、2021年改訂）、そして金融機関の金融商品販売における**顧客本位の業務運営**（2017年に公表、2021年に改訂）が相次いで定められました。これらを、機を同じくして推し進めることにより、家計に金融商品を販売する金融機関、家計のお金の運用を間接的に任されている年金などの機関投資家、その先にある運用会社の投資行動や活動を通じて、企業との対話による成長を促すものです。

この流れを**インベストメント・チェーン**と呼びます。投資対象となる企業が中長期的な価値向上によって利益を拡大し、それに伴う配当や賃金の上昇が、最終的に家計にまで還元されるという一連の流れを指します。アセットマネジメント全般に求められるこれらの改革を、1つの流れの中で捉えることが大切です。これらのベースには、受託者責任をしっかりと果たすという義務があります。

ルールではなく、自らが判断し決めるアプローチ

本章では、以下にスチュワードシップ、コーポレートガバナンスについて取り上げますが、これらはいずれも、法令によるルールとは異なり法的拘束力はなく、その実施にあたっては、「**コンプライ・オア・エクスプレイン**」（原則を実施するか、実施しない場合にはその理由を説明するか）の手法が採用されています。上場会社や運用会社、機関投資家は、それぞれ自社の個別事情に照らして各規範や原則を実施しない場合には、その理由を説明することとされています。

また、顧客本位の業務運営においても、金融機関にとって守るべきルールが定められるのではなく、自らが定める考え（**プリンシパル**）により、どういう目標を掲げるのかを各社が決めることがベースになっています。これらは、一見すると緩やかなものに見えますが、ルールとして形式に捉われるのではなく、本質的にどのように考えて行動をとるのかを問われているものでもあります。

成長戦略のインベストメント・チェーン

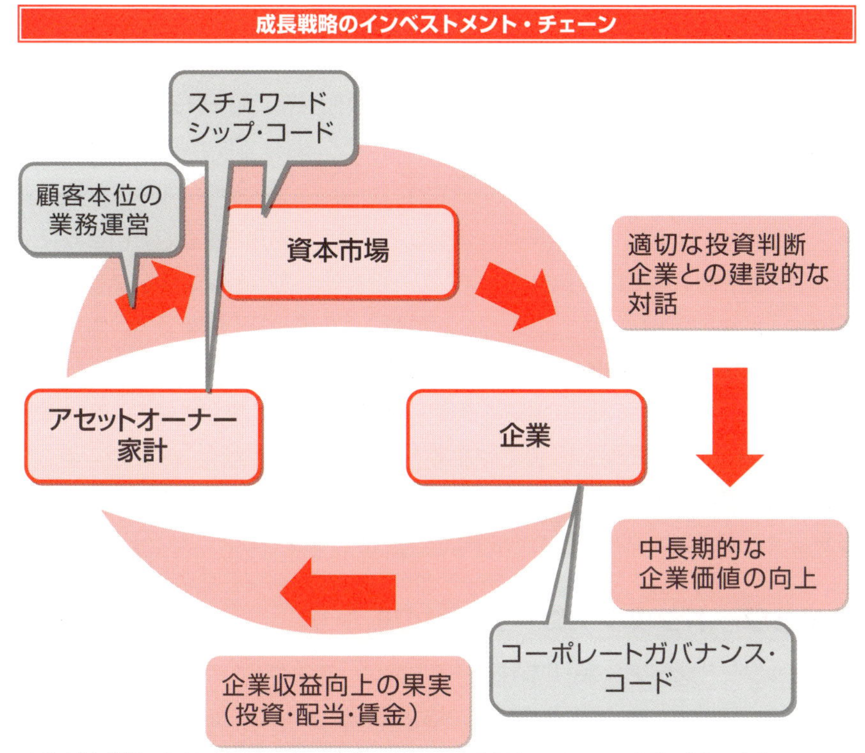

金融庁『変革期における金融サービスの向上にむけて～金融行政のこれまでの実践と今後の方針（平成30事務年度）～』（平成30年9月）P.45 図表Ⅲ-3-1より一部抜粋

3-3 日本版スチュワードシップ・コード

スチュワードシップ・コードは、機関投資家や運用会社に対し、株主の立場を通じて企業を監視し、対話を通じた企業価値の向上や持続的成長を促す取り組みを求めています。

スチュワードシップ・コードとは

スチュワードシップは、英国の中世において荘園領地を管理する責任をそう呼んだことに由来し、投資では管理者の心がけとして、**預かった資産をよりよい状態で長期的に責任を持って運営**する意味で用います。2008年の金融危機に際し、金融機関のガバナンス欠如に対して行動しなかった機関投資家にも責任があるとされ、その反省から、2010年に機関投資家の行動規範として英国で制定されたのがスチュワードシップ・コードです。日本では2014年に策定されました。

日本版スチュワードシップ・コード

スチュワードシップ・コードでは、年金などの健全な運用を託されている機関投資家は、受託者としての責任を果たすべく、投資先企業への深い理解に基づく建設的な「目的を持った対話（エンゲージメント）」を通じて、企業価値の向上や持続的成長を促すよう**積極的に働きかける**ことを求めています。

そこでは、有用となる8つの原則を規定しています。株主総会に対する**議決権行使のあり方**に加え、アナリストなどが**企業との対話**を通じて積極的にかかわることが期待されています。2020年の改訂では、スチュワードシップ責任に**サステナビリティ**（ESG要素を含む中長期的な持続可能性）が加えられました。

スチュワードシップ・コード採用の広がり

スチュワードシップ・コードを採用する対象は、年金などの運用に責任を持つ資産保有者（アセットオーナー）である**機関投資家**、そして、機関投資家から運用を委託されて実際に運用を行う**運用会社**（アセットマネージャー）になります。

投資先企業とかかわりを持つ運用会社は、投資先に対してどのような行動を行うのかを公表し、行動結果を報告します。年金などの機関投資家は、運用を任せた運用会社が投資先企業に対して望ましい行動をとっているのかをモニタリングし、公表します。法的拘束力のないスチュワードシップ・コードですが、公的年金を運用する世界最大の機関投資家GPIF（年金積立金管理運用独立行政法人）が採用し、運用を委託する運用会社に取り組みを求めたことを機に、運用会社、信託銀行、生命保険会社などの多くが採用しています。

負担が大きいなどの理由から採用が少なかった企業年金においても、徐々に採用が広がりつつあります。一方で、確定拠出年金の場合には、確定給付型までの責任が求められていないこともあり、一定の容認がなされています。

スチュワードシップ活動の概念図

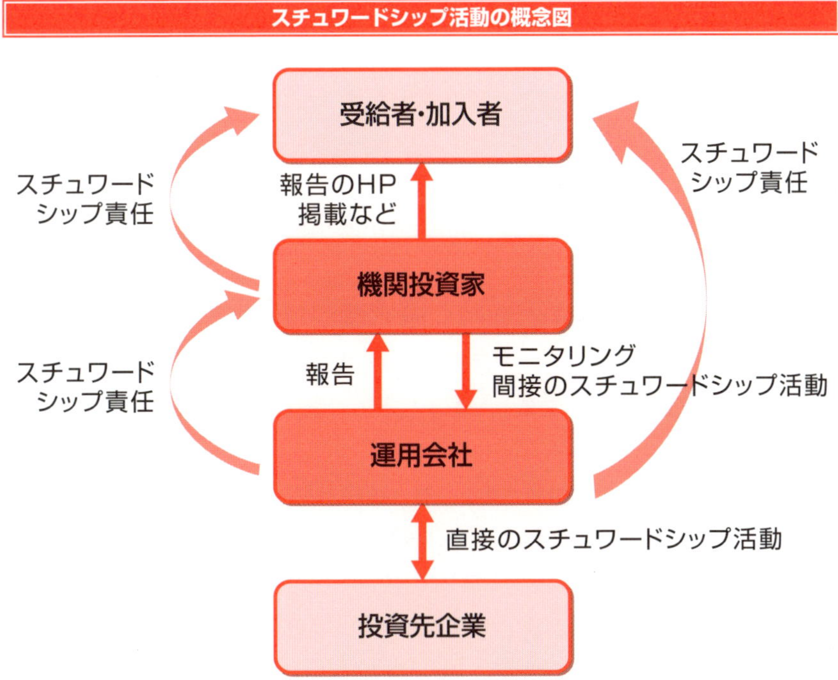

企業年金連合会『企業年金と日本版スチュワードシップ・コード（スチュワードシップ検討会報告書）』（平成29年3月17日）より

3-4 スチュワードシップ・コードに基づく具体的な活動

スチュワードシップ・コードを採用した機関投資家や運用会社は、原則に則って、活動方針の策定・表明、方針に基づいた活動および報告・開示を行います。その根底には、企業の持続的成長と企業価値の向上への働きかけがあります。

スチュワードシップ・コードに基づいた活動

スチュワードシップ･コードの原則は、機関投資家や運用会社がスチュワードシップ責任を果たすための方針を策定･公表し、企業の状況をしっかり把握して、企業との目的を持った対話や議決権の行使を通じ、**持続的成長を促す**ように努めることです。そして、これらの内容を公表し、顧客などに定期的に報告することとされています。また、機関投資家や運用会社には、これらの活動を適切に行えるような実力を備えることを求めています。機関投資家や運用会社は、それぞれの立場において、この原則に基づいて具体的な活動を行います。ここでは理解を深めるために、企業と直接に接点を持つ運用会社の取り組み事例を取り上げます。

具体的な活動は企業との対話と議決権の行使

運用会社は､スチュワードシップ活動における**自社の方針**を策定します。実際に、ROEの持続的成長とか、利益成長や配当などによる株主への還元の充実を掲げています。これは、各社が運用を託されている投資家の最善の利益のために掲げているものなので、方向性は同じであっても、各社の内容が同じとは限りません。

そして、方針に基づいた活動は、主に**企業との対話**や**議決権の行使**に表れます。

企業との対話では、アナリストが主にその役割を担います。アナリストは企業の調査･分析を行う立場から企業に対する理解が深く、また、面談などを通じて企業との接点も多いことから、企業の活動に提言できる知識と機会を有しています。ある大手運用会社を例にとれば、主な観点は、中長期的な経営ビジョンと事業戦略の妥当性、成長投資と配当などによる株主還元のバランス、透明性と持続性を有したガバナンス体制、情報開示に対する姿勢や実施状況になります。

議決権行使は専門の部署が行います。株主総会にかけられる議案は、利益（剰余金）の処分案、役員などの改選、新株発行など、企業の経営や財務状況に影響を与える重要な議案が多く、これらについて、よいガバナンスとなるのかの目線で判断を行います。アナリストと企業との対話によって得られたものは、議決権行使の専門部署と情報共有されることにより、議案に対する判断に活かされます。

活動の報告・開示

運用会社は、企業との対話の目的や経営層との対話数、また、議決権行使に対する考え方や具体的な項目に対する賛成・反対などの結果を顧客に報告するとともに、活動状況をホームページなどで開示します。これらの活動のPDCAにより、スチュワードシップ活動の改善を図ります。大切なのは、形式的な対話回数や株主総会議案の賛成･反対数ではなく、その活動がコーポレートガバナンスに影響して、**企業の中長期的な価値を向上**させ、**投資家や顧客の利益**に結びつくことです。

運用会社のスチュワードシップ活動

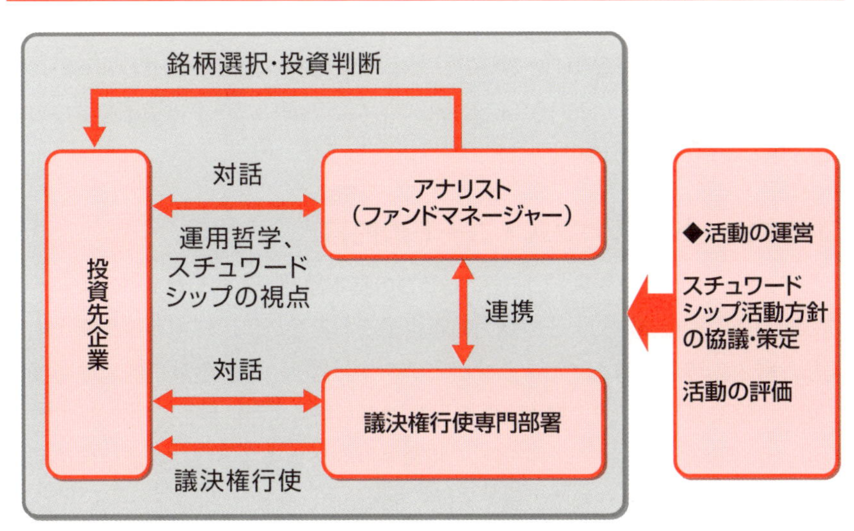

三菱UFJ信託銀行株式会社『三菱UFJ信託銀行におけるスチュワードシップ活動の取組状況について』（平成28年11月1日）より

3-5 信頼を醸成するコーポレートガバナンス・コード

日本では、成長戦略として上場会社のコーポレートガバナンス改革が推進され、2015年にコーポレートガバナンス・コードが策定されました。同コードは、機関投資家や運用会社におけるスチュワードシップ活動と密接な関係があります。

コーポレートガバナンス・コードとは

コーポレートガバナンスは、企業の不祥事のたびに耳にする言葉なので、社内の監視を強めて規律を高めるイメージがありますが、本来の目的は、**企業を適正に経営し、健全な発展を図る**ものです。投資家や株主、従業員（ステークホルダー）などの利益を守るため、企業活動に対する公平性、透明性を確保する目的で実施されます。

しかし、上場会社による不祥事が繰り返される日本の企業に対し、海外の投資家からは長年、コーポレートガバナンスが不十分と言われてきました。そこで、金融庁と東京証券取引所が中心となって、ガイドラインとしてのコーポレートガバナンス・コードをまとめ、2015年に公表しました。同様のコードは英国をはじめ約70か国で策定されています。

コーポレートガバナンス・コードの内容

コーポレートガバナンス・コードでは**5つの基本原則**が定められています。その内容として、①投資家にとって魅力ある企業であるために、株主利益の最大化を図り、株主の権利を尊重するよう求めています。さらに、②企業の健全な発展のために、従業員や取引先、顧客とも良好な関係を築くように促しています。また、③投資家が企業の経営内容を把握し、投資判断を下せるように、適切な情報開示と透明性の確保による「経営の見える化」を求めています。

さらに、④経営環境の変化などに対応するために、指名委員会の設置や独立社外取締役の採用などによる取締役会の機能向上と迅速・果断な経営の意思決定を目指すこと、また、⑤企業の外部評価を高めるために投資家とのコミュニケーションを促しています。これらの基本原則において、それぞれに原則、補充原則でとるべき行動について細かく規定しています。

コーポレートガバナンスが目指すもの

すでに会社法があるのに、わざわざコーポレートガバナンス・コードを策定した背景には、**国際標準**に近づけるために補完する必要があったためです。

たとえば同コードには、会社法にはない、企業による社会の持続的成長への取り組みや女性の活躍促進などの独自規定が含まれています。また、経営戦略や経営計画の策定・公表を行い、どのように実現を目指すのか、株主に具体的に説明するように求めています。

上場会社におけるこれらの行動は、機関投資家や運用会社におけるスチュワードシップ活動と相まって、企業の健全な成長性を促すものとして期待されています。

コーポレートガバナンスとスチュワードシップ活動の関係

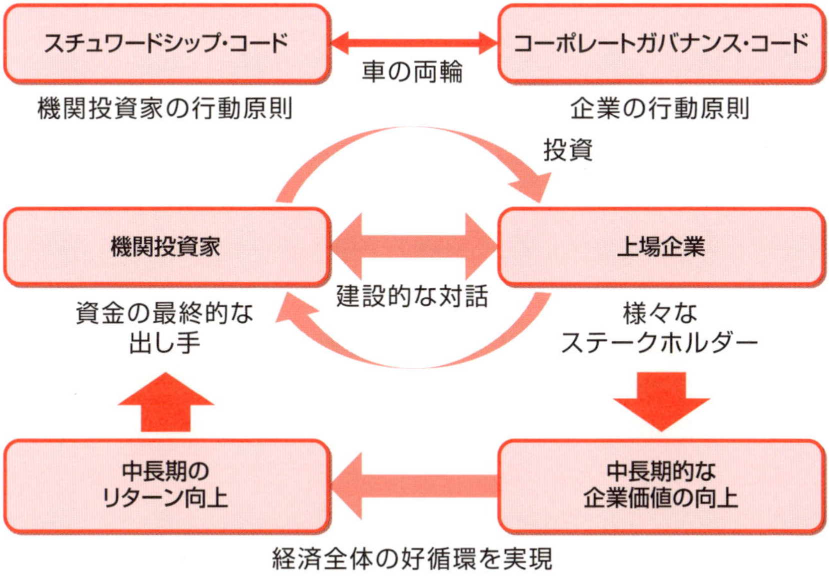

「コーポレート・ガバナンス改革の進展と独立社外取締役への期待」(株式会社東京証券取引所 小沼 泰之、2018年1月11日)より

3-6 コーポレートガバナンスが企業価値に与える影響

コーポレートガバナンス強化の取り組みは企業価値を高めます。コーポレートガバナンス・コードは、上場企業が積極的に受け入れていますが、課題もあります。

コーポレートガバナンス・コードの取り組み

コーポレートガバナンスを強化する動きは、そのまま**企業価値を高める**ことにつながります。それは、コーポレートガバナンスは、企業経営の質を高めることであり、それを通じて株主を含めた**ステークホルダーの利益を守る**ことだからです。

一方で、不正事件などによるガバナンスの欠如が露呈した会社の社会的な信用は失墜し、企業価値を大きく棄損してしまいます。不祥事ではなくても、適正な経営が行われていない企業は成長が損なわれ、企業価値も高まりません。

その点では、行動規範とも言えるコーポレートガバナンス・コードを積極的に受け入れて、実効的に取り組む企業の評価は必然的に高まることになります。

目に見える成果と今後の課題

コーポレートガバナンス・コードのすべての原則について何らかの対応を行っている企業は、2019年調査では東証一部上場企業のうち2割を上回りました。90%以上実施している企業も6割に達し、これらを合わせると全体の8割超の企業は、同コードの多くに取り組んでいることになります。

数字を見る限りは取り組みがなされている一方で、課題もあります。経営陣による果断な経営判断が行われていない、投資家との対話が形式的なものにとどまっているなどの指摘もあります。こうした課題を踏まえ、2018年の同コード改訂時に、機関投資家と企業の対話において重点的な議論が望まれる事項をまとめた「**投資家と企業の対話ガイドライン**」が策定されました。

また、2021年の再改訂では、コーポレートガバナンスをより深化させていくことを目的に、社外取締役の活用などによる**取締役の機能強化**、女性活用などによる**人材多様性の確保、サステナビリティを巡る課題への取り組み**が考慮されました。

取引所の市場区分見直しとコーポレートガバナンス・コードの対象範囲

東京証券取引所は2022年より、これまでの一部、二部などの市場区分を、プライム、スタンダード、グロース市場の区分けへと見直します。これは、曖昧だった区分を明確にして投資家の利便性を高め、上場会社の企業価値の持続的な向上への動機づけを図ることが背景にあります。これに伴い、**プライム、スタンダード市場の上場企業**は、**コーポレートガバナンス・コードの全原則**について、**コンプライ・オア・エクスプレインを行う**ことが求められることになります。

報道で目にするように、大企業の不祥事は未だ後を絶ちません。東京証券取引所では、1999年にコーポレートガバナンスの充実について上場企業に要請して以来、様々な取り組みを経てコーポレートガバナンス・コードの策定に至りましたが、ガバナンス高度化の取り組みはこれからも続きます。

東京証券取引所の新市場区分とコーポレートガバナンス・コードの対象範囲

	株主の権利・平等性の確保	株主以外のステークホルダーとの適切な協働	適切な情報開示と透明性の確保	取締役会等の責務	株主との対話
基本原則（5原則）：ガバナンスの充実により実現すべき普遍的な理念･目標を示した規範	1	1	1	1	1
原則（31原則）：基本原則を実現するために一般的に留意･検討されるべき事項	7	6	2	14	2
補充原則（47原則）：上場会社各社においてで採用が検討されるべきベスト･プラクティス	11	4	5	23	4

コンプライ･オア･エクスプレインが必要な範囲
グロース市場：基本原則
スタンダード市場、プライム市場：基本原則・原則・補充原則

東京証券取引所『コーポレートガバナンス･コードの 全原則適用に係る対応について』（2021年7月）より
https://www.jpx.co.jp/equities/improvements/market-structure/nlsgeu000003pd3t-att/nlsgeu000005b3j7.pdf

3-7 金融商品の販売における国民の安定的な資産形成の課題

個人の投資行動は、長期投資を通じて安定した資産形成を目指す方向性には結びついていないとの課題がありました。国民が資産形成を通じた金融資産の成長によって豊かになるための取り組みが求められています。

金融商品販売と国民の健全な資産形成の課題

2014年、金融庁による「平成26事務年度金融モニタリング基本方針」の中で**フィデューシャリー・デューティ**が示され、その翌年には、フィデューシャリー・デューティに基づく**顧客本位の業務運営**に関する原則が公表されました。

フィデューシャリー・デューティとは、日本語に訳すと受託者責任です。アセットマネジメント業務の根底にあるこの規範をあえて示したのはどうしてでしょう?

そこには、金融商品販売から運用における一連のインベストメント・チェーンにおける、国民の資産形成の課題があります。

日本では、家計の金融資産を考えるうえで2つの課題を抱えています。1つは、国民の金融資産の多くは預金や保険に置かれ、投資に向かっていないことです。もう1つは、金融の知識や経験(金融リテラシー)が決して高いとは言えない個人は、自分に見合った投資による資産形成を十分に行えていないことです。

少し前まで、個人の中心的な金融商品である投資信託を通じて投資を行っている人たちの平均的な保有期間は短く、新しく設定された投資信託に頻繁に乗り換える動きがよく見られました。また、元本を取り崩してまで分配金を支払う投資信託が増え、投資信託の仕組みを十分に理解していない個人の中には、分配金の大きさで投資信託を選ぶ傾向も根強くありました。これでは投資の複利効果を活かすことはできません。商品を提供する運用会社としても、投資であるからには長期で保有してもらうことを想定しています。

こういった個人の行動は次第に改善されていますが、長らく、長期投資による資産形成を目指す方向ではなかったのです。これは、国民の金融資産が十分に増えず、国民が投資の成功体験を実感できない一因でもありました。

個人の資産形成において大切な役割を担う金融機関

投資をする個人にとって、最も身近な存在は銀行などの金融機関です。日本では、運用会社が直接に個人に金融商品を販売することは根づいていないので、販売会社としての銀行などの影響力は強く、その役割は重要です。しかし、個人に金融商品を販売して手数料などの収益を得る金融機関は個人とは**利益相反**の関係にあり、金融リテラシーの違いによる**情報格差**、**知識格差**が存在します。そのため、金融機関は、個人のための投資よりも自社の販売方針などを優先することができる立場にあります。だからこそ、金融機関が個人の安定的な資産形成に努めるフィデューシャリー・デューティが求められたのです。

フィデューシャリー・デューティの本旨とは何でしょうか？　一言で表現すると、「**専ら顧客のために**」ということに尽きます。顧客至上主義に基づいて、優れた金融商品やサービスを顧客に提供することこそが、フィデューシャリー・デューティです。そこで、これらの課題の解消を目的に具体的な行動規範として示されたのが、フィデューシャリー・デューティに基づく顧客本位の業務運営です。

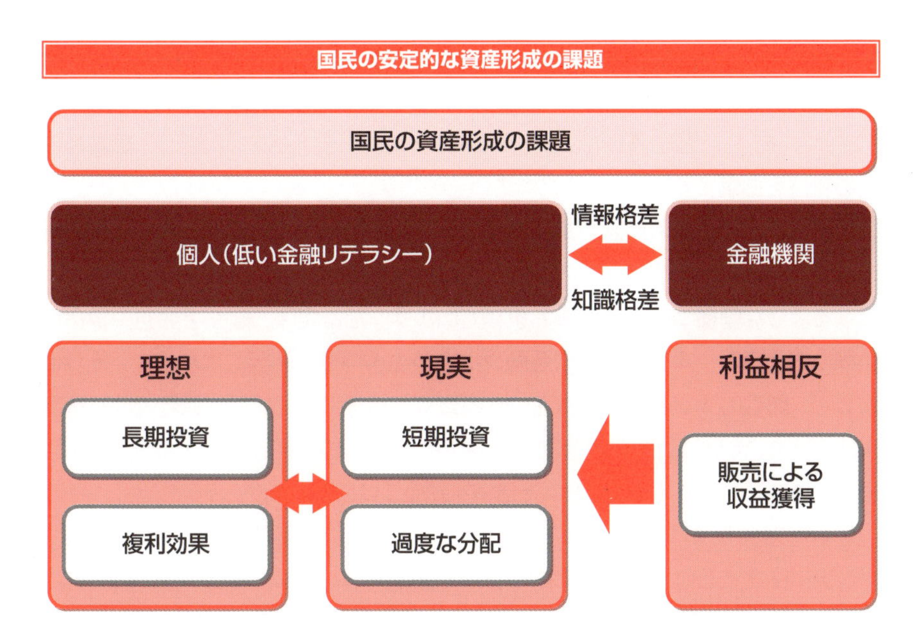

3-8 フィデューシャリー・デューティに基づく顧客本位の業務運営

フィデューシャリー・デューティを具体的に果たす規律として、2017年、金融庁より「顧客本位の業務運営」に関する原則が公表されました。

顧客本位の業務運営の内容

フィデューシャリー・デューティはあくまで概念的なものであり、それを銀行や証券会社、運用会社など金融商品の販売やサービスの提供に携わる金融事業者の具体的な行動として示したものが、顧客本位の業務運営です。

顧客本位の業務運営には**7つの原則**が掲げられています。その主旨は、顧客に対して、販売する金融商品などについてどのような特徴があるのか、重要な情報をわかりやすく提供し、顧客にとって理解しづらい投資にかかる手数料を明確に示すこと。また、自社の利益獲得を目指すことが顧客の不利益につながる利益相反が生じないようにすること。それとともに、投資についての顧客の知識や経験による金融リテラシーに配慮したうえで、資産形成のニーズを十分にくみ取ることにより、顧客にふさわしい金融商品の提供やアドバイスなどのサービスを行うこととされています。これらを通じて、フィデューシャリー・デューティに適う、**顧客の最善の利益を追求**することが求められているのです。

さらには、従業員の報酬や業績の評価体系においても、顧客との利益相反に結びつかず、顧客の安定した資産形成が従業員の評価にも結びつくWin－Winの関係になるような**動機づけの枠組み**も求めています。たとえは、販売手数料の獲得を目標に据えると、高い手数料の金融商品の販売といった誘因になります。それに対して、顧客の満足度や金融資産の保有残高を目標に据えれば、顧客の望む資産形成に努め、また、顧客資産の増加は従業員にとっても目標達成につながるという、顧客に寄り添い、顧客と同じ方向を目指す動機づけになります。

顧客に対するフィデューシャリー・デューティの姿勢を理解するうえでよく引き合いに出されるのが、医者や弁護士の役割です。私たちは医者にかかるときに、その専門性に基づいたアドバイスや医療を期待し、医者もその期待に応える働きに努めます。このような役割や責任が求められるのです。

自主的な運営が求められる

顧客本位の業務運営に関する原則は、法的な拘束力はありません。趣旨に賛同する金融事業者が、それぞれの立場で対応することを期待するものです。実際には、ほぼすべての金融事業者がこの趣旨に賛同し、原則に対してどのような行動をするのか、ホームページなどで表明をしています。その中には、顧客との相談件数など目標の達成度を評価するための指標（KPI）を公表しているところや、金融商品の販売手数料を従業員の目標から外す金融機関もあります。

2021年に顧客本位の業務運営の改訂が行われました。そこでは、金融機関におけるより具体的な取り組みの開示、顧客への、わかりやすくて競合商品とも比較しやすい情報提供などが求められています。当初は金融庁主導で大きく動き出した顧客本位の業務運営ですが、着実によい方向へと進んでいます。

顧客本位の業務運営の内容

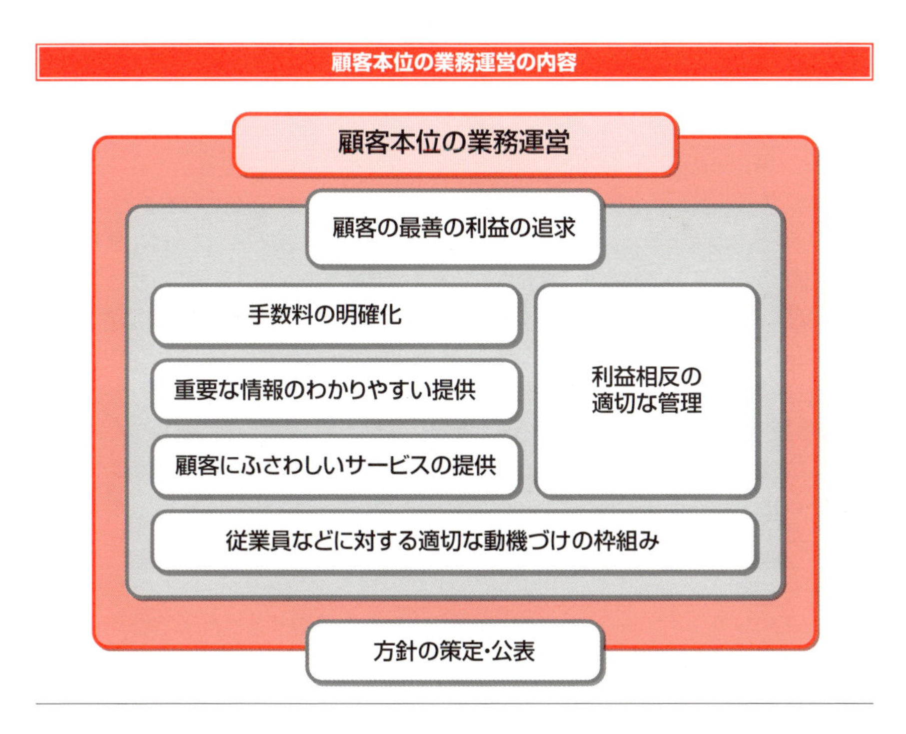

情報の開示は選ばれる時代へのシフト

アセットマネジメントの世界では情報の開示が進んでいます。1つには制度的な情報開示の流れ、もう1つは自主的でわかりやすい情報開示の動きです。制度的な開示といっても、金融商品取引法などによって基本的な開示は定められており、新たに開示を強化する法律が策定されるものではありません。開示の機会を積極的に活かすべきという枠組み作りが進められています。

企業と投資家の関係では、コーポレートガバナンス・コードやスチュワードシップ活動はそういった流れです。また、個人と金融機関の関係であれば、フィデューシャリー・デューティに基づく顧客本位の業務運営は、顧客のための情報開示の要請です。開示されたものはあらゆる角度から分析されるので、いったん開示が進むと情報の格差は急速に縮まります。

また、より積極的に情報を開示する動きもあります。たとえば、独立系の運用会社は、自社の投資哲学や考え方、どのように実践しているのかをわかりやすいメッセージとして伝えていくことで、若い世代を中心に幅広い層から共感を得ています。これは顧客目線の1つの姿です。

情報の開示が進むことは、与える時代から選ばれる時代へのシフトです。今までのアセットマネジメント・ビジネスは、どちらかと言えば、専門的なスキルをベースに、特定の販売ルートや取引関係を活かしながら、金融商品を提供するスタイルでした。しかし、今後は利用者による選択が強まることが予想されます。

リターンのよいファンド、顧客の望む仕掛けがあるファンド、サービスがよい販売会社としての金融機関、信頼される考えや哲学を持っている運用会社。これまでは、よいと思っていても埋もれている運用会社やファンドもありましたが、今後は積極的に見出されていくことでしょう。

日本酒も、昔は地方の酒蔵は知る人ぞ知る存在で、販売ルートがなく、大手酒造会社のブレンドに利用されていましたが、今では逆に顧客が探し出してくれます。アセットマネジメントもそういう時代に向かっています。情報開示が進むと真の力が試されるのです。

第 4 章

投資の基本～リスクとリターンの考え方～

アセットマネジメントが目指す良質なリターン獲得のため、また、金融商品などを通じて顧客に提供する立場としても、リスクとリターンが持つ特性やリスクとリターンの関係性をしっかりと理解することは最も大切なことの１つです。

この章では、投資の基本であるリスクとリターンの関係性とともに、特にリスクが持つ特徴に焦点を当てて確認します。

4-1 投資とは？投機と投資の違いとは？

資産運用において、投資とは、株式や債券などの金融資産にお金を回して、経済活動を通じてリターン（収益）の獲得を目指すことです。

投資とは

一言で投資と言うと広い概念です。一般的には経済に関してお金を投じて、将来の資産を増やすことを言います。企業であれば生産設備に投資をして生産力を高める、不動産に投資をして不動産収入の獲得を目指す。また、最近では、自分に投資をすることにより、将来の自分を高める場合にも使います。

資産運用の世界では、投資と言えば、何も前提を置かない限り、**株式や債券など金融資産への投資**を指します。また、それらの金融資産を組み入れた投資信託などの**金融商品**も含めます。一般的には、金融市場などを通じて取引ができる対象を前提として考えます。

投機との比較で投資を考える

投機と呼ばれるものの代表格は、競馬やパチンコなどのギャンブルです。儲ける人がいる裏で確実に損をする人がいて、全体で見れば儲けと損の合計はトントンになります。こういう環境を専門的には「**ゼロサムの世界**」と呼びます。お金のパイ（総量）は増えない（ゼロ）ので、みんなが出し合ったお金を参加者同士で取り合う行為です。全員が収益を上げることは期待できないので、安いところで買って高いところで売るように、上手に立ち回らないといけません。

こういった、パイの増えないゼロサムの世界で収益を上げようとする取引を（正確な定義ではありませせが）、「投機」と呼びます。金融取引においても、為替レート水準の動きを捉えて短期的に売買するフォレックス取引や株式の短期売買は投機色が強い取引に当たります。経済を通じてリターンを獲得するというよりは、価格の動きや歪みから利益を上げようとするものです。

これに対して、投資でお金を振り向ける株式や債券は、経済活動からリターンの獲得を目指すものです。個別企業の株式に投資をするのであれば、その企業の栄枯盛衰によって将来のリターンには違いが生じますが、企業全体で見れば、経済の成長に伴って、株式を保有している人はみんな収益を得られることが期待できる資産です。年金基金など多くの投資家が株式や債券などの金融資産に投資をするのは、長期的に投資することによって、経済活動の拡大に伴い、配当や収益という形でリターンが見込める対象だからです。

競馬などゼロサムの世界に対して、私たちが投資するものは「**プラスサムの世界**」と呼びます。みんなで出し合ったお金（パイ）が増える（プラス）ので、全体で見れば、投資をした人は**みんなで収益を分かち合う**ことができるからです。

投機（ギャンブル）と長期投資の違い

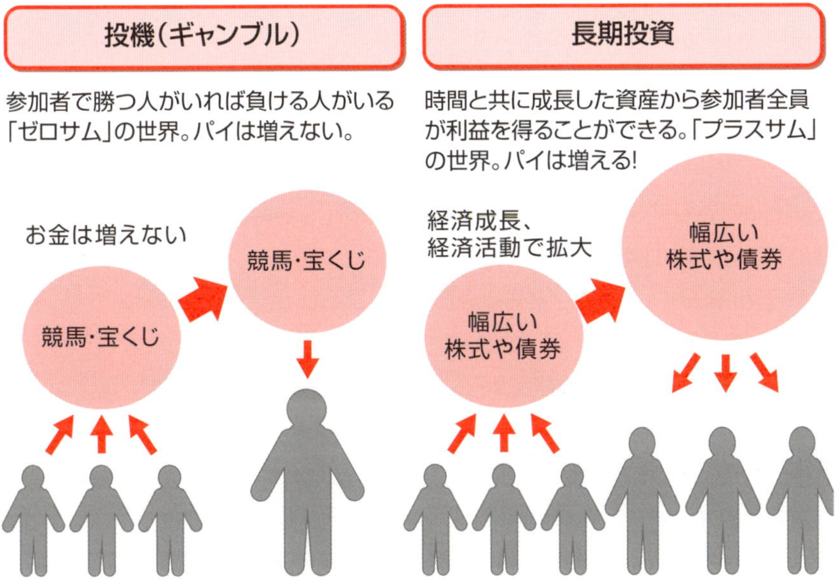

投機（ギャンブル）

参加者で勝つ人がいれば負ける人がいる「ゼロサム」の世界。パイは増えない。

お金は増えない

競馬・宝くじ

競馬・宝くじ

長期投資

時間と共に成長した資産から参加者全員が利益を得ることができる。「プラスサム」の世界。パイは増える!

経済成長、
経済活動で拡大

幅広い
株式や債券

幅広い
株式や債券

4-2
投資の期待リターンは長期で考える

運用を考える際に用いるリターンは、長期間で期待できるリターンを用います。リターンは、短期では市場環境などによって影響を受けますが、長期で見ると投資対象が持つ本源的なリターンを得る確率が高くなります。

投資のリターンは長期で考える

投資はリターンを得るために行うのですが、銀行預金のように、常に安定して収益が増えていくわけではありません。金融市場で取引されている資産に投資をするのですから、短期的な経済環境や見通しに伴って、投資する資産の価格は変動します。

株式では、企業の予想利益などをベースに理論的な株価を想定しますが、その前提となる金利やインフレの見通し、利益獲得の見込みが経済状況によって変わると、理論的な株価も変動します。株式市場は個別企業の株価の集合体なので、全体としても影響を受けます。価格に影響を与える要因とその度合いに違いはありますが、債券においても同じことが言えます。

資産運用において投資を考える場合には、こういった短期の変動よりも、**長期の見通し**を重視します。長期で見れば見るほど、短期的な価格変動の影響を排して、その投資対象が持つ**本源的なリターン**を得る確率が高くなるからです。

期待リターンと実績リターン

投資を考える場合、株式や債券などの投資対象に長期の投資をすることによってどれくらいのリターンを得られるのか、**期待リターン**（期待収益率）を前提にします。これは、確実にそのリターンが得られるものではないのですが、株式や債券が本源的に有していると想定されるリターンです。

しかし、実際に正確に将来の期待リターンを推定することはできないので、一般的には、過去の数十年といった長い期間において得られた実績をベースに、インフレ率や金利水準を用いて想定します。

　実際に得られるリターンは、計測する期間が短くなれるほど、そのときの市場環境の動きに影響されます。株式は長期的に見れば年率5%程度のリターンが得られる（期待リターン）としても、ある一定期間をとると、年率3%である時期（実績リターン）や年率8%の時期もあります。また、金融市場の動きの前提である経済の枠組みに変化が生じたときには、比較的長い期間にわたって実際のリターンと期待リターンがかけ離れてしまうこともあります。

　そのため、投資方針やポートフォリオの策定は、できるだけ**長期の期待リターン**を用いて行います。確実に期待通りにはならないことは認識したうえで、できるだけ期待リターンの予測精度を高め、それをもとに株式や債券は一定のリスクと期待リターンを有していると仮定して、投資の方針を定めるのです。

長期投資と短期投資のリターンの推移の違い

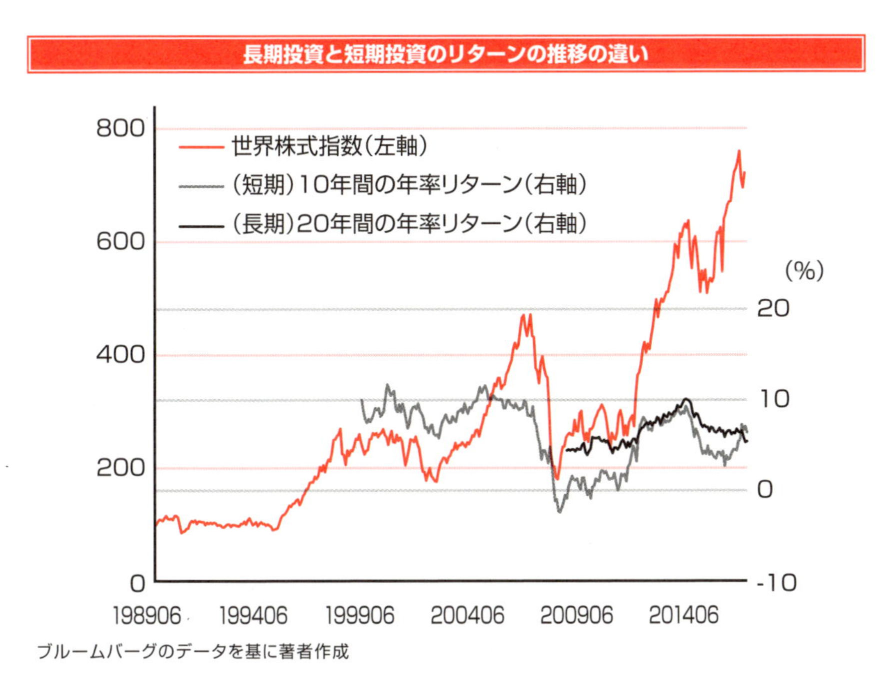

ブルームバーグのデータを基に著者作成

4-3 日常のリスクと投資のリスクの違い

リスクは資産運用において最も大切な概念です。投資のリスクは日常で用いるリスクとは違います。投資のリスクは危険ではなく、価格の振れ幅の大きさを指し、不確実性と捉えるべきです。リスクとリターンは背中合わせなので、リスクを受け入れることによってリターンの機会を得ることができます。

投資のリスクと日常のリスクとの違い

投資におけるリスクの理解は、自ら運用する立場の人や金融商品を顧客に販売する人にとって、最も理解を深めるべきものです。しかしながら、混同している人が多いテーマでもありますので、本書では多くのページを割いて説明します。

多くの人は、投資と言えば価格が動くので、価格が下がれば損をしてしまうかもしれない、だから怖いものと思っているようです。しかし、長期で投資をすることは、そういった影響を通り越して、長い目で見ると成長する経済から恩恵を受けるものです。

一般的に私たちがリスクと聞けば、すごく危険な臭いを感じます。日常生活でリスクと言えば、「交通事故の多い交差点はリスクが高い」とか、「外国では夜は知らない場所には出歩かない」といった表現で用います。この場合のリスクは、「そういうことをすれば事故に遭う=損傷を負う可能性が高い、もしもの場合には命の危険までも……」と受け止めます。このように、日常において大きなマイナスの影響を受ける可能性のことをリスク（この場合には危険）と呼んでいます。このリスクを冒してまで危険な交差点に立ち入るメリットはありません。日常生活では、リスクはできるだけ避けるべきもの、近寄らない対象とされます。

投資におけるリスクは「価格（リターン）の振れ幅=不確実性」

もちろん、投資でもリスクは損をする可能性としても用いますが、投資におけるリスクはかなりニュアンスが異なります。投資でリスクと言えば、投資する対象の

価格（リターン）の振れ幅の「大きさ」を意味します。価格の動きが小さければ「リスクが小さい」、価格の動きが大きければ「リスクが大きい」と言います。

ここで大切なポイントは、価格の振れ幅なので、上昇もあれば下落もある点です。そして、価格が上がる可能性（確率）と下がる可能性は同じです。仮に価格が下がれば損失（ロス）になりますが、逆に価格が上がれば収益（リターン）を得ることができます。このように、金融市場において取引される株式や債券では、リスクが高いことは必ずしも損失だけが発生することを指しているのではありません。同じだけ利益を得る可能性も高くなります。だから、「リスク＝悪者」と単純には捉えません。

投資におけるリスクとは、**リターンの不確実性を示すもの**として理解したほうがよいでしょう。価格が大きく動くことは、それだけ将来のリターンの不確実性が増します。それをリスクと呼ぶのです。この点の理解は大変に重要です。

私たちが資産形成のために投資する資産である株式や債券は、経済動向や政策などによって価格が動きますが、その価格の振れ幅が大きければ、高いリターンが期待できます。つまり、価格が動くというリスクを受け入れることで収益を得られるのが投資です。大きなリスクを取ることができれば、それだけ大きな収益の機会を得ることにもなるのです。このことから、適正なリスクを取ることが大切になってきます。

日常のリスクと投資のリスクの違い

日常 ⇔ **投資**

- 車の多い交差点は危ないから近づかない
- 夜の街は危ないから出歩かない
- テロが発生する危険があるから海外旅行を控える

など

投資におけるリスクとは**価格の振れ幅**

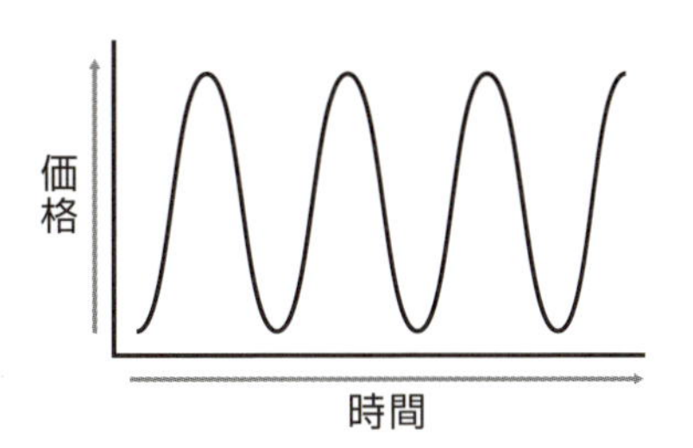

4-4
本質的なリスクと固有のリスク

投資におけるリスクは、各資産によって共通したリスク（本質的なリスク）と、投資対象によって違いがあるリスク（固有のリスク）があります。これらのリスクは個々に分かれているのではなく、積み重なっていくことに注意しましょう。

本質的なリスクと固有のリスク

これまでお話ししてきた株式や債券などの資産におけるリスクは、価格が変動する要因とリスクの表れ方によって、市場の動きに影響を受ける部分（**本質的なリスク**）と、さらに固有の影響を受ける部分（**固有のリスク**）に分けられます。

たとえば債券であれば、金利の動きによって債券価格は市場全体に影響を受けます。金利の変動に影響を与える要因は、債券の本質的なリスクです。それに対して、発行する国や企業（発行体）の信用力によっても債券価格は変動しますが、この信用（クレジット）リスクは、発行体固有の影響を受けるものです。

国が発行する国債の価格変動は、国の返済能力による格付けが変わらない限り、市場の金利リスクでほぼ説明できます。それに対して、企業が発行する社債では、企業の業績見通しが悪化すると信用リスクが注目され、市場全体に影響を与える金利の動きとは関係なく、その企業の債券価格だけが下落します。

信用リスク以外の固有のリスク、流動性リスク、カントリーリスク

固有のリスクとしては、信用リスクとともに、市場の厚みや取引のしやすさ（流動性）も影響します。これは、個々の企業というよりは、特定の種類、業種や国・地域に存在するリスクです。

たとえば、トルコやインドネシアといった新興国だけを投資対象にした場合などがそれに当たります。カントリーリスクは新興国における固有のリスクです。新興国は政治状況などによって経済のかじ取りが不安定になるなど特有のリスクを抱えています。これは信用リスクや流動性リスクとも結びついています。別物という

よりは、さらにリスクが上乗せされるイメージです。逆に言えば、魅力的に感じるような高いリターンが期待されるものは、必ず何かのリスクとの引き換えによるものであることを理解しておくことです。

潜在リスクは、固有のリスクが高い資産において、より大きく表れる

固有のリスクは、それが積み重なることによってリスクが高まることに注意しましょう。たとえば、信用力の低い企業が発行する債券は、投資家から資金を提供してもらうために金利水準が高いことが魅力的です。その反面、業績の環境が悪化すると価格が大きく下落する可能性があります。その中でも、アジアのような市場に厚みがない特定の地域に絞って投資すれば、景気の変動も大きく（カントリーリスク）、環境が悪化すると流動性も大きく低下して取引しづらくなる（流動性リスク）ため、その影響はより大きくなります。そのため、普段は想定していないような価格変動のリスクが顕在化することにもなります。

個々のリスクは並列的に考えるのではなく、**重層的に関連している**ものと捉えることが大切です。平時は問題なくても、リスクが顕在化した際には、重層化しているリスクほど、その影響は想定以上に大きくなります。

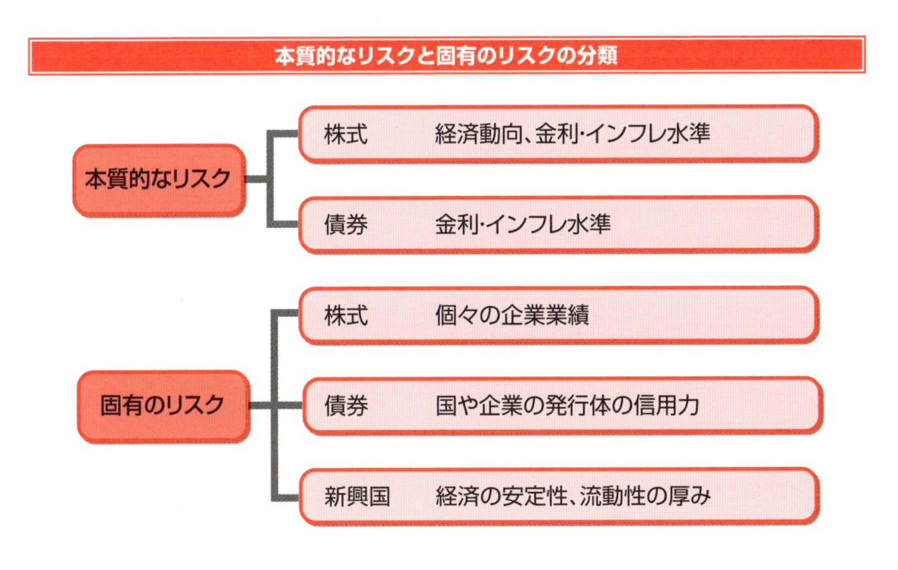

4-5

リスクの把握～平均分散法～

投資の世界において用いるリスクは、平均分散法による正規分布を前提にリターンのバラツキを想定します。通常、リスクと言えば、正規分布における1標準偏差のバラツキ（発生確率68%）による値を用います。

リスクとリターンの代表的アプローチ、平均分散法

投資においてリスクは価格の振れ幅であり、将来に対する不確実性であることをお話ししました。それでは、リスクは具体的にどのように捉えるのでしょうか。

一般に、リターンとリスクの分析を行う場合には、**平均分散法**の考え方を用います。これは、リターンのバラツキの平均値を平均リターンとし、その平均リターンの値を中心としてリターンがどの程度ばらついて発生するか（分散、標準偏差）、この「平均」と「分散」という2つの尺度で行われるアプローチです。

リスクとはリターンの振れ幅のことで、平均値からはずれる（あるいは散らばる）ことによって、リターンが大きくなったり、小さくなったりします。リターンが平均値からはずれる度合いを**標準偏差**と言います。この標準偏差を用いてリスクの大きさを把握するのです。

正規分布

平均分散アプローチは**正規分布**の考え方をベースにしています。これは、統計学における確率分布の考え方で、自然界や人間の行動・性質など様々な現象に対して、よく当てはまると言われています。正規分布の特徴は、平均値（中央値、最頻値）を中心に、左右対称に発生確率が分布するバラツキとその大きさを示すものです。

正規分布を利用するよいところは、一定数の母集団を用いることで正規分布を想定できることです。たとえば、投資判断をする際には、将来の期待リターンとリスクを用いますが、特定の投資対象に対しての一定数のリターンの数字を用意す

ることができれば、その投資対象の期待リターンとリスクについて正規分布を前提に推定することができます。

実際には完全に将来を想定することはできないため、通常は過去の長期間におけるリターンの実績を用いて期待リターンに代替することをお話ししました。多くの信頼できるデータを用いることで、より精度の高い正規分布によるリターンとリスクが推計できます。

標準偏差とリスク

平均分散法による正規分布により、リターンが平均値からはずれる度合いである標準偏差を用いてリスクの大きさを把握します。正規分布において、リターンのバラツキが1標準偏差の範囲内に収まる確率は約68%、2標準偏差では約95%になります。つまり、リターンの振れ幅の発生確率が想定できます。

投資の世界において何の前提も置かなければ、**1標準偏差のリターンの振れ幅**を**リスクの大きさ**として用います。また、ボラティリティという言葉をよく使いますが、これはリターンの変動率であり、ここで言うリスクと同義です。

平均分散法による正規分布と発生確率

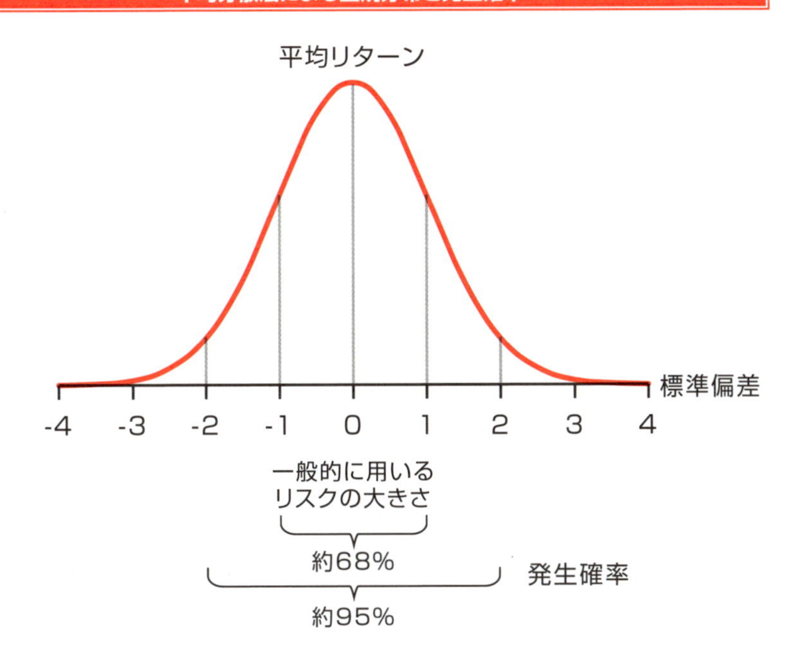

4-6 見えるリスクと見えないリスク、テールリスク

投資の世界においては、いつも同じように価格が変動しているわけではありません。通常は一定の価格変動リスクの範囲内に収まっていますが、稀にその範囲を超えて価格が変動することがあります。これを潜在リスクと言います。

見える（顕在）リスクと見えない（潜在）リスク

投資におけるリスクが厄介なのは、普段は隠れているリスクがある日突然に顔を出すからです。金融市場は常に同じ動きをしているわけではありませんが、ほとんどの場合には一定の範囲内で価格の変動を繰り返します。経済が安定しているときには金融市場も比較的落ち着いた動きをします。このときの価格変動を**見える（顕在）リスク**としましょう。

しかし、経済や金融市場を支える環境に大きな変化が生じたときや、先行きに不安や懸念が高まると、価格の変動は高まります。特に価格が下落する方向に対しては、急に大きく変動する傾向があります。これは損失を回避したいために多くの投資家が一斉に行動するからです。これを**見えない（潜在）リスク**と言います。英国がEUから離脱する選挙結果を受けたブレグジットは、この部類に入ります。さらに、もっとインパクトの大きいものとして、リーマンショック（サブプライムショック）や新型コロナウイルスによる影響はその好例です。

リスクという共通語が指すもの

リスクの把握という観点で見れば、通常の見えるリスクは、私たちが一般的に用いる「リターンの変動の1標準偏差（約68%の発生確率の範囲）」の中に収まる場合が多いです。そのため、私たちはリスクと呼べば、一般的にはその数値を用います。完全にすべての可能性を予想しているのではなく、正規分布を前提に、普段はその範囲で収まるだろうと想定する価格変動の可能性を用いているのです。

それに対して、見えないリスクが実際に生じるケースは、その範囲を超えて価

格が変動します。つまり、アセットマネジメントの世界で共通語のように用いているリスクは、いつも同じ数値が適用できるものではありません。日常では、交通事故の発生率や、年齢別の死亡率といった統計数値は安定していますが、投資におけるリスクの把握にいつでも適用できる絶対的な数値はないのです。市場参加者はみな、そのことを理解したうえで、リスクという言葉と数値を用いています。

より慎重にリスクを見積もるのであれば、通常用いる1標準偏差ではなく、2標準偏差（約95%の発生確率）を用いることもあります。リスクの大きさを倍に見積もるのです。

テールリスク

金融市場は、稀に、想定を超えて大幅に下落することがあります。リーマンショックや新型コロナはまさにそれに当たりますが、このような予想しづらく発生確率は低いけれど、実際に発生した場合には大きな損失可能性があるリスクを**テールリスク**と呼びます。テールとは牛の尻尾を指しますが、4-5の図におけるリスク分布の曲線で見たところの端の部分がその形に似ていることから呼ばれるようになりました。

確率分布で言えば、3標準偏差（約99.7%の発生確率）を超えるような、限界部分の発生確率の事象を指します。こうしたことが現実に起こっていて、発生したときの影響が大きいことは、投資は正規分布だけでは十分に捉えきれない世界であることを意味しています。言い換えれば、投資の本質的なリスクとは、正規分布ではないということです。

見えるリスクと見えざるリスクにおける価格変動率

（単位：%）

	価格変動率 平常時（※1）	価格変動率 リーマンショック前後（※2）	リーマンショック時の 最大下落率
日本債券	2	2	5
外国債券	10	15	20
日本株式	15	20	50
外国株式	15	25	60

※1　2010年10月～2015年9月
※2　2006年10月～2010年9月

低リスクで高いリターンを謳う投資商品は、古今東西、行き詰まっている

世の中にうまい話がないように、投資の世界にもうまい話はあり得ません。それは、投資の世界では、長い目で見れば常にリスクとリターンの関係が保たれるからです。それに対して、安全・確実・高利回りを謳う金融商品があるとすれば、それはリスクとリターンの関係を無視していることになります。

和牛に投資をすることによる高利回りを謳った安愚楽牧場事件、医療のレセプトを束ねたレセプト債、最近では健康関連への出資への回収不能が話題になっています。これらは、リスクとリターンの関係において、低いリスクのわりに高いリターンを唱えていて、投資における基本的な関係から大きく逸脱しています。

一時的には、うま味のある関係が生じたとしても、それが長く続くことはありません。では、長くは続かない関係だとした場合、その後にどのようなことが起こり得るのでしょう。ここには2つのことが隠れています。

1つは、低いリスクで高いリターンを期待するものは、一見、リスクが低いように見えるだけで、実は高いリスクを受け入れていたケースです。これは潜在リスクが潜んでいることになります。すでにお話しした固有のリスクですね。ただ、ここで厄介なのは、金融市場で取引されるものが対象の場合には「リスクが高い＝価格変動が大きい」のですが、そうでないものを対象としているときには、行き詰まった途端にデフォルト（回収不能）に突入するケースが多いことです。

2つめの可能性、それは、低リスク・高リターンのうち、そもそも高いリターンに無理があった場合です。本来であれば1%や2%のわずかなリターンしか得られないにもかかわらず、5%の高い配当を謳うケースです。いずれは約束した配当を払えなくなり、最後は行き詰まります。

実際に生じている多くのケースは、最初から悪意を持った詐欺ではないけれど、潜在的なリスクが生じたときに十分な配当ができないにもかかわらず、無理をして配当を続けることにより行き詰まるものです。常に高いリターンが得られることを喧伝しているため、配当を減らすとお金が流出して立ち行かなくなる構図のときに、無理をした配当が限界に達して露呈するのです。

リスクとリターンの関係を理解することは、身を守ることでもあるのです。

第5章

運用に息づく現代ポートフォリオ理論

現代ポートフォリオ理論の基本は、分散投資による効率的資産配分です。この考え方は、実際の運用において様々な形で用いられています。

この章では、分散投資によるポートフォリオの効果について理解するとともに、実際にどのように用いられているのかお話しします。

5-1
複数の資産に分散投資するのはリスクを抑えるため

分散投資とは、複数の投資対象に分散して投資をする手法です。これは投資において最も重要な考え方の1つです。異なったものに投資することにより、個々の対象が持つリスクを分散できます。

複数の資産に投資する意味

アセットマネジメントの世界でよく用いる言葉に、分散投資とポートフォリオがあります。これらは同じ意味で用いられますが、なにも前提をつけなければ、分散投資は**複数の資産に分けて投資**することを指し、ポートフォリオはより具体的に**どのような銘柄にどれくらいの投資配分**をするのかを指します。

たとえば、株式や債券など複数の資産を指す場合には分散投資、より具体的にX投資信託30%、Y債券70%に投資することをポートフォリオと表現します。本書では言葉の使い分けはしますが、本質的には両方とも似かよったものと考えてください。

ポートフォリオの考え方は、英国の大航海時代にその原型があります。当時、裕福な資産家はアジアなどへの航海に資金を提供していました。今では想像できない大きな危険を伴う航海を無事に終え、胡椒や陶器など異国の貴重な物資を持ち帰ったときは大きな収益を上げることができます。しかし、1つの船団に集中してお金を提供すると、海賊に襲われるとか悪天候に見舞われた場合には、そのすべてを失います。このリスクを特定の航海に偏らせないため、いろいろな航海に分けて投資するようになったのが、ポートフォリオの始まりです。

投資の格言「卵を1つのカゴに盛るな」

これをわかりやすく示す例として、投資の世界では「**卵を1つのカゴに盛るな**」という格言があります。卵を「お金」、卵を盛るカゴを「投資する対象の資産」と考えてください。もし、卵（お金）を1つのカゴ（投資対象）に盛った場合には、管理や持ち運びには便利ですが、カゴを落としてしまうと卵は全部割れてしまいます（全体の大きな損失）。それに対して、複数のカゴに卵を分けて（資産を分散して）盛っておけば、たとえ1つのカゴを落としたとしても、他のカゴの卵は影響を受けません。このように、投資対象を分散することは、全体から見て特定の投資対象の影響を和らげる効果があります。

実際の投資では価格変動の影響を抑える

これを投資対象の資産に置き換えてみましょう。私たちが資産運用において扱う株式や債券の価格は、卵が割れるように、何かのショックで台なし（価格がゼロ）になることは滅多にありません。そのかわり、金融市場で取引される株式などの資産は、経済動向や売り手と買い手の需給関係によって取引される価格が動きます。たとえ日々の動きはそれほど大きくなくても、1年間では10%～ 20%も株価は上昇・下落します。こういった特定の対象資産の**価格変動の影響を和らげる**ための投資手法として、分散投資が幅広く用いられています。

卵を1つのカゴに入れた場合と分けて入れた場合

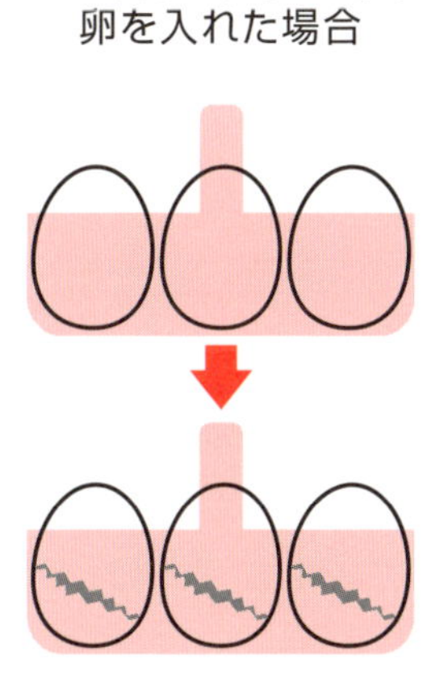

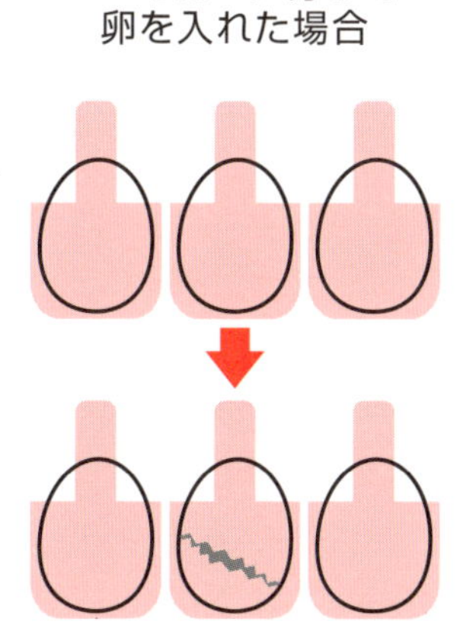

5-2 分散投資は価格の動きの違う組み合わせで効果が高まる

分散投資は、どんな資産でも組み合わせればよいというものではありません。組み合わせる資産によってその効果は違います。価格の動きが違う資産を組み合わせるほど効果は高くなります。

分散投資の効果は組み合わせる資産によって異なる

投資が効果を発揮するのは、投資した複数の資産が**異なる価格の動き**をするケースです。たとえば、A資産が下落してもB資産が上昇すれば、それらを合算した全体の価格は穏やかな動きになり、A資産の価格下落の影響を和らげてくれます。これは、海で波が打ち消し合うようなものです。

逆に、いくら複数の対象に分けて投資をしても、A資産とB資産が同じような価格の動きをするのであれば、打ち消し合う効果は少ないので、分散することによってリスクを低減させる効果は小さくなります。これでは、多くの資産に投資しても、実質的には1つのカゴに盛っているようなものです。

資産の動きの違いを確認する「相関」

価格の動きは、図で見ればイメージとして捉えることはできますが、それだけでは実際にどれくらい同じ動き・違う動きをするのかを正しく把握することはできません。そこで、各資産がどれくらい同じように動くのかを示す指数として**相関係数**が用いられます。相関係数は、動きの連動性を－1 ～ 1の範囲で示します（－1は反対に動く、1は同じように動く、0はまったく関係ない動きをする）。

資産の価格の動きが違うのは、それぞれの資産が異なった理由によって動くからです。たとえば、金利が上昇すると債券の価格は下落しますが、その理由が好景気によるものであれば、企業の業績は拡大して株式は上昇します。そのとき、債券と株式の相関は低いとされます。

身近な資産の中では、一般的に債券と株式は相関が低いとされます。また、外国の資産と国内の資産は、大きく変動する為替レートの影響を直接に受けるかどうかの違いがあるので、相関が低いとされます。このような**相関の低い組み合わせ**をすれば、分散投資の効果は高まります。分散投資を行う際には、相関度合いを見ながら組み合わせる資産を考えることです。よく、国内・国外の株式と債券による4つの資産を組み合わせたポートフォリオが用いられるのは、単にわかりやすい資産というだけでなく、こういった理由によるのです。

ただ、資産はいつも同じ関係で動くとは限りません。あるときは違う動きをしても、またあるときは近い動きをするときもあります。相関は計測した期間の関係性でしかないので、できるだけ長期間で計測したほうが安定した関係性を見出すことができる点には注意が必要です。近年は経済やお金の流れのグローバル化が進んだことにより、金融市場で取引される資産間の相関は高まっていると言われています。

価格を打ち消し合う動きと相関

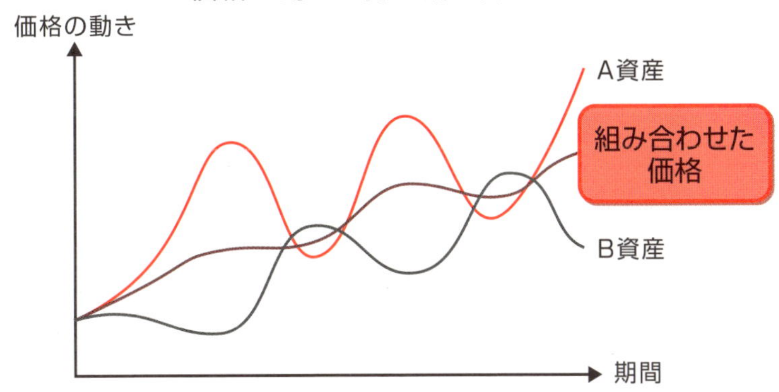

	リターン	リスク	相関
A資産	5.5%	8.2%	−0.6
B資産	3.3%	5.8%	
組み合わせ	4.4%	3.3%	

5-3 リスクを抑えることは投資効率を高める

投資は価格変動のリスクを抑えて高いリターンを得ることが基本です。相関が低い資産の組み合わせにより、分散効果による投資効率を高めることができます、

相関とリスクの関係

分散投資によって、リスクとの比較で見たリターンである、**投資効率を高める**ことになります。例として2つの資産を用いて確認しましょう。たとえばA資産とB資産が、次に示すリスクと期待リターン、そして相関を有しているとします。

A資産 期待リターン（Ea）8%、リスク（Ra）12%、組み入れ比率（Ka）50%
B資産 期待リターン（Eb）6%，リスク（Rb）8%、組み入れ比率（Kb）50%
A資産とB資産の相関係数（Sab）0.6
※リスクは期待リターンの標準偏差

A資産とB資産を半分ずつ保有したポートフォリオの期待リターンは、A資産とB資産の平均である7%（(8%+6%）／2）になります。しかし、価格変動のリスクも両資産の平均である10%（(12%+8%）／2）ではありません。それぞれの価格の動きが違うので、全体で見たリスクは小さくなるからです。相関が低いほど、リスクは2つの資産の平均よりも小さくなります。

●相関を用いたリスク（標準偏差）の計算式（2資産の場合）

$$\sqrt{Ra^2 \times Ka^2 + Rb^2 \times Kb^2 + 2 \times (Sab \times Ra \times Rb \times Ka \times Kb)}$$

少し長い式になりますが、この式を用いて実際にリスクを計算してみると9%となります。10%より低い値です。

投資効率

ここでは投資効率を示すわかりやすい数値として、「1単位のリスクにおいて期待できるリターンの割合（期待リターン／リスク）」とします。できるだけ少ないリスクで高いリターンを期待することを、効率がよいとみなします。

例を用いると、A資産だけ、B資産だけに投資する場合と、両資産に半分ずつ投資する場合の投資効率は以下になります。

●投資効率

A資産	8%÷12%≒0.67
B資産	6%÷8%=0.75
両方半分ずつ	7%÷9%≒0.78

これは、複数の投資資産を組み合わせてポートフォリオにすることによって、リターンは変わらなくてもリスクが下がることにより投資効率が高まることを意味します。

2資産を半分ずつ組み入れたポートフォリオのリスク・リターン

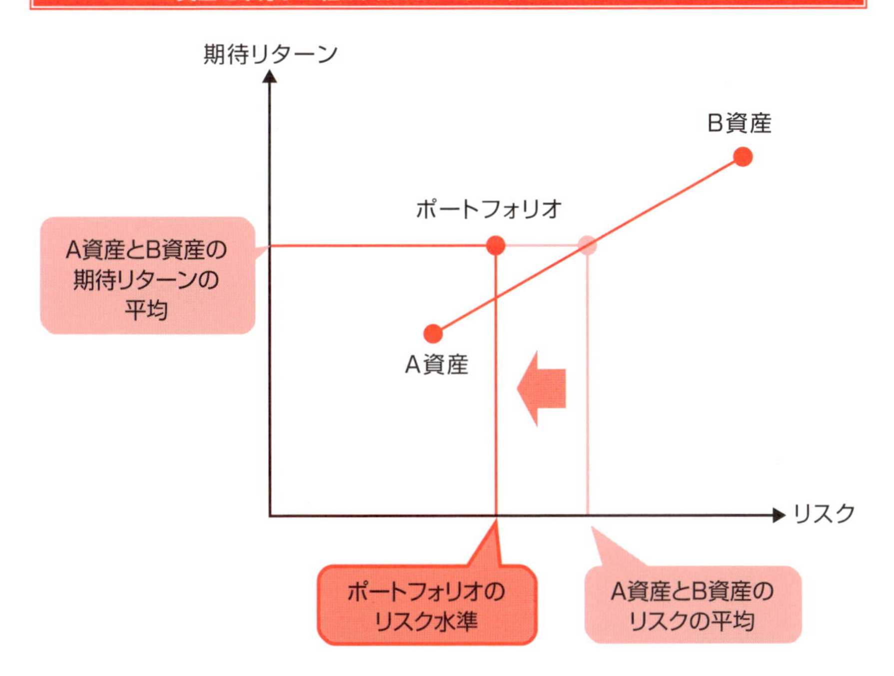

5-4 なぜアセット・アロケーションが大切なのか

投資する資産を分散することにより、リスクの影響を抑えて投資効率を高めることができます。そのために、資産（アセット）をどのように配分（アロケーション）するのか決めることをアセット・アロケーションと言います。

なぜ資産配分が大切なのか？

なぜ資産の配分なのか？　個別株式の銘柄ではないのか？　その理由は、投資する対象において、資産が最も**リスクとリターンの特性**を安定して表しているからです。

トヨタやソニーなど個々の企業の株価も違った動きをします。ただし、株式である以上、その特性は共通しています。経済の見通しが高まれば株式市場に対する期待は高まり株価は上昇し、米国株式市場が下がれば下落圧力を受けます。このように、トヨタやソニーが属している株式資産の影響を受ける部分をβと呼び、市場の動きとは異なる動きをする部分をαと呼びます。

株価の動き＝α部分（固有の動き）＋β部分（属している市場全体の動き）

個々の企業の株価においてはα部分やβ部分に違いがありますが、多くの企業全体で見るとβ部分（市場全体の動き）の影響が大きいです。これは債券など他の資産についても同様です。投資を考える際にはどの資産にするのか考えますが、それは資産の選択や配分がリスクやリターンに与える影響が大きいからです。

アセット・アロケーションがどうして大切なのか

アセット・アロケーションがどうして大切なのか、結論から言えば、アセット・アロケーションによってポートフォリオの**リターンの大半が決まってしまう**こと、そして、**最適なリスクの中でポートフォリオを構築できる**からです。専門家の研究によれば、どのような資産を選び、それをどれくらい配分にするのかによって、全体として得られるリターンの8割以上は説明がつくと言われています。ここでは、8割なのか9割なのかという正確さよりも、アセット・アロケーションによってリターンはそれほどまでに高い影響を受ける点がポイントです。

また、アセット・アロケーションが有用なもう1つの理由は、全体としてのリスクをコントロールすることができるためです。仮に、高いリターンだけを望むのであれば、長い目で見て一番高いリターンが得られそうな外国株式だけに投資をしておけばよいのですが、そうすると価格変動のリスクもそれだけ大きくなります。投資は、資金の性格や投資する立場によって、それぞれ一定の制約のもとで行われているのが通常です。

たとえば私たちの年金の運用であれば、一時的にでも大きな損失が生じる可能性を抑えるために、極端なリスクを取らないように制約をかけています。個人の資産形成においても、若い世代であれば大きなリスクを取ることができても、高齢者であればライフプランを大きく損なうことがないように、過度なリスクを受け入れないような運用が求められます。個々の立場で受け入れられるリスクの中で、最適なリターンの組み合わせを求めることができるアセット・アロケーションは有用なのです。

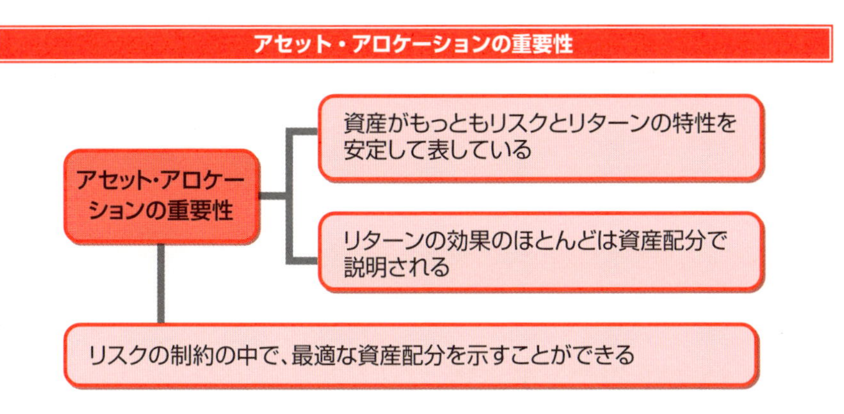

5-5 最適資産配分と効率的（有効）フロンティア

リターンとリスク、相関を用いることにより、選択できる資産の中で最適なリスク・リターン（投資効率）を示す資産配分を示したのが、現代ポートフォリオ理論です。リスクとリターンの関係で最適な組み合わせを示したものを効率的（有効）フロンティアと呼びます。

現代ポートフォリオ理論

アセット・アロケーションの考え方は、**現代ポートフォリオ理論**に基づいています。現代ポートフォリオ理論は、リスクを定量化したうえで、分散投資の考え方を理論的にまとめたものです。その内容は、資産間の相関から最適なポートフォリオを導くものです。私たちが現在のように複数の資産に分散投資することを当たり前に捉えるようになったのは、1950年代に米国のマーコビッツが表したポートフォリオ選択論によるものと言われています。彼はこの功績により、のちにノーベル賞を受賞しました。

それまで、資産運用における理論と言えば、個別の銘柄に関する評価・選択に関わるものがほとんどで、個別銘柄の割高・割安をどのように分析して投資するのかといった視点が主流でした。そこには、投資家にとって最も重要な、ポートフォリオをどのように構築するのかという枠組みはほとんどなかったのです。

それに対してマーコビッツが提唱した考えは、リターンとリスク、相関を用いることにより、選択できる資産の中で**最適なリスク・リターンを示す資産配分**があることを示したのです。

効率的（有効）フロンティア

選択可能な資産の中で、リスクとリターン、資産間の相関を用いることにより、最適な資産配分の候補群を示すことができます。これはリスクやリターンの水準の違いによって複数存在します。それぞれのリスク水準(あるいはリターンの水準)

の中で最適な組み合わせを示したものが、**効率的（有効）フロンティア**と呼ばれるものです（図上の太線の部分）。

この線上のそれぞれのリスク（あるいはリターン）の水準において、最適な資産配分の組み合わせによるポートフォリオがあると思ってください。効率的フロンティアの線上には、相対的にリスクが高くリターンも高いものもあれば、リスクとリターンが低いものもありますが、どれがよくてどれが悪いという優劣の関係はありません。どれをとっても、そのリスクの中で最もリターンの高いポートフォリオ、もしくは、そのリターンの中で最もリスクの低いポートフォリオを示しています。

伝統的4資産と呼ばれる国内外の株式と債券に関して、個々の資産のリスクとリターンの水準は、効率的フロンティアの右下にあります。これは、効率的フロンティアにおけるポートフォリオと比べて、同じリスクであればリターンが低い、同じリターンであればリスクが大きいです。このように、資産を組み合わせることによって、リスクとリターンの関係で見た最適なポートフォリオを組むことができることを、現代ポートフォリオ理論は教えてくれています。

効率的フロンティアと個別資産の関係

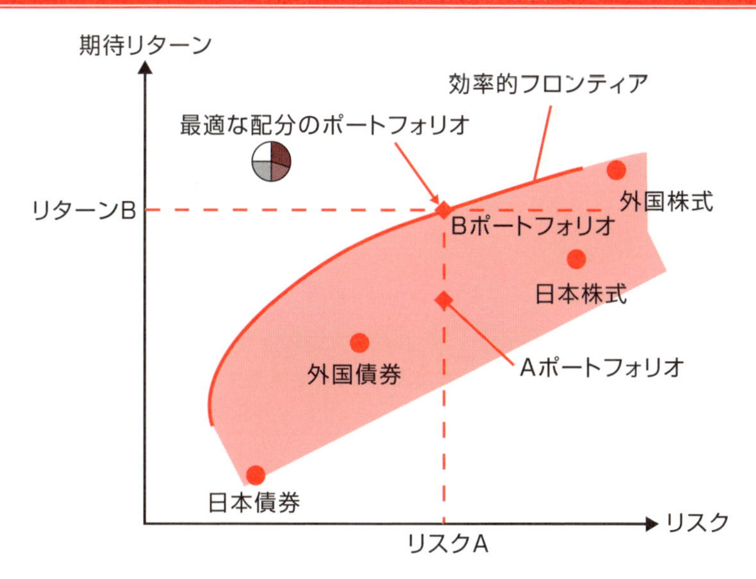

5-6 年金などの資産における ポートフォリオ

年金では分散投資によるポートフォリオ運用を行っています。海外の年金では、株式、債券以外の資産も積極的に取り入れています。

年金もポートフォリオによる運用が行われている

私たちの年金は先端的な運用が取り入れられていますが、分散投資によるポートフォリオ運用がベースになっています。公的年金を運用しているGPIF（年金積立金管理運用独立行政法人）は、「長期的な観点から安全かつ効率的な運用」を行うため、各資産を組み合わせた資産構成割合を「**基本ポートフォリオ**」として定め、公表しています。2020年度からの5か年計画によると、全体を100%として国内債券25%、国内株式25%、外国債券25%、外国株式25%となっています。国内外資産の割合では国内50%、外国50%、株式と債券では株式、債券ともに50%ずつの構成です。各資産にバランスよく投資していることがわかります。

2010年（平成22年）頃までは国内債券の割合が70%近くを占める、非常に保守的で安定的な運用を行っていました。国内債券は価格変動のリスクは小さいものの、期待リターンもそれほど大きくない資産だからです。それに対し、年金財政に対する見直しや、海外の年金基金の運用方法を参考に、時間をかけて基本配分方針において債券の割合を引き下げて、株式の割合を高めています。

国民の大切な年金を運用する立場として、安定的な運用が求められ、リスクその他の多くの制約が課される中でも、現在の基本計画では、株式が半分近くを占めている点は注目に値します。私たち家計の金融資産において半分以上が預金という状況と比べると、大いに参考になる運用状況です。

進んでいる海外の運用基金

海外の年金基金で最も注目されているのがカルパース（CalPERS：カリフォルニア州職員退職年金基金）です。資産規模は日本のGPIFほど大きくありませんが、相応に大きい中で、新しい投資対象資産を取り入れるなど、積極的に年金運営を行う基金だからです。世界の年金基金からも参考にされています。

カルパースの最近の資産構成を見ると、株式が50%であることはGPIFと変わりませんが、債券の割合が低く、代わりに不動産関連やプライベート・エクイティ（未公開株式など）も10%前後が組み入れられています。プライベート･エクイティには、ヘッジファンドも対象にされています。のちほど取り上げますが、海外の年金では、このような**代替（オルタナティブ）資産**も積極的に組み入れ、**投資対象の分散**や**リターン獲得の多様化**に努めています。ちなみに、GPIFではオルタナティブ資産の割合は基本ポートフォリオには明記されていませんが、リスク・リターン特性に応じて国内債券などの各資産に区分し、資産全体の5%を上限としています。

大学も資産運用を行っていますが、日本と米国ではさらに大きな違いが生じています。日本の大学では、その多くが債券と預金で運用されていますが、米国では、半分近くをヘッジファンドなどの代替資産で運用しているとの調べもあります。資産運用が進んだ米国では、ポートフォリオによる分散投資のもと、様々な資産が取り入れられています。

5-5において効率的フロンティアにおける最適な資産配分を見ましたが、これらは選択した資産の中の組み合わせに過ぎません。大切なのは、どの資産を組み入れるのかによって投資効率を示す効率的フロンティアの形状は変わり、それによって求める期待リターンやリスク水準における最適な資産配分も変わることです。

年金基金の資産構成

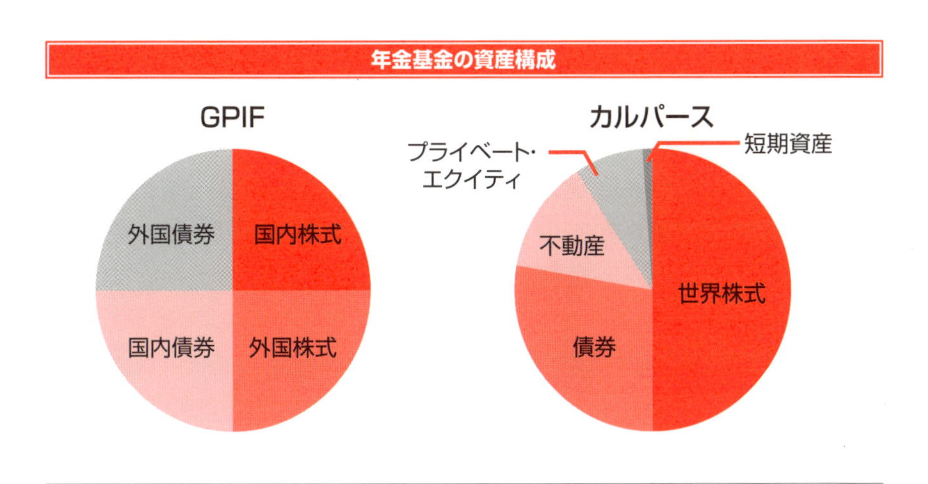

5-7 ロボアドバイザー、ゴール・ベースド・アプローチによるポートフォリオ

最近は、個人の資産運用においてもポートフォリオの考え方が取り入れられる機会が増えました。その代表格がロボアドバイザーとゴール・ベースド・アプローチです。これらは現代ポートフォリオ理論による効率的フロンティアの考えをベースにしています。

金融リテラシーがなくても自分のポートフォリオができる

ロボアドバイザーという単語がアセットマネジメントの世界で使われるようになったのは2015年頃からです。米国で提供が始まり、一気に広まりました。ロボアドバイザーとは、数個の質問に答えるだけでITが自分に適した資産配分のポートフォリオ診断を即座に行ってくれるものです。

ロボアドバイザーによる質問内容は、年齢や投資経験、投資において受け入れられる価格変動の大きさなどについて、イメージ図などを用いてわかりやすく作られており、選択形式に答えるだけで診断完了です。このツールのよいところは、投資や金融の知識（**金融リテラシー**）がなくても、簡単な質問に答えるだけで自分に合ったポートフォリオが提示されることです。また、スマートフォンやパソコンで操作できるので利便性が高く、人手を介さないため費用も抑えられます。

リスク水準の制約の中で最適な資産配分を算出するロボアドバイザー

ここで行われているのは、現代ポートフォリオ理論をベースに、**リスク水準の制約の中で最適な資産配分**を算出することです。質問を通じてその人が受け入れられるリスクの大きさ（**リスク許容度**）を算出しているのです。たとえば、30歳で投資の経験がある人は、高水準のリスクを受け入れることが可能です。一方、50代後半で投資未経験者であれば、高いリスクは受け入れられないでしょう。

膨大なデータに基づく統計的な裏付けにより、質問への回答から、どれくらいのリスクが許容できるタイプなのか統計的に把握しているので、たった数個の質

問でも高い確率で回答者が受け入れられるリスクが想定できます。それに対して、投資対象資産の期待リターン、リスクと資産間の相関さえ用意しておけば、効率的フロンティアにあるポートフォリオが算出できます。

目標リターンを軸にポートフォリオを導くゴール・ベースド・アプローチ

ゴール・ベースド・アプローチは、最終到達点の目標を定め、そこから逆算して投資を考える手法です。将来に必要なお金に対して現在の貯蓄額や今後に蓄えに回すことができるお金をもとに、将来までの残された期間においてどれぐらいの運用利回りがあれば計画が実現できるのかを算出し、その利回りを獲得するために望ましい対象資産と投資配分を考えるものです。個人の資産形成を考えるうえでわかりやすいアプローチ方法として、幅広く用いられ始めています。

ロボアドバイザーはリスク制約の中で最もリターンの高い資産配分を算出するものでした。それに対してゴール・ベースド・アプローチでは、**求めるリターン水準を確認し、その中で最もリスクの低い資産配分を考えるもの**です。つまり、それぞれ**リスクとリターンの切り口からポートフォリオを算出**しているのです。

ロボアドバイザー、ゴール・ベースド・アプローチによるポートフォリオ

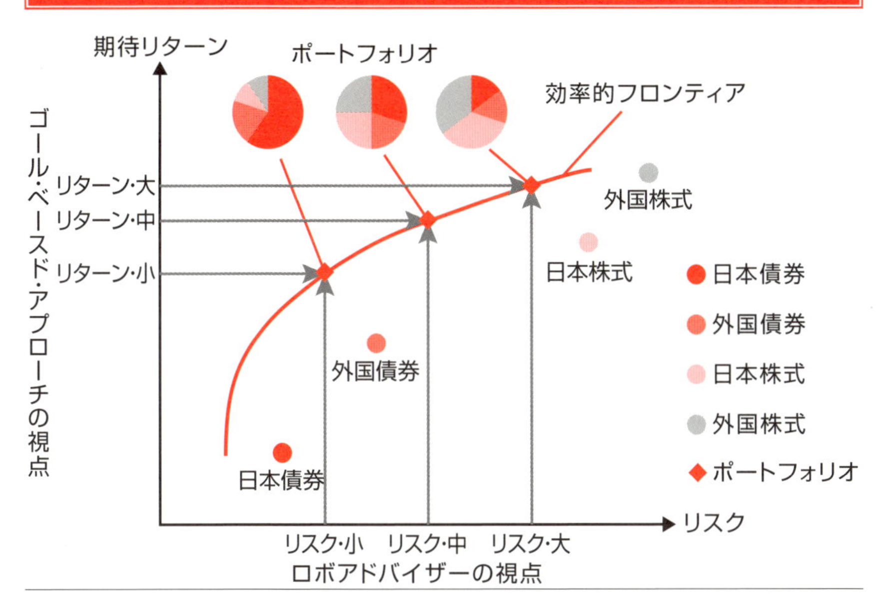

5-8 ポートフォリオの評価

一般的に、ポートフォリオの評価は、リスクに対してどれくらいのリターンを獲得したのか、投資の効率性を尺度に行います。シャープ・レシオは利便性も高く、その代表格です。

リスクを考慮した投資成果を測るシャープ・レシオ

ポートフォリオを評価する場合に、最も多く用いる物差しは**シャープ・レシオ**です。シャープ・レシオとは、単にリターンを比較するのではなく、**リスク（1単位）当たりの超過リターン**（リスクゼロでも得られるリターンを上回ったリターン）を測るもので、次の式で示されます。

シャープ・レシオ＝（リターン－無リスク金利）／リスク

無リスク金利は、預金などの短期金利で、リスクを取らなくても得られる金利のことです。シャープ・レシオの数値が高いほど、リスクを取ったことによって得られたリターンが高い、つまり、効率よくリターンが得られたことを意味します。

5-3「リスクを抑えることは投資効率を高める」では無リスク金利は考慮しませんでしたが、実際にリスクを取って得たリターンは、厳密には無リスク金利を差し引いたリターンの部分になります。これを**超過リターン**と呼びます。

シャープレシオは、投資信託の運用実績の評価など、似たような金融商品の運用成績を比較する際によく利用されます。

運用力を測るインフォメーション・レシオ

シャープ・レシオは、異なった目標で運用したものでも、同じように扱います。しかし、実際には、日経平均株価指数を目標に運用するものもあれば、TOPIX（東証株価指数）を目標に運用するものもあります。目標とする指数のリスク・リターンが違えば、指数に対してどれくらい上手な運用をしたのか、運用力を測ることはできません。**運用力を測る指標**として、**インフォメーション・レシオ**（情報レシオ）があります。これは、次の式で表します。

インフォメーション・レシオ
＝（金融商品のリターン－運用目標のリターン）
／金融商品の運用目標に対するリスク

インフォメーション・レシオは、運用において、目標に対して取ったリスクに見合った超過リターンが得られたかどうかを確認する際に用いられます。金融商品の運用力を調べるにはインフォメーション・レシオが適しています。

シャープ・レシオの比較

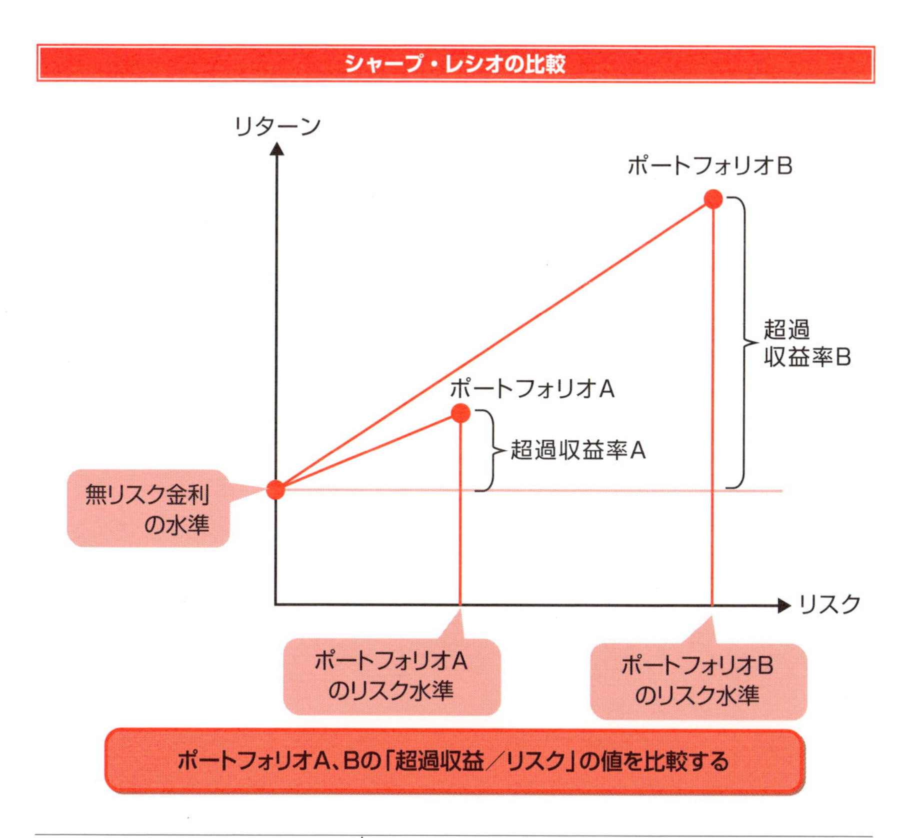

私たちはなぜ、高い収益性を最優先にせず、効率的な投資を目指すのか？

効率的な投資の尺度として一般的なものは、シャープレシオに示されるように、受け入れるリスクに対して高いリターンを得ることです。これは絶対的な良し悪しを測る尺度というよりは、リスク対比での相対的な比較の尺度です。投資を考える際に、投資効率の尺度が重視される理由、それは、私たちは個人でも仕事でも、リスクの制約の中で投資を行っている場合がほとんどだからです。

年金の運用のように加入者の掛け金と受給者への支払い計画を立て、滞りなく運営するためのリスク水準を厳密に設定されている場合もあれば、個人の資産運用のように、明確な数値では示されないけれども年齢や金融リテラシーに照らして想定される許容リスクもあります。

リスクが明示されているかどうかにかかわらず、課されたリスクの範囲でよいリターンを求めるため、効率性の尺度を重視するのです。言い換えれば、それによって投資家は安定性を確保していることになります。

たとえば、高い値段を支払ってもいいのであれば美味しい料理はたくさんありますが、千円以内でよい料理を比較するようなものです。この例では、値段をリスク、美味しい料理をリターンにたとえています。投資効率が高いことはコスパのよい料理のようなものです。

では、リスクの制約を取り外して、高いリターンを追求するとどうなるのでしょう？　その答えは、選択できる資産の中で期待リターンの高い資産に投資することです。ポートフォリオ理論における、効率的フロンティアの右上端の部分に位置する資産を選ぶことになります。一般的には株式への投資です。

ただし、借り入れによってレバレッジを効かせられる（少ない資産で大きな金額を取引できる）ケースでは違った結論を導くこともできます。レバレッジをかけて投資効率の高いポートフォリオに多く投資をしたほうが、同じリスクでも、より高いリターンを追求できるからです。

いずれにしても、リスクを抑えるためにリターンを犠牲にするのか、それとも一時的に大きなリスクを受け入れても投資に長い時間をかけることで高いリターンを目指すのか？　この選択です。

第6章

投資対象のコア資産　株式と債券の投資評価

投資において中心となる資産は株式と債券です。それは、経済活動から恩恵を受ける資産であり、市場規模が大きく、また、長い歴史の中で市場が整備され、取引が容易だからです。

この章では、株式と債券の評価尺度や投資の判断基準を中心にお話しします。

図解入門
How-nual

6-1 アセットマネジメントが扱う投資資産の広がりと分類

投資対象資産は広がりを見せています。資産の違いとともに、国・地域の違いなどによって分類して扱います。

投資対象資産の分類

なぜ、投資対象の資産を日本の株式や債券、海外の資産などに分類するのでしょう？　それはポートフォリオの組成に重要な情報だからです。

株式や債券などの資産は**リスク・リターンの特性**が違います。資産間の相関を用いて最適な組み合わせを考える際の基本となるものです。また、金融商品のパフォーマンスを比較するときにも、資産の分類ごとに行うことで、より精緻な評価が可能になります。

伝統的資産と代替（オルタナティブ）資産

アセットマネジメントが扱う投資資産は、細部まで見れば非常に多岐にわたります。それも、時間と共に広がりを見せ、複雑化しています。その中でも、ポートフォリオを考えるうえで基本的な投資対象資産とその分類について、全体像を確認しておきましょう。

まず、投資対象資産は、従来から中心的な資産として用いられている株式や債券があります。これらを**伝統的資産**と呼びます。市場として最も厚みがあり、評価されています。

それに加えて、株式や債券とはリスク・リターンの特性が異なるもの、もしくは、新たな投資対象に受け入れられたものとして、**代替（オルタナティブ）資産**と呼ばれるものがあります。代表的なものは、不動産投資信託（リート）、ヘッジファンドなどです。代替資産は投資対象のコアとして扱われるよりも、ポートフォリオに加える資産として用いられることが多いです。

投資対象国・地域の広がり

投資対象国・地域で見れば、先進国の資産への投資が中心であったものが、新興国へと広がりを見せています。ブラジル、インド、ロシア、中国などBRICsと呼ばれる経済的な規模が大きい国々だけでなく、ポーランドなどの東欧、トルコなどの中東、アセアンや中南米諸国も投資対象地域です。

これらの国々の株式や債券への投資は、広い意味では先進国の株式や債券と同じ範疇に含まれますが、先進国への投資と区別するために、新興国（エマージング）株式・債券と呼ぶことが多いです。

同じ株式や債券であるためリスク特性は変わらないのですが、新興国は将来性が高い一方で、ファンダメンタルズが先進国よりも脆弱でカントリーリスクもあるため、リスクが相対的に大きい特徴があります。本書では、あえて区別して明示しない限り、株式、債券ともに先進国と新興国を幅広く同じものとして扱います。

投資対象の分類イメージ

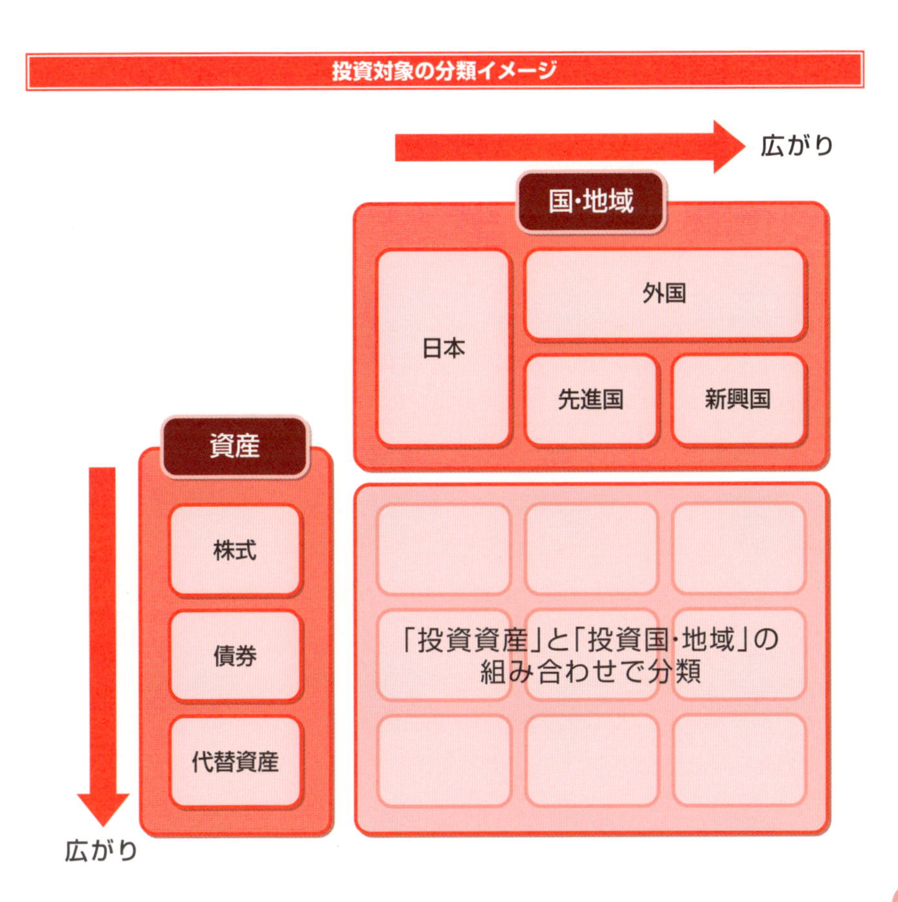

6-2 債券にとって重要な信用力による分類

債券では、国・地域による分類だけでなく、発行体の信用力や債券の種類による分類も用います。

債券における信用力や種類による広がり

株式の場合には、そのほとんどが普通株として取引されており、優先株はほんの一部に過ぎないので、株式資産内における分類はそれほど意識する必要はありません。一方で、債券はより細かい分類ができます。債券は、先進国、新興国といった国・地域の広がりだけでなく、発行する国や企業の**信用力**も重要です。

債券の価格変動に影響を与えるリスク・リターンの特性においては、信用リスクが大きく影響を与えます。そのため、債券を発行する立場（**発行体**）がどういったものなのか、また、どういう**種類の債券**なのかによって分類することで、債券の特性をより細かく整理することがなされています。

発行する国や企業（発行体）の信用力による分類

信用力の面で言えば、発行体の分類と、それによる信用格付けに違いがあります。発行体の種類は、大きく分けて、国が発行する**国債**、政府系機関が発行する**政府関連機関債**（これらを総称してソブリン債と言います）や**地方債**と、一般の企業が発行する**社債**があります。一国の中では、国の信用を背景とした国債などの格付けは相対的に高く、社債は企業の信用力によってバラツキがあります。

信用格付けから見た投資対象の分類としては、債務不履行（デフォルト）のリスクが低く、一定以上の信用格付けを有する債券を**投資適格債**として扱います。一般的には格付け会社からBBB格以上の格付けが付与されている債券を指します。

それに対して、信用力は低く、倒産確率は高いけれども、それに応じて高い金利が得られる債券を**ハイイールド債券（高金利債券）**と言います。米国では債券市場が発達しており、ハイイールド債券も流動性が高く、厚みのある市場です。

先進国では、国や政府関連機関債の格付けは高いのですが、新興国では国自体の格付けが高くないため、必ずしも投資適格債の格付けとは限りません。

債券の種類による分類

債券は種類によっても分類されます。一般的な債券は発行体の信用に基づいて無担保で発行されますが、住宅ローン債権などの担保を裏付けとした**資産担保証券**（MBSやABS）があります。

また、返済の優先順位による違いもあります。通常の債券を**シニア債**と呼ぶのに対して、金利は高いけれど元本および利息の支払い順位の低い債券を**劣後債**と言います。劣後債は、一定の制限のもとで金融規制上の自己資本として計上できることから、金融機関の資本増強策として利用されることがあります。

信用リスクと発行体の関係のイメージ

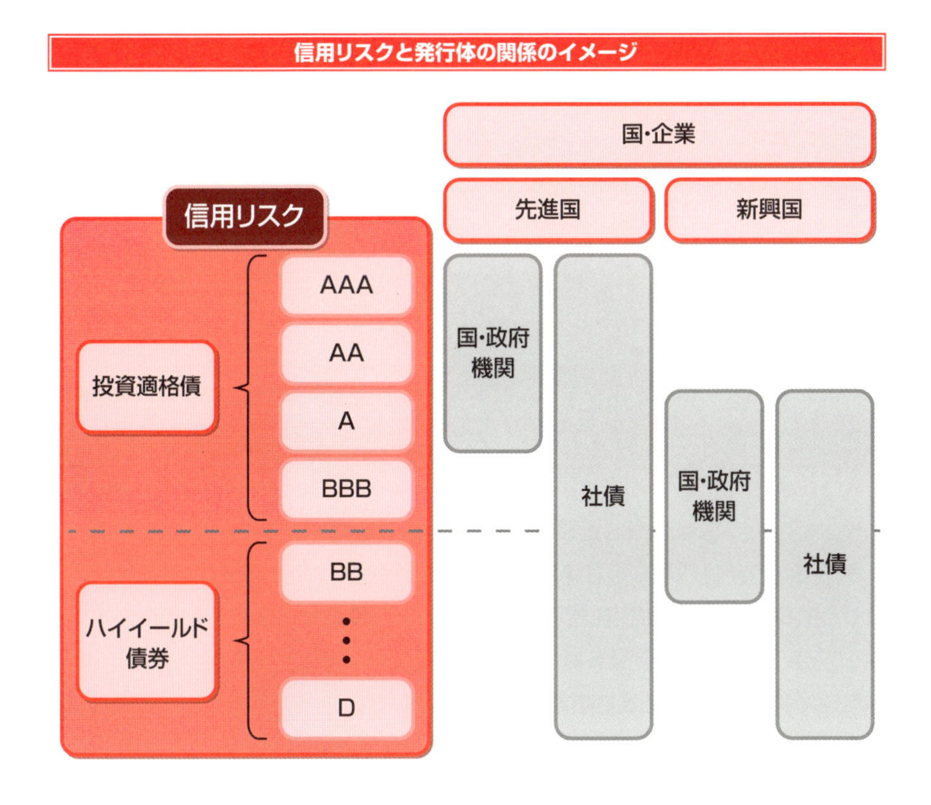

6-3 伝統的な金融資産の代表格、株式と債券の特性

主要な投資資産である株式や債券は、投資家が投資によって求める期待リターンには違いがあります。それは、投資におけるリスクの大きさが違うからです。

株式や債券は主要な投資対象資産

株式や債券は、投資における基本的な資産です。それは、国や企業活動に伴う主要な資金調達手段であり、取引規模や市場残高が大きく、長い歴史の中で市場が十分に発達して流動性も高いことから、取引対象として魅力的だからです。

また、情報の開示、取引のルール、評価尺度が定着しているなどの環境が十分に整っているため、公正な取引が見込めます。

投資の面からすれば、株式や債券は、企業活動によって利益成長やキャッシュフローを生む資産です。投資家は、株式や債券に投資することを通じて、経済活動の恩恵として、投資価値に見合ったリターンの獲得が期待できます。こういった条件が揃っているからこそ、投資の主要な資産となり得るのです。

株式と債券の権利

株式と債券は、発行する企業から見ると、資金調達の主要な手段です。株式の場合には、投資家が払い込んだお金は**資本**に組み込まれ、返済しなくてもよいお金になります。その代わりに、投資家は株主としての権利を得ることができます。

株主の権利には、剰余金（企業活動によって蓄積した利益）の配当を受ける権利、残余財産（企業が解散などをする場合に債務者に支払った残りの財産）の分配を受ける権利、株主総会などを通じて会社の経営に参加する権利があります。

一方で、株主の義務・責任は、出資するお金の範囲内に限られますが、投資したお金が返ってこないこともあるリスク性の高いお金になります。

債券の場合は投資家からの**実質的な借金**であり、元利金の返済を約束するものとして発行されます。基本的には銀行からの中長期の借り入れと同じです。

株式には相対的に高いリターンが求められる

企業がお金を調達するためにかかるコストを**資本コスト**と言います。これは、株主への配当や銀行への利子など、資金調達に際して生じる費用の総称です。

資本コストは、債券や借入による**負債コスト**と、株式の資金調達による**株主資本コスト**で構成されます。返済を約束している債券による借入コスト（負債コスト）よりも、会社のお金として利用できる株式によるコスト（株主資本コスト）のほうが高くなります。それは、株式で調達したお金は企業にとって返済義務がないなど自由度が高いことに応じて、求められるリターンも高くなるからです。

企業の側から見てコストに相当するものは、投資家からすれば投資によって求めるリターン（期待リターン）になります。株式は債券と比べて大きなリスクを負っているため、株式には債券よりも高いリターンを求めることになります。

株式と債券に求められる資本コスト（期待リターン）のイメージ

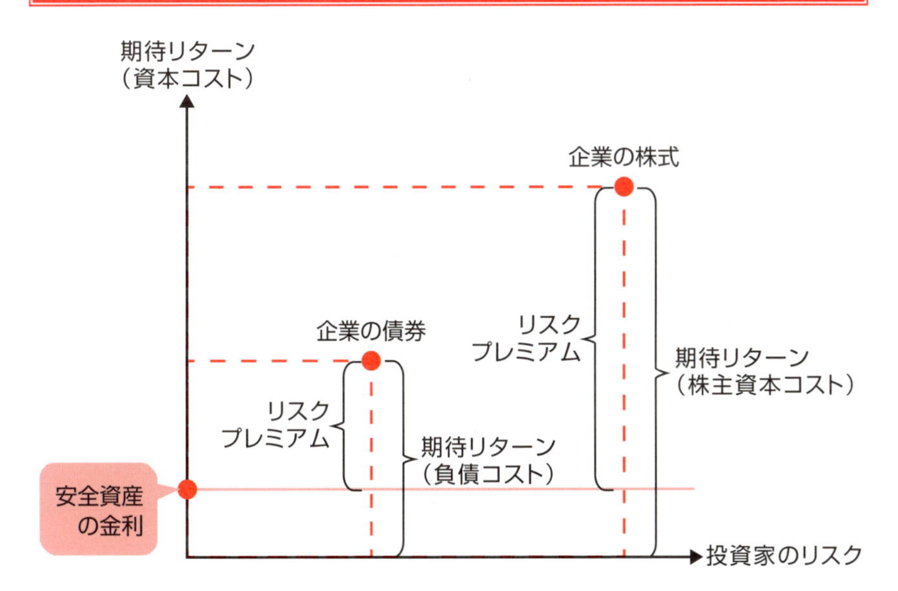

6-4 キャッシュフロー分析と現在価値

債券の現在価値は、将来のキャッシュフローを金利で割り引くことによって求められます。また、キャッシュフローと価格の関係から債券に投資した際の利回りを導くことができます。

債券の現在価値と将来価値の関係

現在の100万円（現在価値）と将来の100万円（将来価値）は同じではありません。債券に限らず、投資対象資産の**現在価値**と**将来価値**の間には、リスクをとらなくても得られる金利（無リスク金利）が関係します。たとえば、銀行に預けてほぼ無リスクで1年間3%の利回りが得られる場合、現在の100万円は1年後の103万円と同じ価値と言えます。つまり、現在100万円持っていても、1年後に103万円持っていても、現時点から見た資産価値は等しいのです。

この考えに基づけば、債券に投資することにより将来に得られるクーポン（金利利息）や満期時の元本を現在価値に引き直すことができます。

$$現在価値 = 将来価値 / (1 + 無リスク金利)^n$$

※nは期間（年数）

キャッシュフロー分析による債券の現在価値の算出

資産の価値を考える主要なアプローチに、**キャッシュフロー**を用いて評価する考え方があります。資産の価値は、その資産が生み出すキャッシュフローの現在価値に等しいとするものです。キャッシュフローとは、投資の世界で当たり前に用いる用語の1つで、お金の流れのことを指します。

債券において将来に得られるキャッシュフローは、各期に定期的に得られる**クーポン**と満期時に返済される**元本**によって決まります。それを各期間の金利水準でそれぞれ割り引いて現在の価値を合計することにより、債券の現在価値を計算できます。このように、お金の流れをベースに証券価値の判断を行うことを**キャッシュフロー分析**と言います。これらのことを式で示します。

●債券の現在価値の算出式（利付債の場合）

$$現在価値=\frac{C}{1+r_1}+\frac{C}{(1+r_2)^2}+\cdots+\frac{C}{(1+r_n)^n}+\frac{F}{(1+r_n)^n}$$

※C:クーポン、F:元本、r:金利、n:期間（年数）

この式より、債券の価値は金利（r）の影響を強く受けます。一般的には国債の利回りを用いますが、金利見通しの変化によって債券価格は大きく変動します。

債券の最終利回り

この関係を利用して、現在の債券価格と将来のキャッシュフローをもとに、**債券の最終利回り**（rを一定とした場合のrの値）を導くことができます。

$$債券価格=\frac{C}{1+r}+\frac{C}{(1+r)^2}+\cdots+\frac{C}{(1+r)^n}+\frac{F}{(1+r)^n}$$

キャッシュフローにより債券の現在価値を算出するイメージ図

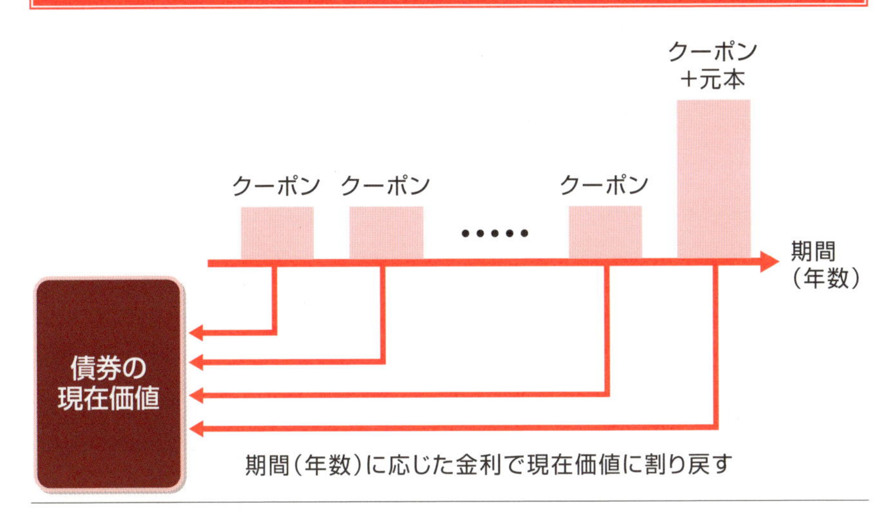

6-5 債券のリスクを管理するうえで大切なデュレーションの概念

市場で取引される債券は、常に金利変動のリスクにさらされています。金利変動に対するリスクコントロールのために重要な指標がデュレーションです。

平均回収期間を示すデュレーション

デュレーションとは、**債券に投資されたお金の平均回収期間**を言います。キャッシュフローの観点から、債券のクーポン金利と元本が実質的に何年後に戻ってくるのかを示したものです。具体的な計算方法は、クーポンや元本それぞれを受け取るまでの回収期間をキャッシュフローで加重平均したものです。

通常は、「3.6年」と年単位で表示します。ちなみに、割引債はクーポンがないため、満期時に償還される元本だけが回収の対象になるので、デュレーションは満期までの期間と同じになります。

債券までの満期期間が長ければ回収までの時間がかかるためデュレーションは長くなり、クーポンレートが高ければデュレーションは短くなります（つまり、同じ債券であれば、利付債よりも割引債のほうがデュレーションは長くなります）。

リスクコントロールの指標として利用価値の高いデュレーション

デュレーションが重要なのは、金利の変動に対する債券価格の感応度を示すものとして利用できるからです。債券の価格は金利の変動によって影響を受けることはすでにお話ししました。その変化の度合いは、債券のデュレーションの長さによって違います。細かい計算式は割愛しますが、金利の変化と債券価格の関係は、デュレーションを用いることにより、以下の式によって示すことができます。

債券価格の変動率＝－［金利の変化×{デュレーション／（1＋債券利回り）}］

「デュレーション／（1＋債券利回り）」のことを「修正デュレーション」と言

います。修正というと変な響きですが、金利への感応度を表すために改良された（modified）という意味です。たとえば修正デュレーションが1の場合には、金利が1%動くと債券価格が反対に1%動く関係を意味します。

ただし、デュレーションによる金利の感応度は、債券の金利水準を短期から長期までつないだイールドカーブが安定した形状にあることが前提です。イールドカーブが歪んでいる場合には、理屈通りの変化にはならないこともあります。金利が急激に変動した場合にも、デュレーションと価格変動の関係性は弱まります。

修正デュレーションの式を見るとわかるように、分母部分の利回りが低い債券ほど感応度は大きくなり、また、分子部分の残存期間が長い（デュレーションが長い）債券ほど大きくなります。

デュレーションを用いることにより、保有する債券が金利変動に対してどれくらいのリスクを負っているのか、具体的な大きさを確認できます。その有用性から、運用者はポートフォリオの**リスク管理の指標**として用います。また、アクティブ運用では**運用戦略の指標**として活用し、先物のヘッジでポートフォリオを管理する場合にもデュレーションを用いてコントロールします。

債券の運用報告資料にデュレーションの記載があるのは、金利変動に対してどのような感応度を持っているのかを示す情報として掲載されているのです。

修正デュレーションによる債券利回りと債券価格の関係

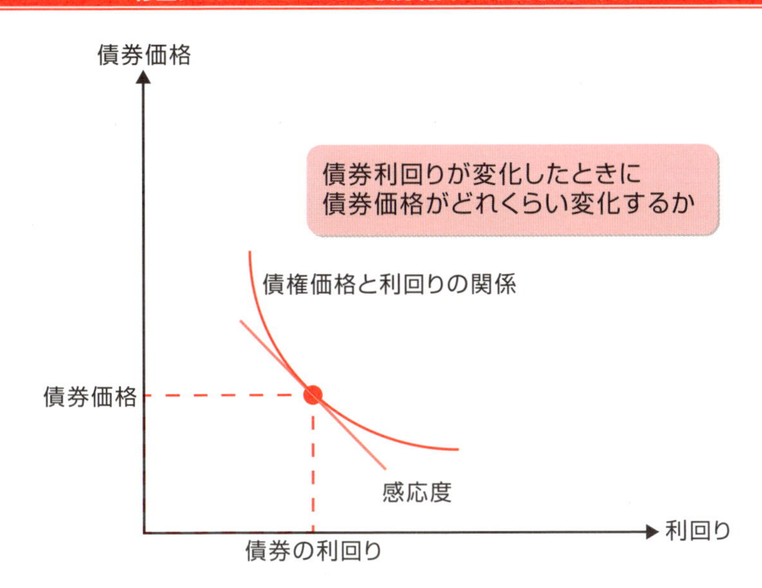

6-6 株式の価値を測る代表的な考え方、配当割引モデル

キャッシュフローをベースに株式の価値を図る配当割引モデルは、最も基本的な手法です。

配当を一定とした配当割引モデル

株式の価値を測るには様々な手法がありますが、ここでは、**企業の利益**に着目して株式を評価する手法を確認します。

配当割引モデルは、その中で最も基本的な手法の1つで、将来から得られる**キャッシュフローをベース**に株式の**現在価値**を算出するものです。株式は永続企業を前提にしているので、債券と違い、キャッシュフローのもととなる利益成長や投資家が受け取ることができる配当は長い将来までを想定します。

算出の前提として、株式に投資をすることによって得られるリターンは、将来の配当と値上がり益とします。この場合、現在の株価は、将来の予想配当と予想株価について投資家が求める期待（要求）利回りを用いて現在価値に割り引いたものになります。この割引率は対象のリスクによって適用する利回りは異なります。債券の場合にはクーポンと償還金額は定められているので、キャッシュフローをある程度は見通すことができるため割引率に金利を用いましたが、株式においては将来のキャッシュフローは債券と比べて不確実でリスクが高いため、投資家が要求する利回りは高くなります。リスク調整後の割引率と捉えておけばよいでしょう。

話を戻しますが、このとき、投資家が1年間保有すると仮定した株式の現在価値は以下になります。株式の現在価値は、1年後の配当と株価を割引率で引き直したものの合計という意味です。

$$現在価値 = \frac{D_1}{1+r} + \frac{P_1}{1+r}$$

※D:配当、P:株価、r:割引率

同様に、1年後は次の式で表せます。

$$1年後の価値\ P_1=\frac{D_2}{1+r}+\frac{P_2}{1+r}$$

このようにして、将来まで（P）を代入していくと、最終的に配当額と割引率による以下の式で示すことができます。

●配当割引モデル（配当一定型）

$$現在価値=\frac{D_1}{1+r}+\frac{D_2}{(1+r)^2}+\cdots+\frac{D}{(1+r)^n}=\frac{D}{r}$$

株式の現在価値（理論価格）は、**配当が一定**とした場合には、現在の1株の保有によって得られる配当を期待利回りで割り引いた式で示すことができます。

配当が成長することを前提とした配当割引モデル

配当が将来にわたって一定であることを前提としたモデルに対して、**配当が成長**するケースを考えます。企業の成長に伴い、配当も成長するという考えによります。配当が一定の割合で成長することを前提に株式の現在価値を評価する方法を**定率成長モデル**と言います。さきほどの配当割引モデルを用いた定率成長パターンは次の式になります。

途中の変換式を割愛していますが、大切なのは、利益の成長を配当という形で表現して株式の現在価値を表せることです。

●配当割引モデル（配当成長型）

$$現在価値=\frac{D_1}{1+r}+\frac{D_1(1+g)}{(1+r)^2}+\cdots+\frac{D_1(1+g)^{n-1}}{(1+r)^n}=\frac{D_1}{r-g}$$

※D:配当、P:株価、r:割引率、g:配当の成長率

企業の業績が向上し、将来、その株式の配当成長率が高まると考えれば分母が

小さくなり、株式の現在価値は上昇します。また、投資家の期待利回りが高くなると分母が大きくなり、現在価値は低下します。

配当割引モデルは概念の理解が重要

配当割引モデルには、これら以外にも、さらに発展形のモデルがたくさんありますが、最もスタンダードとされるのは、配当割引モデル（配当成長型）です。非常にシンプルでありながら応用が利き、深い示唆に富んだものです。

ただし、実際に用いるには難しいものでもあります。3つの要素である、配当額、割引率である投資家の期待（要求）利回り、そして配当の成長率で概念的に現在価値を示せるものですが、分母に当たる期待（要求）利回りに基づく割引率と配当成長率は、画一的に示すことができるものではありません。そして、この数値によって現在価値は大きく変わってきます。

ここでは、株式評価においてはこれらの数値が大きな影響を与えることを認識しておきましょう。次項でお話しする株価収益率（PER）において市場における利用との関連性を見ていきます。

配当割引モデル（定率成長型）による株式の現在価値のイメージ

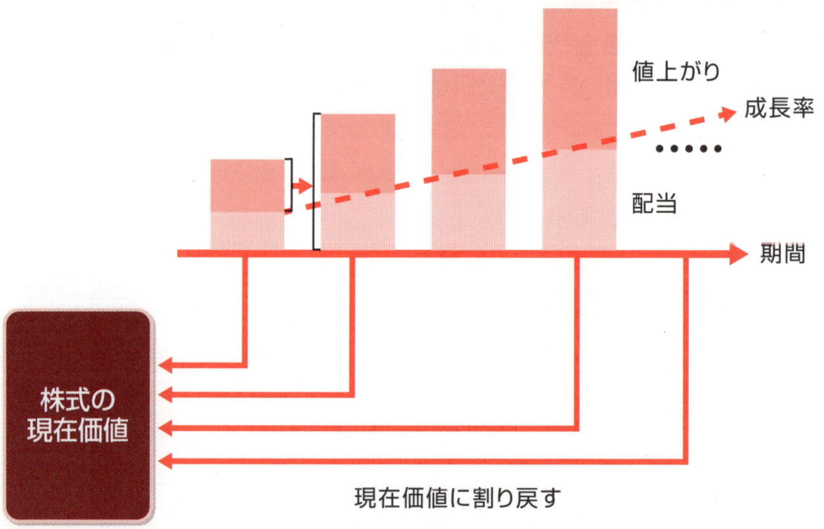

6-7 企業の成長性と株価を比較する株価収益率

企業利益と株価を比較する手法により、市場から企業の成長性に対してどのような評価を受けているのかを示す指標です。

利益の何倍に投資するのか、株価収益率

株式の本質的な価値を評価するキャッシュフローに基づく方法に対して、株価といった市場価値による評価尺度とした指標があります。その中でも利益に着目した代表格は**株価収益率（PER）**です。

株価収益率（PER：Price Earnings Ratio）＝株価／1株当たり（予想）利益

これは、株価と利益水準の比率を見たもので、株価が何年分の利益に相当するのかを示したものです。ある程度予測できる数期先までの利益水準をベースに株価の妥当性を判断するものとして、幅広く利用されています。たとえば、PERが20倍である場合には、株価は現在見通せる利益の20年間分を織り込んでいるといった具合です。PERは、その企業の長期的な成長性との関係で市場の評価が妥当な水準かどうかを判断するものとして用いるので、高い成長性が期待できるのであれば、利益水準の数十倍の株価でも妥当となります。

株価収益率PERが意味するもの

株価収益率をさらに深掘りします。ここからの1ページは、本書の中でもかなり奥深い内容を凝縮しています。割り切った前提で話を進めます。前項6-6の配当割引モデル（配当成長型）の式において、左辺の現在価値を株価で示した市場価値（P）に置き換え、配当額（D1）を利益（E）に置き換えると、以下の式になります。これは、配当の源である利益水準に対しての市場評価を示しているものです。

市場価値P＝利益E ／（r－g）

そして、この両辺を利益Eで割り引くと以下の式になります。

株価収益率P/E＝1 ／（r－g）　または逆数　益利回りE/P＝（r－g）

右辺の（r－g）は株価収益率P/Eの逆数になります。この逆数E/Pを益利回りと呼びます。そのときの市場価値（株価）で株式に投資したときに得られる利益を、利回りとして表現したものです。たとえば、1株当たり利益20円の株式を500円の株価で投資した場合、株価収益率PERは25倍（500÷20）となり、益利回りは4%（20÷500）になります。このように見ると、投資をする際に多くの人が株価収益率を参考にすることは、（r－g）に基づく配当割引モデルの考えと根っこでは通じ合っていることがわかります。

益利回りに置き換えれば、市場が求めている利回り水準を推し量ることができます。ただし、市場の評価はそのときの市場環境や企業の状況によって大きく変動します。PERが20倍（益利回り5%）のときもあれば、PERが15倍（約6%）のときもあります。株価をベースにする指標は答えを与えてくれるものではありません。市場がそのときに求めている評価を知り、それに対して自らがどのように判断するのか、大切なのは**指標の本質を理解して活用すること**です。

株価収益率の算出イメージ

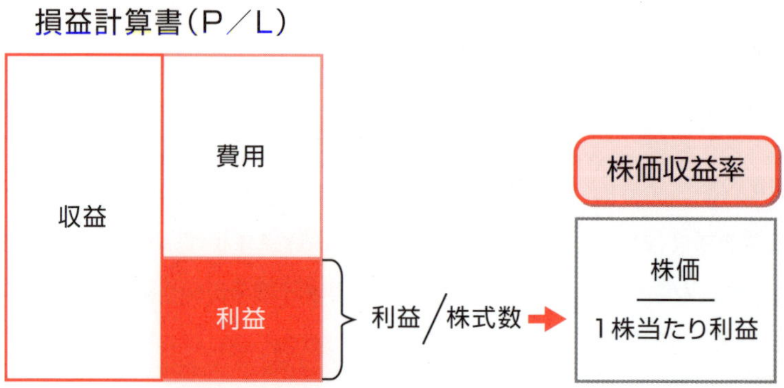

損益計算書（P／L）

収益

費用

利益

利益／株式数 →

株価収益率

株価
1株当たり利益

6-8 企業価値と株価を比較する株価純資産倍率

企業価値と株価を比較する手法により、市場からどのような評価をされているのかを示す指標です。

企業の資産価値と株価を比較する株価純資産倍率

株式の投資価値を評価するもう1つの代表的な尺度として、企業の財務状況を用いた評価手法があります。企業の資産・負債の状況を示すバランスシートB/Sから株価との比較で企業価値を判断するものの代表格が、**株価純資産倍率**（PBR）です。株価が1株当たり純資産（BPS：Book value Per Share）の何倍の値段が付けられているかを見る投資尺度です。

株価純資産倍率（Price Book-value Ratio）＝株価／1株当たり純資産（BPS）

以前は、1株当たり純資産ＢＰＳは総資産から負債を除いた純資産を発行済株式数で割って計算していましたが、企業の株主還元策として自社株を買い入れ消却する動きが拡大していることから、より実態に近い投資指標にするための「保有する自社株を除く発行済株式数」で計算する方法が主流になりつつあります。1株当たりの純資産はあくまで帳簿上の簿価ではありますが、**企業の解散価値**を示しています。この指標を用いて、現在の株価が企業の資産価値（解散価値）に対して割高か割安かを判断する目安として利用されます。株価純資産倍率の数値が低いほうが割安と判断されます。

株価純資産倍率の利用方法と課題

株価純資産倍率が1倍であることは、株価と解散価値が同じ水準を意味することから、投資をする観点では株価の下値の目安として用いられることが多いです。ただし、長い間1倍を下回ったままの銘柄も多く、必ずしも1倍割れだけを底値の判断基準とすることはできません。これを「割安株のわな（**バリュートラップ**）」と言います。この理由には、成長期待に欠ける、経営力が低い、不良な資産を抱えているので純資産が見かけよりも少ないことなどが考えられます。

潜在的な企業価値が市場からどう評価されているのかを示している

株価純資産倍率が意味するところを、もう少し深掘りしてみましょう。前項の株価収益率PERは、その逆数である益利回りをみれば、企業の利益水準に対して市場が求める利回りと解釈できます。それに対して株価純資産倍率PBRは、企業のバランスシートB/Sの状況を市場がどのように評価しているのかを示しています。

企業は成長して利益を出すために活動しますが、そこにはB/Sの数字だけでは表れない潜在的な成長力の源泉である、企業価値ともいえる人材やノウハウ、企業カルチャーなどを有しています。そういった**企業価値に対する市場の評価**なのです。つまり、株価純資産倍率が低いことは、その企業には成長力の源泉である企業価値が乏しいとの評価を受けており、一方で高い場合には、その企業が潜在的に有している、のれん代ともいえる企業価値が高く評価されていることを意味します。

私たちは、安易に指標が示す数値（倍率）だけを見て投資判断に使おうとしますが、それは決して望ましい姿とは言えません。その指標の値が何を示しているのか、それは正しい評価なのかどうか洞察することにより、本来の投資価値が見えてくるのです。

株価純資産倍率の算出イメージ

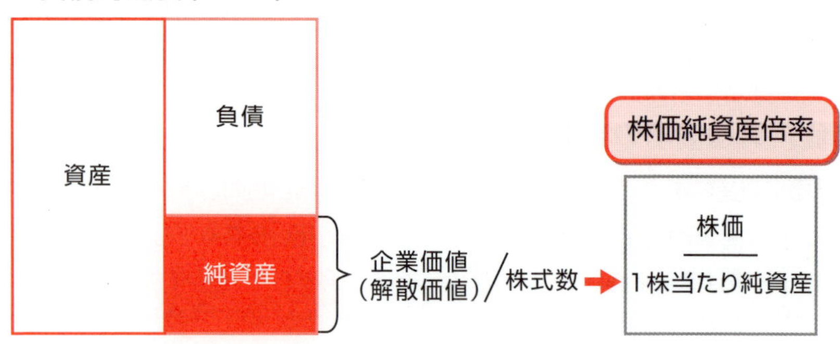

6-9
資本と利益の関係を見る株主資本利益率

貸借対照表の資本と損益計算書の利益の関係を用いることにより、投資の効率性を評価することができます。

株主から見た資本効率性を示す株主資本利益率

株主が拠出した自己資本を用いて、会社がどれだけ有効に利益を上げているかを示す指標として、**株主資本利益率**（ROE：Return On Equity）があります。

株主資本利益率ROE＝当期純利益／株主資本

これは株主にとっての経営の利回りのようなものと考えることができます。株主資本利益率が高い水準で推移していれば、その会社の収益性や成長性も有望ですし、株主への利益還元も期待できます。

以前は、日本で投資尺度と言えば、株価収益率（PER）や株価純資産倍率（PBR）、配当利回り（配当÷株価）など、株価を介した指標を投資判断の材料にするのが一般的でした。それに対し、米国では**株主構成に機関投資家が増加**し、拠出した資本に対し、企業がどれだけの利益を上げられるのかを重視していました。日本でも外国人投資家の割合が増えたことにより、近年では重要視される財務指標となりました。

また、2014年に公表された経済産業省によるプロジェクトの最終報告書、通称「伊藤レポート」の中で、企業と投資家がともに持続的な企業価値の向上を目指すこととともに、「8%を上回る株主資本利益率を最低ライン」と数値目標を掲げたことにより、この指標への注目度は大きく高まりました。日本の上場企業の平均的な株主資本利益率は約8%と、この十数年で大幅に改善されてきましたが、10%超が当たり前の欧米企業との水準から見ると、まだまだ見劣りします。

株価の動きは、その時々の経済環境や投資家の様々な思惑が絡むため、株主資本利益率が示す企業の利益成長力は、短期的には必ずしも株価に反映されるとは限りません。一方で、長期的には、株価の値上がり益と配当収入を合わせた株式投資のリターンは、株主資本利益率と関係があることが研究などにより報告されています。

株主資本利益率を分解して財務状況を分析できる

株主資本利益率は、財務分析をするうえでは、数式に**売上高**と**総資産**を用いることによって売上高利益率、総資本回転率、財務レバレッジに分解して、要因を分析することができます。これは、開発した会社の名前を冠して**デュポン式**と呼ばれています。

株主資本利益率＝（利益／売上高）×（売上高／総資産）×（総資産／株主資本）

売上高利益率（%）：利益／売上高

総資本回転率（回）：売上高／総資産

財務レバレッジ（倍）：総資産／株主資本

日本企業の財務レバレッジは海外企業と比べてもそれほど大きな違いはないと言われており、日本企業の株主資本利益率が見劣りするのは残りの項目に起因する事業の収益性が低いことに理由があると言われています。

これ以外にも、目的に従って、例えば従業員数などを間に挟むことにより、いろいろと分解ができます。ここで大切なのは、企業活動を考えるうえでは、分解した各項目は完全に独立しているのではなく、**相互に関連性を持っている**ことを理解したうえで用いることです。

株式投資の評価尺度から株主資本利益率を考える

また、株主資本利益率ROEは、株価を用いることによって、これまで見てきた代表的な株式の評価尺度である、**株価純資産倍率**PBRと**株価収益率**PERに分解することもできます（変換式の説明は割愛します）。

株主資本利益率＝（株価÷1株当たり純資産）／（株価÷1株当たり利益）

割り算がたくさん入っているので少々難しいのですが、この式から言えることは、株主資本利益率ROEは株価純資産倍率（PBR：株価／1株当たり純資産）、株価収益率（PER：株価／1株当たり利益）の逆数である益利回りと、それぞれ正の関係があることです。ROEの水準が高いことは、企業の潜在的な成長力である株価純資産倍率PBRで見て市場から高く評価される、また、リスク見合いでの投資家の要求利回りである益利回りから見ても市場から高い成長性が期待されていることに結びつきます。こうして見てくると、配当割引モデルから始めた株式投資を評価する各手法の関連性が見えてきますね。

企業や株式の評価手法には、いままで説明してきたもの以外にも投下資本利益率ROICなど利用目的によって様々なものがあります。ただし、本質的な考え方は本書で説明したものがベースになっています。

株主資本利益率の算出イメージ

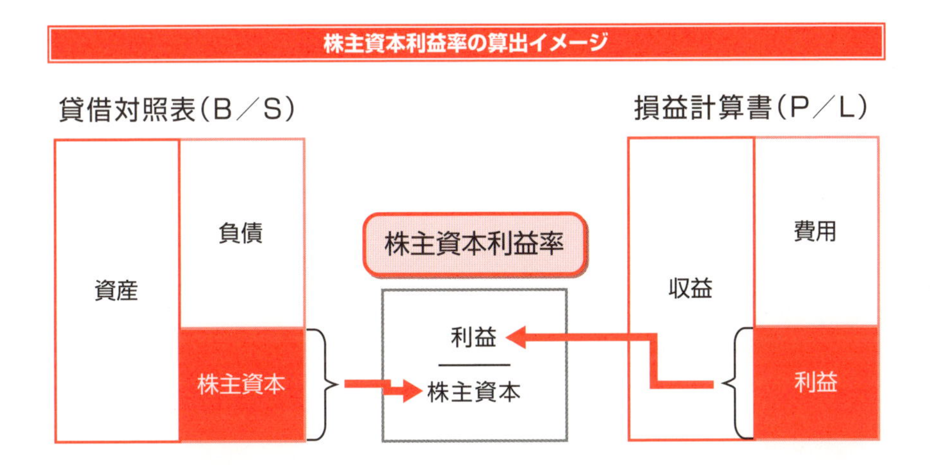

企業を評価するうえでの内部要因と外部要因

企業の評価や投資価値を考える際、企業活動に焦点を当て、企業が提供する財務情報などをベースに、利益成長などの多面的な分析を行います。どのように生産性を高め、ビジネスを展開していくのか、企業を中心に考えます。

一方で、世の中の技術の進展は速まり、それを前提にした新たなビジネスが次々と展開されています。アマゾン・エフェクトと呼ばれる、情報インフラを基盤としたビジネスによって、最大手の玩具店があっけなく倒産するなど、既存のビジネスが大きな影響を受けたことは、その典型でしょう。通信技術でも、5Gの世界ではIoTが現実化し、情報ネットワークが一変すると言われています。

企業の生産性向上などによる成長を内部要因とすれば、こういった社会や経済の環境が企業のビジネスに与える影響は外部要因になります。近年では、外部要因の変化が速くて大きいため、企業のビジネスモデルの継続性に与える影響が大きくなり、企業の成長性について、遠い将来までを見通すことが一層難しくなっています。

企業の成長性において外部要因が大きな影響を占めることは、企業の将来の不確実性を高めます。これは、投資家からすると、企業に高い利回りを求めることになります。つまり、不確実性の高い企業や業種の株式の現在価値は、理屈上では、低く抑えられやすくなります。

言い換えれば、不確実性を見極めることができれば、市場が求めるよりも低い要求利回りで現在価値の高い企業への投資機会が見出せます。注目されているESG投資も、社会との共存とビジネス課題を共有する企業は、中長期でのサステナブルな成長が期待できることにより、不確実性が低下することで企業価値が高まると見ることができます。

企業を分析するアナリストに求められるものとして、企業の将来性を考えるにおいて、外部要因の影響が大きくなることは、企業が置かれた環境の変化についての目配りが重要になってきます。これからの企業評価は、より一層、社会の動向や変化といった外部環境への洞察力が高い人材、ストラテジストのようなマクロ的な見方も兼ね備えた資質が求められることになるでしょう。

第7章

代替（オルタナティブ）投資

リターン獲得の機会を増やし、ポートフォリオの分散効果を高めるために、株式や債券以外の代替（オルタナティブ）戦略・資産への投資が広がりを見せています。

この章では、代替投資の種類や投資の効果についてお話しします。

7-1 代替（オルタナティブ）投資に求めるもの

代替（オルタナティブ）投資は、多様なリターンの追求と、従来の投資資産との相関が低いことによるポートフォリオの分散効果を図るものです。

代替（オルタナティブ）投資とは

代替投資とは株式や債券といった伝統的な資産運用ではなく、それ以外の新しい投資対象や投資方法でリターンの獲得を図ることです。

代替投資は、投資対象が株式や債券などの伝統的な資産とは違う**代替資産**（オルタナティブ・アセット）と、伝統的な資産中心に投資するけれど投資手法が従来とは違う**代替戦略**（オルタナティブ・ストラテジー）の2つに大別されます。

代替資産としては、非上場企業への投融資（プライベートエクイティ・デッド）、鉄道などのインフラ資産や不動産といった実物資産、金（ゴールド）などのコモディティ（「商品」とも言います）、代替戦略としては、ヘッジファンドなどがあります。

代替投資に求めるもの

年金などの大切なお金を投資する対象として適しているうえで、株式や債券以外にもリターンを得られる対象を多様化させる動きの中で、代替投資が注目されました。代替投資によって求めるもの、それは、①従来の株式や債券とは違う収益性を有していることによる**リターンの多様化**、②株式や債券との相関が低いことにより**ポートフォリオの分散効果**が高まることです。

インフラ資産や不動産は実物特有の価格変動がありインフレに対して強い、ヘッジファンドは絶対収益を目指すものとして下落局面に抵抗力がある、プライベート・エクイティは高い成長性が期待できるなどの特徴があり、これらは投資対象として魅力的であるとともに、ポートフォリオの安定化や効率化に貢献します。

代替投資を採用する背景

代替投資は、当初、**米国の年金基金**が採用し始めましたが、今では資産運用の世界において投資対象資産の選択肢の1つとしてすっかり定着しています。日本の個人向け投資信託においても、コモディティとしての金（ゴールド）やヘッジファンドが当たり前に組み入れられるようになりました。

運用の世界全般に言えることですが、まず、金融市場が発達していて、高いレベルでの受託者責任が求められ、しかも、最も洗練された米国の年金運用の世界でこういった新たな投資が取り入れられ、それが世界の年金に広がり、その後、主に個人向けの投資信託などの商品にも展開されることが一般的です。

代替投資が年金をはじめとした運用において取り入れられた背景には、**低金利の進展**、株式市場の**下落局面への対処**があります。比較的高い金利が得られ、株式市場も右肩上がりで上昇基調が強い時代においては、伝統的資産への投資によるリターンで十分に目的が果たせたものが、リターンの獲得が難しくなることにより、あらたな投資機会として注目を浴びたのです。

代替（オルタナティブ）投資の対象とメリット

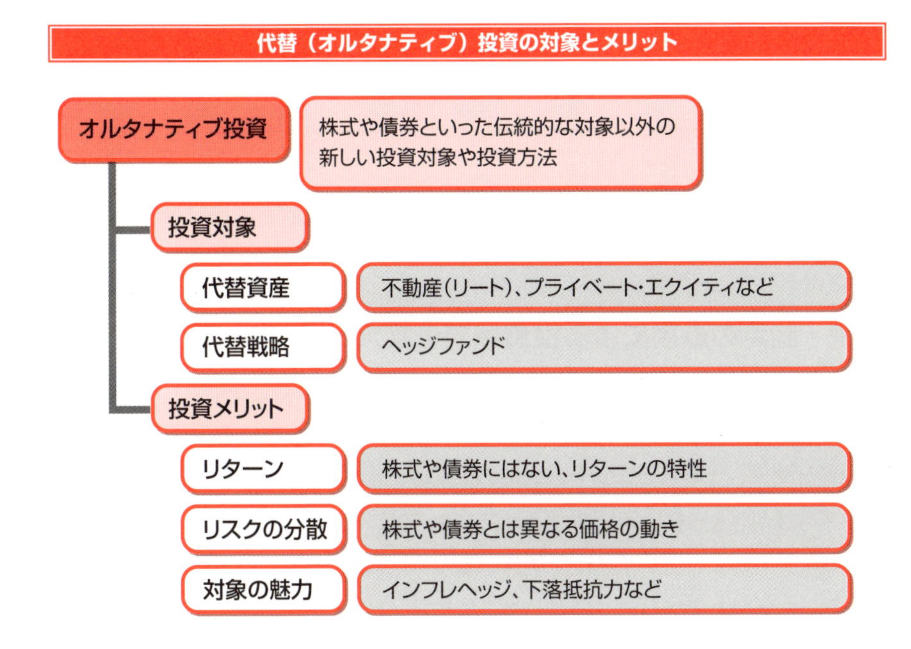

7-2 代替（オルタナティブ）投資の代表格、ヘッジファンド

ヘッジファンドは代替投資の代表的手法です。リスクを抑えて絶対的なリターンを目指す投資手法は、伝統的な資産との相関が低いといった特徴があります。

ヘッジファンドの特徴

ヘッジファンドは、米国において、市場の上げ下げの動きに影響されずリターンを獲得することを目指すロング・ショートを用い、また、運用資金だけでなく借り入れによるレバレッジも効かせながらより高いリターンを生み出す手法が始まりと言われています。その後、様々な投資手法へと発展しました。

ヘッジファンドを投資におけるリスク・リターンの特性で見た場合、①市場の動向に左右されずに（市場の影響によるβを抑え）**絶対リターンを目指す**、②リスクを抑えているため**投資効率（シャープレシオ）が高い**、③伝統的な資産との**相関が低い**といった特徴があります。

一方で、市場の影響によるβを抑えるということは、市場が好調なときには株式などの伝統的資産よりも相対的に低いリターンに留まりやすいということでもあります。また、多くのヘッジファンドは、運用実績に応じて報酬を受け取る、**実績報酬型**のファンドが多いことも、一般的な投資商品とは異なる点でしょう。

調査・開示の進展による投資家層の拡大

ヘッジファンドは、当初、富裕層が主な顧客でした。私たちが知っているヘッジファンドは、英国の通貨ポンドの売りを仕掛けて成功したジョージ・ソロスやノーベル賞を受賞したけれどロシア危機において破たんしたロング・ターム・キャピタル・マネジメント社が印象に残っており、得体が知れなくて巨額の資金を用いて市場で暗躍しているというイメージが強いものでした。

しかし、**ゲートキーパー**と称される、ヘッジファンドの内容を詳しく調べる会社の調査が充実してきたことや、ヘッジファンドの開示が進んだこともあり、年金基

金などが利用しやすい環境が整っていきました。前述のように、ヘッジファンドはポートフォリオを運用する側から見て、魅力的なリスク・リターンの特性を有しています。これらが相まって、富裕層だけでなく、機関投資家にも徐々に浸透していったのです。

ヘッジファンドのリスク

ヘッジファンドは数千もの会社があると言われています。また、投資手法も大別はできますが、細かい部分では各社の戦略によっていろいろなリスクのとり方があるため、リターンの表れ方の差が大きいことから**ファンドの選択**がポイントになり、これが難しい点でもあります。

これらを一言で言えば、市場におけるリスクは総じて抑えられるけれども、個々のファンドに依拠するリスクは総じて高いと言うことができます。実際に利用する際には、デューデリジェンス（詳細な調査）を行うとか、専門の調査会社を利用します。また、特定のヘッジファンドのリスクを抑えるため、複数のヘッジファンドに投資する**ファンド・オブ・ファンズ**の形態で投資をする場合があります。

ヘッジファンドの特徴、メリットや注意点

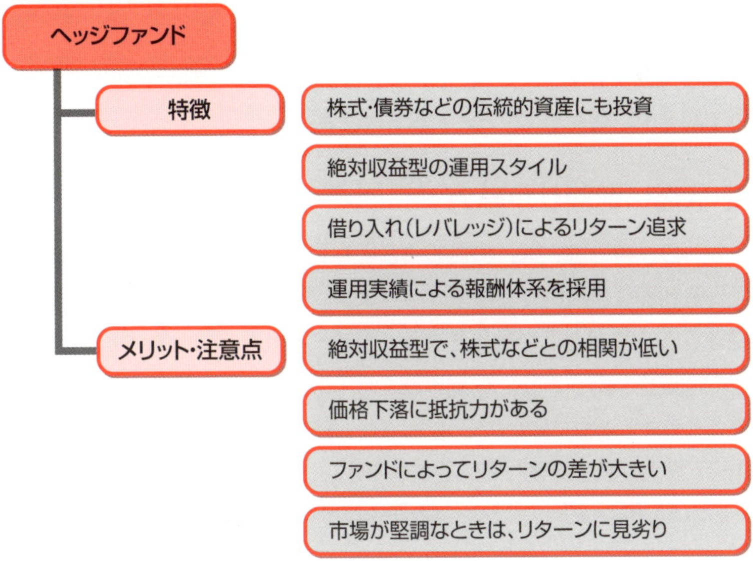

ヘッジファンド
- 特徴
  - 株式・債券などの伝統的資産にも投資
  - 絶対収益型の運用スタイル
  - 借り入れ(レバレッジ)によるリターン追求
  - 運用実績による報酬体系を採用
- メリット・注意点
  - 絶対収益型で、株式などとの相関が低い
  - 価格下落に抵抗力がある
  - ファンドによってリターンの差が大きい
  - 市場が堅調なときは、リターンに見劣り

7-3 代替資産として定着したリート（不動産投資信託）

リート（不動産投資信託）は、多くの投資家から集めたお金で、オフィスビルや商業施設、マンションなど複数の資産を購入し、その賃貸収入や売買益を投資家に分配する商品です。

リートとは

リートは、代替資産の1つとして、今では個人向けとしても当たり前に提供されています。リートは、投資信託の器に不動産を組み入れたようなものです。より正確に示すと、会社の形態である**投資法人**が不動産を保有し、この投資法人が発行する**投資証券**に投資するものです。

リートの特徴

不動産に投資をする場合には、一般的には大きなお金を必要としますが、リートは投資法人が不動産を保有し、発行した証券に投資家が投資をするので少額でも投資できます。証券は金融市場で取引されるので、取引が容易です。

また、投資法人が複数の不動産を保有してポートフォリオを組んでいるので、特定の不動産の影響を和らげることができます。

リートは高い利回りが魅力

リートへの投資の魅力は、①代替資産として他の金融資産との**相関が低い**ことに加え、②**利回りが高い**ことが挙げられます。不動産市況や賃貸収入は景気の影響を受けるので株式と近い動きをする一方で、金利動向の影響を強く受けるため債券との関連性もあります。投資資産として違うことと、価格変動の影響の度合いが違うと考えておけばよいでしょう。リートの価格にとって一番よい環境は、景気がよくて金利が低く安定している状態です。

リートの利回りが高いのには2つの理由があります。1つは、投資法人として利益の90%以上を配当することにより**法人税の支払いが免除**されるからです。これにより、投資した不動産からの収入の多くを配当として投資家に還元できます。

もう一点は、投資家から集めた資金だけでなく、借り入れをして（**レバレッジ**）不動産に投資することにより、多くの収入を得るスキームを用いているからです。

仮に、投資家から200億円を集めて3%の利回りを得られると6億円の収益になりますが、借り入れによる100億円で金利を差し引いて実質2%の利回りを得ることができると2億円の収益が加わり、合計8億円になります。これは投資家にとって4%の利回りになります。一般企業と同様に、投資法人は投資機会があれば借り入れを行って収益の向上を目指します。

借り入れによる収益追求は、投資法人のスタンスによってまちまちなので一律に同じではありません。しかし、借り入れには金利支払いが伴うので、金利が上昇すると、レバレッジの大きさによって収益にはマイナスになります。だから、リートは金利の影響を受けやすいのです。

リートの仕組み

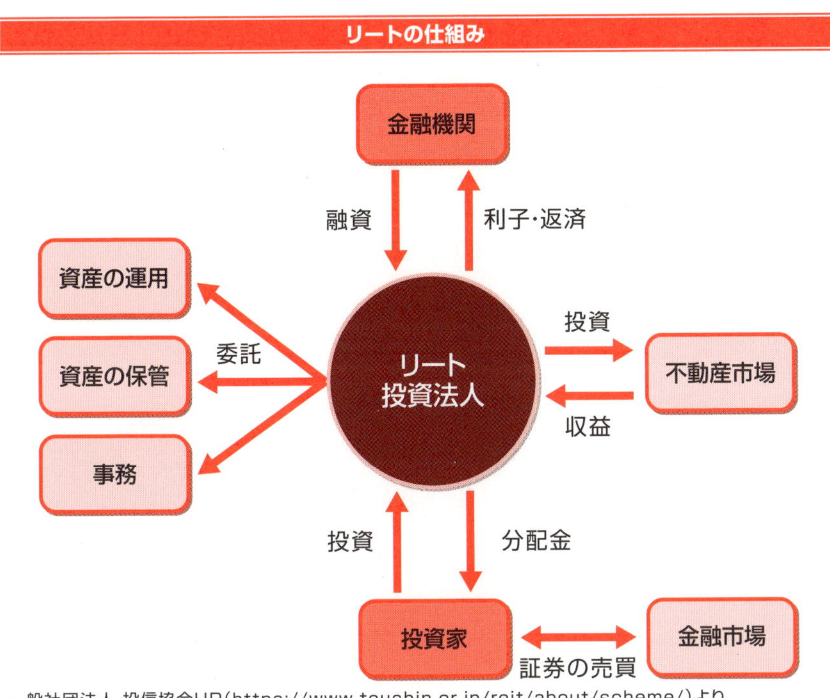

一般社団法人 投信協会HP(https://www.toushin.or.jp/reit/about/scheme/)より

7-4 注目が高まる低流動性資産

オルタナ投資において、プライベート・エクイティなどの低流動性資産への注目が高まっています。流動性と引き換えに高いリターンの追求と分散効果、また、時価変動の影響を受けにくいなどの特徴があります。

低流動資産とは

株式、債券などの伝統的資産は、取引所に上場していることなどから価格が公表されていて、いつでも取引できます。こういった資産を流動性が高い資産と言います。それに対して、非上場である固有資産（プライベート・アセット）の取引は容易ではありません。こういった投資対象を、オルタナィブ資産の中でも特に**低流動性（非流動性）資産**と呼びます。投資手法が進んだ年金の運用において注目されている資産です。個人では、価格の公表や取引の難しさなどの制約から投資機会は未だ少ないですが、今後は増えていくことが期待されます。

低流動性資産の代表格は、非上場株式への投資であるプライベート·エクイティ、鉄道や飛行場など社会インフラ資産、実物の不動産があります。投資の形態としては、各資産に対して**株式（エクイティ）部分に投資**するものと、**負債（デッド）部分に投資**するものがあります。いずれも、投資家のお金を集めたファンドから、これらの各資産の案件を分散して投資するスキームが一般的です。

低流動性資産は流動性と引き換えに高い収益性を追求

オルタナティブ資産に共通するものとして、その収益性とともに、伝統的資産との**分散効果**が挙げられます。特に低流動性資産への投資は、流動性や投資対象固有のリスクと引き換えに**高い収益性を追求**できます。また、市場でいつも取引される資産ではないため、**市場の時価変動から一定の距離**を置くことができます。

一方で、見通しが悪くなったとしてもすぐには投資を止められません。つまり、資金が固定化しやすいため、ファンドを運用する会社や運用者の良し悪しをしっかりと見極めることが重要になってきます。そのため、**デューデリジェンス**を通じて運用体制や投資案件のリスクなどを調査したうえで投資します。

低流動性資産の特徴、伝統的資産との違い

低流動性資産への投資は、幅広く投資家を募ることはしないため、**投資金額は億単位と大きめ**になります。また、目的に適った個別案件に対して順次投資を行っていくため、当初から予定していたお金のすべてを投資できるとは限らず、案件ごとに**時間を掛けて投資**していくことが多いです。ファンドのタイプとしては、資産にもよりますが、計画的な投資を行うため、当初に投資予定額を募集して一定期間は解約をしない、**クローズド型が多い**です。ただ、最近は一定の条件の下で途中でも投資や解約ができるオープン型も増えてきています。

最後に少し難しい話になりますが、リターンの計測にも特徴があります。ファンド内の各案件によって投資できる時期や金額、また、投資額を回収できるまでの期間は異なり、複数回に分けて行われます。そのため、投資によって獲得できるリターンは年ごとにかなり違います。こういったファンドのすう勢的なリターンを計測するために、キャッシュフローをベースとした**内部収益率（IRR）**を用います。IRRは、将来得られるお金の現在の価値と投資額が等しくなるリターンによって示されます。

低流動性資産の特徴

主な低流動性資産

プライベート・エクイティ、同デッド
インフラ資産
実物不動産　など

特徴

利点･魅力	注意点
・投資案件の高い収益性 ・分散効果 ・価格変動の影響が少ない	・急な売却や資金化が難しい ・最初からすべて投資できない ・運用会社の運用力に依存

7-5 低流動性資産の代表格、プライベート・エクイティ

プライベート・エクイティ投資は以前から行われていて、残高も大きいオルタナティブ資産であり、日本においても今後の成長が期待される分野です。

企業の成長ステージによって投資戦略は分かれる

プライベート・エクイティ投資とは、潜在的な成長力を有している**非上場企業**に対して、株式投資を通じて経営に関与し、企業価値を高めてリターンを得ることです。経営への関与の仕方は投資戦略や企業の成長ステージによって異なりますが、敵対的よりはパートナーシップ的な関係です。投資を受ける企業も、自分たちだけでは難しい経営改善が期待できるなどのメリットがあります。投資後は企業価値向上のうえ、IPO（株式上場）や株式売却によってリターンを得ます。

具体的な投資戦略は、**企業の成長ステージ**によってタイプが分かれます。

ベンチャーキャピタル

創業初期や新規市場創造において急成長が見込まれる企業に投資します。

グロース

成長期にある企業の拡大のための成長資金を提供します。

バイアウト

すでに事業が軌道に乗っている企業の株式を買い取って経営権を獲得し、緊密な経営支援によって企業価値を向上させます。

企業再生、ディストレスト

企業再生は、経営不振に陥っている企業を立て直すものです。ディストレストは、実質的に経営破綻した企業の株式などを割安に買い取る投資方法です。

プライベート・エクイティ投資の特徴

プライベート・エクイティ投資の特徴には、投資に時間がかかる点や解約・現金化がすぐにできない点とともに、**運用者や投資戦略などによってリターンに差異が生じる**点があります。具体的には、①投資をする運用会社、運用者による違い、②ファンド組成のタイミングによって、その後の経済環境の違い、③投資の戦略ごとの違いから、それぞれにリターンには差異が生じます。オルタナティブ投資に共通するこれらの影響を和らげるには、分散して継続的に投資を行うことです。

また、上場株式と比較して高い収益が得られる可能性がありますが、資金の回収に時間がかかったり、回収が困難となる可能性がある点には留意が必要です。

日本のプライベート・エクイティ投資は成長の可能性を秘めている

日本のプライベート・エクイティ投資は成長傾向にあり、2つの点で今後の可能性を秘めています。1つは、日本の社会が抱える中堅・中小企業における**事業承継問題**です。事業承継に伴う買収は主要な投資機会の1つになっており、企業価値の向上は課題解決の受け皿になりうるものです。また、大企業中心に、主力事業や成長分野への注力に向けて非中核事業を売却（**カーブアウト**）するケースが増えています。これらを背景に、大きな役割を果たしていくことが期待されます。

企業のライフステージとプライベート・エクイティ投資戦略

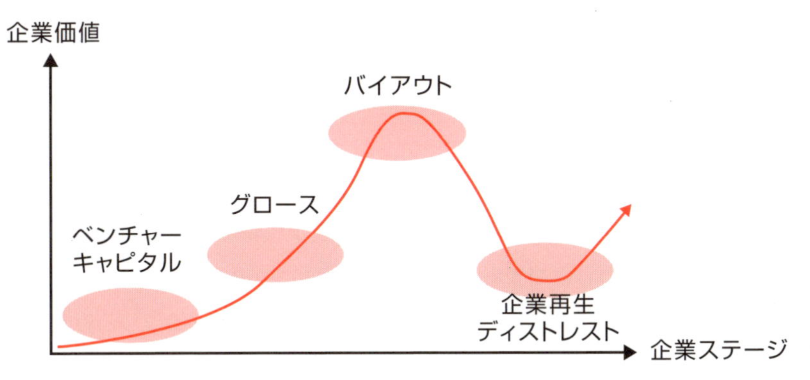

三菱UFJ信託銀行　資産運用情報『プライベートエクイティと日本市場』（2020年1月号）より
https://www.tr.mufg.jp/houjin/jutaku/pdf/u202001_1.pdf

7-6 多様な社会基盤へと対象が広がるインフラ投資

インフラ資産への投資は長期で安定的なキャッシュフローの獲得が期待できることから、オルタナティブ投資の選択肢として年金中心に利用が広がっています。

インフラ投資の対象は、公共施設やデータセンターも

インフラとは産業や社会生活の基盤となる施設を指し、これらに対する投資を**インフラ投資**と呼びます。具体的には、学校や病院などといった社会的施設、また、道路・鉄道・港湾など公共性の高い経済的施設が対象とされます。最近ではさらに、放送・通信設備、データセンターやガス・石油パイプライン、太陽光発電などに対象が広がっています。インフラ投資は、これら実物資産であるインフラ施設を運営する事業や会社に投資することによって収益を得ることを目的とします。

インフラ投資は2000年代初頭より海外の大手年金基金などにおいて行われてきましたが、日本においても2011年にPFA（企業年金連合会）、2014年にGPIF（年金積立金管理運用独立行政法人）が投資を開始したことにより急速に認知度が高まり、年金基金を中心に投資家の裾野は広がりを見せています。

インフラ投資の魅力は長期で安定的なキャッシュフローの獲得

インフラ資産は経済や社会が機能するための基本的サービスを提供する特徴を持つことから、景気の影響を受けにくく、安定した需要が見込まれます。また、規制や制度、多額な初期投資の必要性から高い参入障壁があり、長期にわたるサービス提供を前提としています。そのため、投資家は**長期で安定的なキャッシュフローの獲得**、**インフレに対するヘッジ効果**が期待できます。

インフラ資産は不動産などと同じく実物資産であり、個々の施設や設備によって運営も経済環境も違ってきます。そのため、優良な投資先を見分けにくい、情報を得にくい、管理が難しいなどの課題があり、**インフラ投資の専門家が運用するファンド**に投資することが一般的です。すでにお話ししたように、低流動性資産の

共通事項として取引が容易でないなどの制約があり、インフラ投資の多くは非上場のファンドを通じて行われています。その点では、年金では投資対象の1つとして確立されつつありますが、個人投資家向けはこれからの分野です。

投資戦略は、インフラ資産の**事業ステージ**で捉えることができます。これは業務稼動の段階による分類であり、業務開始前の**グリーン・フィールド**と、建設が終了して当局の認可も得た上で実際に業務を行っている段階の**ブラウン・フィールド**に分類できます。グリーン・フィールドはリスクが高いのですが、資産価格の上昇による高いリターンが期待できます。一方でブラウン・フィールドにおける事業のリスクは相対的に低くなりますが、キャッシュフローによるインカム収入が主なリターンの源泉となります。

インフラ投資にもエクイティ投資とデッド投資がある

ファンドからインフラへの投資は、インフラ資産を保有する企業または間接的に保有するSPC(特定目的会社)の株式への投資（**インフラ・エクイティ**）、あるいは融資・社債による投資（**インフラ・デッド**）によって行われます。これらは一般的な株式、債券のインフラ投資版と考えておけばよいでしょう。投資家から見れば、エクイティ投資は投資先企業の好業績による資産価格の上昇や配当増を見込み、リスクを取りながら高いリターンを狙う投資と言えます。デット投資は投資開始時点で将来の返済金額が定められている、また返済が優先的に行われる点から、より安定的な投資になります。

インフラ投資の特徴と投資形態

魅力・注意点

	魅力	注意点
特徴	・長期で安定的キャッシュフロー獲得 ・インフレ・ヘッジ	・長期間、資金が固定化 ・ファンド運用者に依存

リスク・期待リターン

	相対的に高い	相対的に低い
投資の戦略	グリーンフィールド	ブラウンフィールド
投資の形態	インフラ・エクイティ	インフラ・デッド

7-7 インフレヘッジとしてのコモディティ（商品）

コモディティ（商品）は、主にインフレに連動しやすい資産として、ポートフォリオの一部に加えられます。

コモディティ（商品）とは

コモディティ投資とは、商品先物市場で取引されている金・銀・プラチナなどの貴金属、原油・ガソリン・天然ガスなどのエネルギー、小麦・とうもろこし・大豆などの穀物、銅・アルミなどの非鉄金属といった各種商品（コモディティ）に投資をすることを指します。

一口にコモディティと言っても、非常に取引対象が多いのが特徴です。全般的に、**インフレに連動しやすい資産**として認識されています。その中でも特に金（ゴールド）は、「有事の金」という言葉があるように、昔からリスク回避として選好されやすい資産でもあります。

取引方法

コモディティを取引するには**商品先物取引**が一般的です。普段は馴染みがありませんが、コモディティの多くは古くから取引所で先物取引がされています。先物取引とは将来の一定日に、一定価格で、商品を売ること、または買うことを現時点で約束する取引です。

先物取引が古くから行われている理由は、昔から実際の生産量に対して一定の価格で売りを確保しておくなど、実需による取引ニーズが強かったためです。

他の投資方法として**現物取引**がありますが、金などの一部を除けば運用としては滅多に使われません。運用において原油や小麦などを現物で保有するメリットはないからです。また、コモディティそのものではなく、**関連する株式**を使った投資も可能です。

取引対象や利用方法

年金などの運用におけるコモディティの対象としては、金や原油といったメジャーで流動性が高く代表的な指標となる対象以外では、単独の商品を対象とすることは稀です。多くの利用法として、コモディティ全体を対象とした指数や工業関連、農業関連などの対象を1つにまとめた指数、それに連動する投資商品を対象に用います。代替投資全般に言えることですが、ポートフォリオの効果を高めるために、**ポートフォリオの一部**として組み入れることが一般的です。

株式や債券を投資対象として調査・分析する運用会社で、コモディティを運用対象にしていることは多くありません。そのため、**コモディティ専門の運用会社**や**ヘッジファンド**を経由して、コモディティに投資するケースが多いです。

代表的な金（ゴールド）について考えてみましょう。コモディティの中でも流動性が高く、インフレや有事に強いことなどから、株式や債券とは相関が低い資産であることはすでに触れましたが、注意すべき点として、経済活動に伴う資産ではないため、その恩恵を受けることはありません。これを専門的に言えば、金はキャッシュフローを生まない資産です。そのため、こういった資産を投資対象として重視しない向きもあります。

コモディティ（商品）の特徴

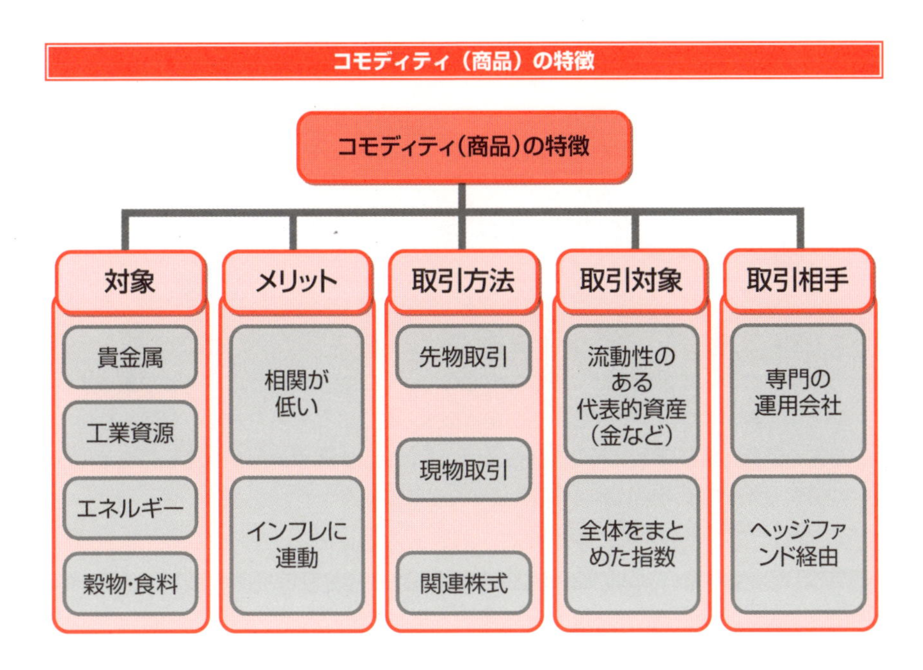

ファンドの選択が難しい低流動性資産への投資

低流動性資産への投資は、高いリターンが期待できる一方で、投資案件の個別性が強く、ファンド（金融商品）の選択が難しい資産でもあります。

株式や債券といった伝統的資産は、主に市場を通じて十分な流動性の中で取引されており、それらに投資するファンドの評価や他ファンドとの比較の手法も確立しています。市場の動き（β）とファンド固有の要因（α）の色分けも簡単です。投資家が投資資産やファンドを選ぶ基準や情報は多く、それにより、実際にファンド選択もできれば、評価もできます。ファンド選択に悩むようであれば、パッシブファンドに投資して、その資産から得られるリターン（β）だけを得ることもできます。

オルタナティブ（代替）投資の中でも、ヘッジファンドやリートのように、過去から取引されていて情報も開示されているとか、市場で取引されているものであれば、それなりの評価や比較を行うことができます。加えて、リートのように比較的容易に取引できるものは、伝統的資産と同じように、その評価や比較を投資判断にも活かせます。

しかし、プライベート・エクイティやインフラ、不動産などの低流動性資産になると、そうはいきません。投資案件ごとの個別性が極めて強いからです。そもそも、誰にでもアクセスできる市場のようなものは存在しません。そのため、「インフラ市場全体に分散投資をして、インフラ全体の成長性を享受する」ことはできません。また、いつもたくさんのファンドが用意されていて、その中から選択できる資産でもありません。

ファンドの投資スタイルにおいても、キャッシュフローをベースにした事業価値の判断軸は伝統的資産と同じですが、投資家にとって、馴染みがなくて開示情報も少ないインフラ資産では､中身の理解だけでも大変です｡こういった中で､ファンド運用のクオリティを専門的に見極めるゲートキーパーの役割は重要です。

オルタナティブ投資では、伝統的資産のファンド選択のように、情報が揃っている中で数あるファンドから選ぶものとは少し違い、ゲートキーパーの情報も頼りに、投資可能なファンドの個別性について、自分たちが許容できるものかどうかの視点を交えて選択していくことになります。

第8章

投資対象としての金融商品

運用会社は、投資家の投資目的に合わせて運用を行う場合と、投資信託のようにあらかじめ用意した金融商品を通じて投資をする場合があります。顧客層や投資目的などによって、提供する形態や金融商品の姿は違ってきます。

この章では、投資をする形態や金融商品について代表的なものを取り上げてお話しします。

図解入門
How-nual

8-1 投資スキームと金融商品

投資するスキームの形態によって、運用を行う器には違いがあります。

オーダーメイド型とレディメイド型

投資家が投資を行う場合には、自分で投資を行うか、運用会社などに運用を任せることを通じて投資を行います。その際に、運用会社が特定の投資家の意向や目的に合わせた投資を行う**オーダーメイド型**、運用会社が用意した金融商品に投資をする**レディメイド型**に分けられます。

これはスーツを買うときにオーダーして作るのか、既製品を購入するのかに似ています。もちろん、実際にはこの中間的な様々なスタイルがあります。ここでは、投資スキームと金融商品の理解を深めるために、これらの関係について、大まかに整理して説明します。

年金の運用を行う器、特金と私募投信

年金などのまとまったお金を運用する場合に、一任契約によりお金の運用を任せる場合には、信託銀行による特金（**特定金銭信託**）の器を用いることが多いです。この器を通じて、株式や債券、ヘッジファンドなどに投資を行います。オーダーメイド型の運用です。

しかし、ある程度のまとまったお金がないと、投資における効率的なポートフォリオによる運用を行うことができない制約があります。そのため、**私募投信**を用いることがあります。

私募投信とは、多数の投資家への販売を目的とした公募投信とは異なり、少数（50人未満）を相手とした投資信託で、公募投信に比べて各種の法的書類の手続きが簡単なことで、コストや手間の軽減ができるメリットがあります。実際に、公募投信よりも低い管理費用が適用されるのが一般的です。

複数の投資家が投資している、投資方針などが定まっている投資信託の器によ

る金融商品を購入することは、レディメイド型の運用に近くなります。運用を指図するよりは、自らの意向に近いタイプの投資信託を選ぶことになります。

私募投信は一般企業も余資運用として利用します。また、適格機関投資家（プロ私募）として、金融機関が貸出に回せないお金を運用する際にも利用されます。近年は企業や金融機関の投資ニーズも高まっており、私募投信の市場は公募投信並みの数十兆円の規模があります。

個人向けの主力商品、公募投信

公募投信は、レディメイド型の金融商品です。幅広い投資家に広く販売することが認められており、投資方針やプロセスも明示したうえで運用が行われる、高度に設計された金融商品です。時価の算出や公表、情報開示も厳しく定められています。個人の場合には、自分の目的に適った投資信託をこれらの中から選ぶことになります。

個人向けの金融商品として、急速に残高を伸ばしているラップアカウントがあります。これは、投資一任契約を結んでラップアカウント専用口座を設定し、投資家の意向に則した運用をするものです。その多くは投資信託を束ねたファンドラップ型が主流であり、イージーオーダータイプに近いイメージになります。

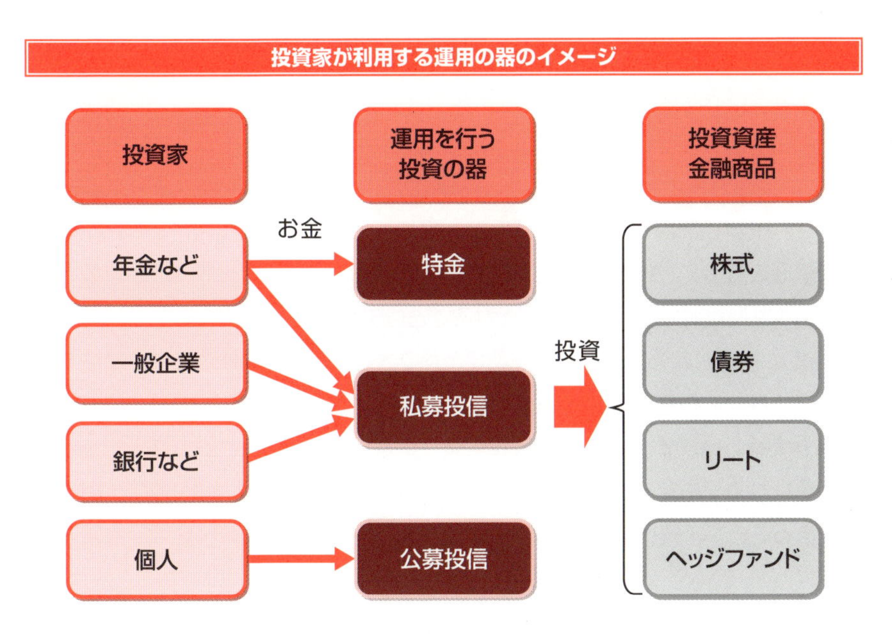

8-2 金融商品の代表格、投資信託のスキームと魅力

投資信託は、少額から投資でき、分散投資の機能を備え、運用会社においてプロが運用・管理をしてくれる金融商品です。

投資信託は歴史の中で磨かれてきた金融商品

投資信託の起源は、古くはイギリスの産業革命時代に遡ります。1800年代後半に覇権を握っていたイギリスの富豪が海外に投資するのと同じことを、中産階級にも機会を提供するものとして、資金を集めてスペインや南米の債券に投資したことが起源と言われています。古い時代から脈々と生き続けてきた金融商品です。

投資信託は個人の資産形成にとって中心的な役割を果たしています。その理由は主に3つあります。①**少額（小口）から投資**できること、②**分散投資の機能**を有していること、そして③**プロが運用・管理**をしてくれることです。

投資信託は少額で分散投資ができる器

投資信託は、銀行や証券会社を通じて最近では千円程度からできる積立型もあります。投資信託は多くの人のお金を集めて1つにまとめ、そのまとまったお金をもとにいろいろな対象に投資をするため、一人のお金は少なくても成り立つからです。

また、投資信託は、それ自体が**何でも盛ることができる器**です。たくさんの株式を組み入れることもできれば、株式や債券、リートを組み入れることも可能です。いろいろな投資対象を幅広く組み入れることにより、全体として安定したものになり、特定の投資対象の影響を和らげることができます。これが分散投資の機能です。一般に、株式に投資する投資信託では、少なくても数十、多ければ千以上の銘柄を組み入れています。投資の知識や経験が少ない個人にとって向いている金融商品と言われる理由です。少額のお金で分散投資の効果を享受できる身近な金融商品であることが、投資信託の真に優れているところです。公募投信はいままでも、

そしてこれからも個人の資産形成のための主力金融商品です。

一方で、近年に残高が伸びている私募投信は、主に個人以外の投資家が活用しています。そこでは少額で分散投資ができる機能を活かすというよりは、少数で比較的容易にファンド設定ができるなどの制度上の利便性、また、収益は企業活動部分に繰り入れられるなどの会計上の扱いが影響しています。

専門家（プロ）が運用

加えて、投資信託は信用できる会社が運営・管理し、その会社に所属するファンドマネージャーと呼ばれるプロが運用をしてくれます。自分でお金を株式に投資しようと思っても、簡単にはできません。調べる時間もなければ、専門の知識もありません。それになり代わって、船頭のようにお金を運用してくれる人がついています。

これには、特定の人だけでなく、組織として多くの人が関わっています。株式に投資する投資信託であれば、個々の企業を調査・分析し、企業の経営者と面談するなどして、企業の将来性をチェックするアナリストと呼ばれる人がいます。

アナリストの意見も聞きながら、運用を指揮するファンドマネージャーのもとで組織だった形で運用が行われています。信頼できる運用会社によって、投資の専門家がお金の運用・管理を行ってくれる金融商品です。

投資信託の特徴

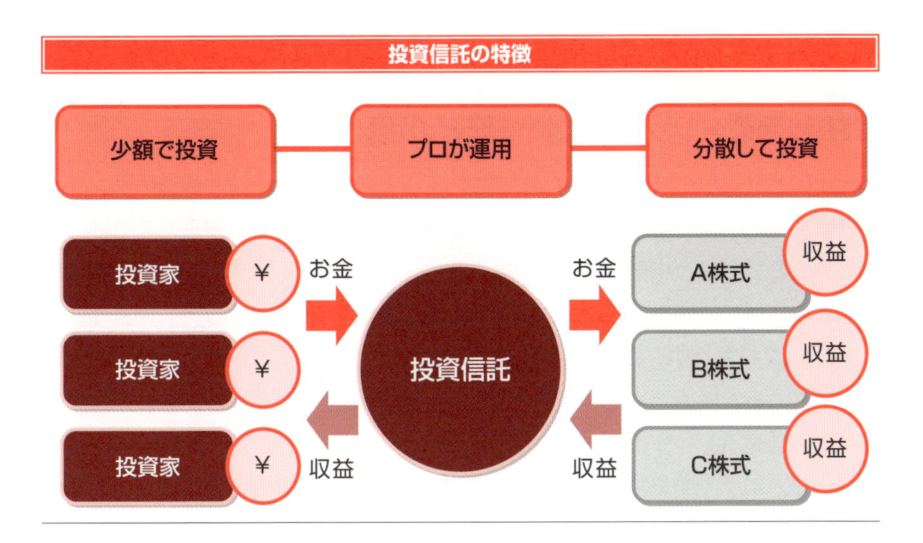

8-3 取引所に上場された投資信託、ETF

ETF（Exchange Traded Funds）は、証券取引所に上場し、日経平均株価指数などに代表される、市場の動きを示す指標への連動を目指す上場投資信託です。

ETFの仕組みとは

ETFが上場して市場で取引できるのは、そのETFに対して現物株、もしくは、それに応じたお金による裏付けがあるからです。かなり複雑ですので、スキームがイメージできれば十分です。次の仕組みによってETFは成り立っています。

ETFには**発行市場**と**流通市場**があります。発行市場において、ETF運用会社と指定参加者（証券会社など）の間でETFの受益権が設定、解約（交換）されます。

このETF設定の仕方には現物拠出型とリンク債型があります。現物拠出型は、指定参加者が市場で買いつけた現物株の集まりを運用会社に拠出し、交換にETFの受益権を受け取るものです。一方でリンク債型は、指定参加者が現物ではなくお金を拠出し、指数などに連動するリンク債に投資される方法です。

一般に投資家がETFに投資するのは、このようにして発行されたETFの受益権を取引する流通市場（取引所）になります。

ETF利用のメリット、投資信託との違い

ETFのメリットとして、①**取引のしやすさ**、②**低コスト**、③**商品の透明性**が挙げられます。ETFは取引所に上場された投資信託なので、取引時間帯であれば、一般の株式と同じように売買できます。しかも、ETFは信託報酬のうち販売会社に支払う部分がないなどの理由により信託報酬が低く、低コストになっています。

また、ETFは、連動対象の指数が定められていることにより商品の性格がはっきりしているのに加え、上場要件を満たすため情報開示が充実しており、透明性が高い金融商品になっています。

一方で、市場で価格形成されるETFの価格と、連動対象の指数の価格との間に

は乖離が生じることがあります。指数対象の組み入れ銘柄数が多い場合には、そのすべてをカバーすることができない場合もあり、乖離の原因になります。その他、指数採用銘柄の入れ替えに伴う売買コストや、信託報酬や監査費用など、ETFの運営にかかるコストが指数との乖離を生じさせる要因になります。

急成長するETF市場

ETFのほとんどは、**特定の指数に連動するタイプ**です。個別に数多くの銘柄に投資しなくてもETFに投資することにより、市場を代表する指数と同じ投資成果が手軽に得られるため、様々な運用シーンで用いられるようになっています。

1990年にカナダのトロント証券取引所に上場したのが世界初のETFと言われています。それ以来、現在では4兆ドルをゆうに上回る規模にまで急速に成長しました。それに伴い、ETFを運用する運用会社の存在感も急速に高まっています。

現物拠出型ETFの仕組み

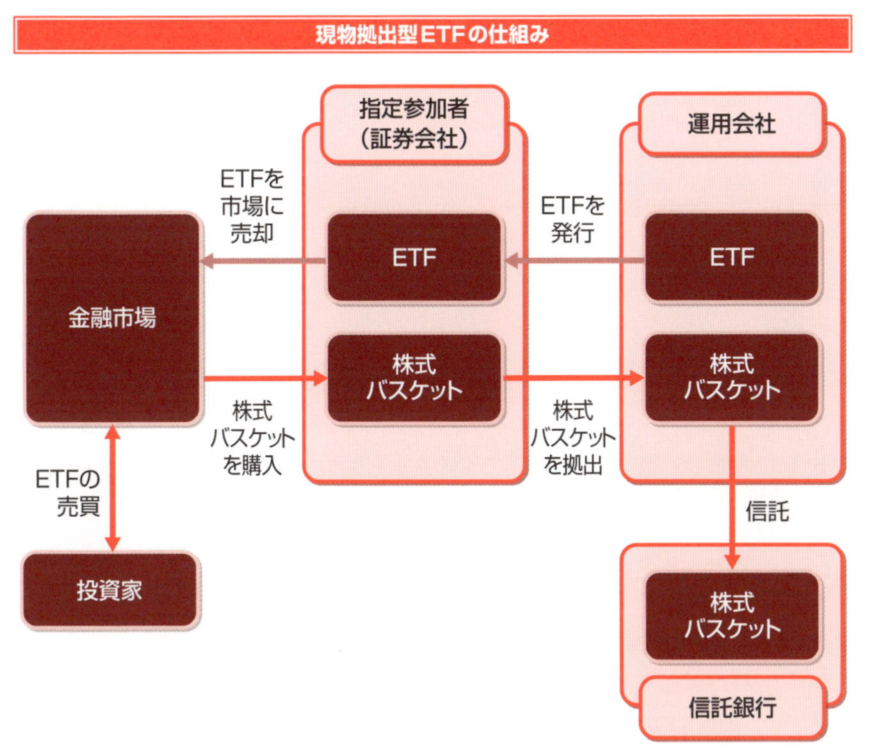

一般社団法人 投信協会HP(https://www.toushin.or.jp/reit/about/scheme/)より

第8章 投資対象としての金融商品

8-4 ラップアカウントはお金の運用を丸ごと任せる商品

ラップアカウントとは、投資一任契約に基づき、お金の運用を任せる取引です。運用の専門家が、運用方法や金融商品の選択、管理を行ってくれます。

投資一任契約による取引

ラップアカウント（ラップ口座）とは、一言で言えば、証券会社や信託銀行などに**お金の運用を任せる**ことです。私たちが普段行っている金融商品の取引は、金融機関と個別に取引をします。それに対してラップアカウントでは、毎回の取引の確認をしなくても、金融機関は任されたお金でいろいろな金融商品を組み入れたり入れ換えたりすることができます。ラップとは、金融商品をまとめてラッピングして提供するサービスです。

ラップアカウントは、お金を預ける人と金融機関の間で**投資一任契約**を結ぶことにより可能になります。投資一任契約とは運用の一切を任す契約です。これは、年金基金などでは一般的に行われている契約ですが、個人向けとしては富裕層向けのプライベートバンキングとして行っていたサービスに近いものです。

日本で提供されているラップアカウントは、実質的には投資信託を束にして運用を行うファンドラップの形式がほとんどです。信託銀行など大口の資金を扱う契約では、固有のヘッジファンドなどの商品を組み入れる場合もありますが、コンセプトはほぼ同じです。米国ではマネージド・アカウントとして、ファイナンシャル・アドバイザーと呼ばれる資産運用の専門家なども幅広く提供しているサービスですが、日本では金融機関によるサービスが主体となっています。

PDCAによる「診断・計画」→「運用の実行」→「分析・報告」の流れ

お金の運用を任せるからといって、運用機関が勝手にできるものではありません。ラップアカウントのよさは、顧客の意向に沿った運用を行ってくれるところです。まず、顧客の運用に関する希望を様々な点から確認します。数十にもわたる質問を通じて、顧客の要望を汲み取ります。これにより顧客とお金を任される側が**運用目的を共有**し、それに則った**運用方法を策定**します。

金融機関は計画の範囲内で、市場の動向に照らして運用を行います。そして、定期的に顧客に報告を行う**PDCA**（プラン・ドゥ・チェック・アンサー）のプロセスを踏まえます。

費用面では、預けたお金の残高に対して管理費用がかかりますが、個別に投資信託を入れ換えると利益に税金がかかり、投資信託の取引費用もかかることに対して、ラップアカウントでは口座から出金しない限り税金はかからず、用意されている投資信託も低い費用に抑えられています。

ラップアカウントの運用のために設定された投資信託の残高は、2013年にはわずか1兆円以下だったものが、2020年には10兆円にまで増大しました。多様化する個人の運用ニーズを捉えた金融サービスとして大きく拡大しています。個々の運用を自分で行いたい人ではなく、お金をまとめて運用したい人に適した器になります。

ラップアカウントによる運用

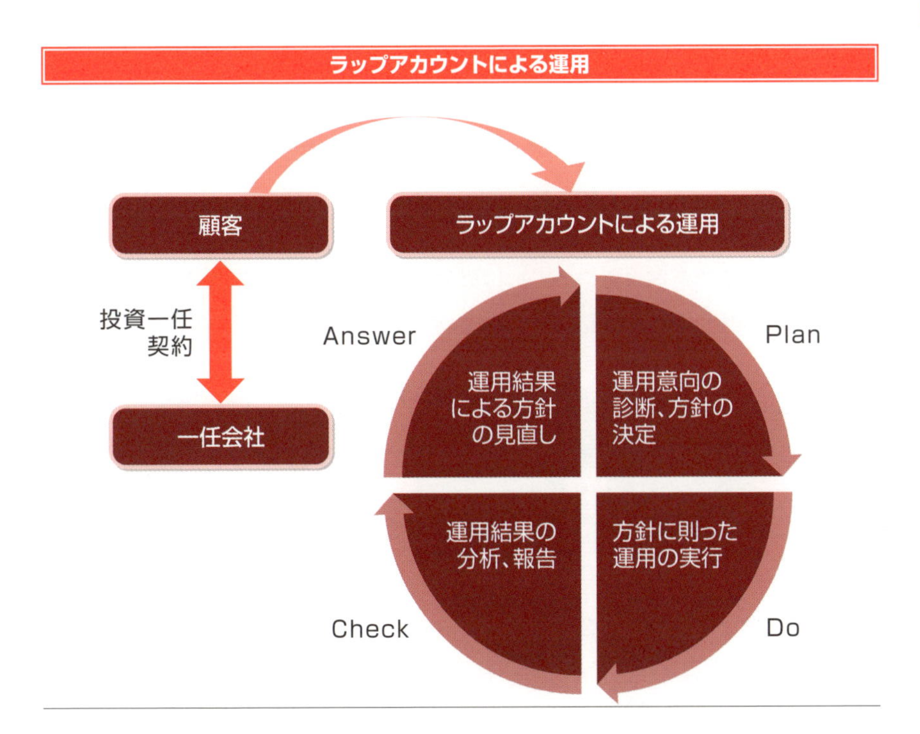

8-5 金融商品としてのヘッジファンド

ヘッジファンドの運営は、多くの関係者によって管理されています。また、ヘッジファンドの選定にはゲートキーパーが重要な役割を果たしています。

金融商品としてのヘッジファンドの運営形態

ヘッジファンドは、投資対象として見ると、株式や債券とはリスクリターンの特性が異なる代替（オルタナティブ）資産です。また、ヘッジファンドは、個々に運用を提供する**金融商品**として捉えることもできます。

ヘッジファンドは、お金の運用から管理までをすべて行っているわけではありません。そこには、運営を担う多くの役割があります。これらはヘッジファンド以外の海外のファンド運営にも共通しているので、これらを通じて、海外におけるファンドの運営形態についても確認できます。

ヘッジファンドには、設立形態による分類として、信託を活用した**契約型**と**会社型**の2つがありますが、よく利用される契約型は次の仕組みで成り立っています。

運用会社

投資家から集めたお金について、投資アイデアをもとに**運用を指図**する立場です。投資家のお金を自分で預ることはありません。

トラスティー

投資家と**投資契約を締結する主体**です。ジャージー籍やケイマン籍などのファンドとしてオフショア地域に設定されます。金融商品としての器のイメージです。

カストディアン

投資家の**お金を管理**する会社です。投資家のお金は運用会社などとは別に、カストディアンに保管されることで守られます。

アドミニストレーター

ヘッジファンドの取引について、**事務を管理する**会社です。ヘッジファンドの購入・解約や運用成績の計算などを行います。

ゲートキーパーの役割

投資家がヘッジファンドに直接に投資することはあまりありません。ファンド数も多く、運用方法や運用実績にも差があるため、選択が難しいなどの制約があります。運用の専門家により、運用資金の一部や投資信託の器において、ポートフォリオを構成する投資ファンドの1つとして組み入れることが多いです。

選ぶことが難しいヘッジファンドを調査して、よいファンドの情報を提供する、また、個々のヘッジファンドの影響を抑えるために複数のヘッジファンドを束ねたファンド・オブ・ファンズとしてアレンジして提供する、**ゲートキーパー**と呼ばれる立場の会社があります。

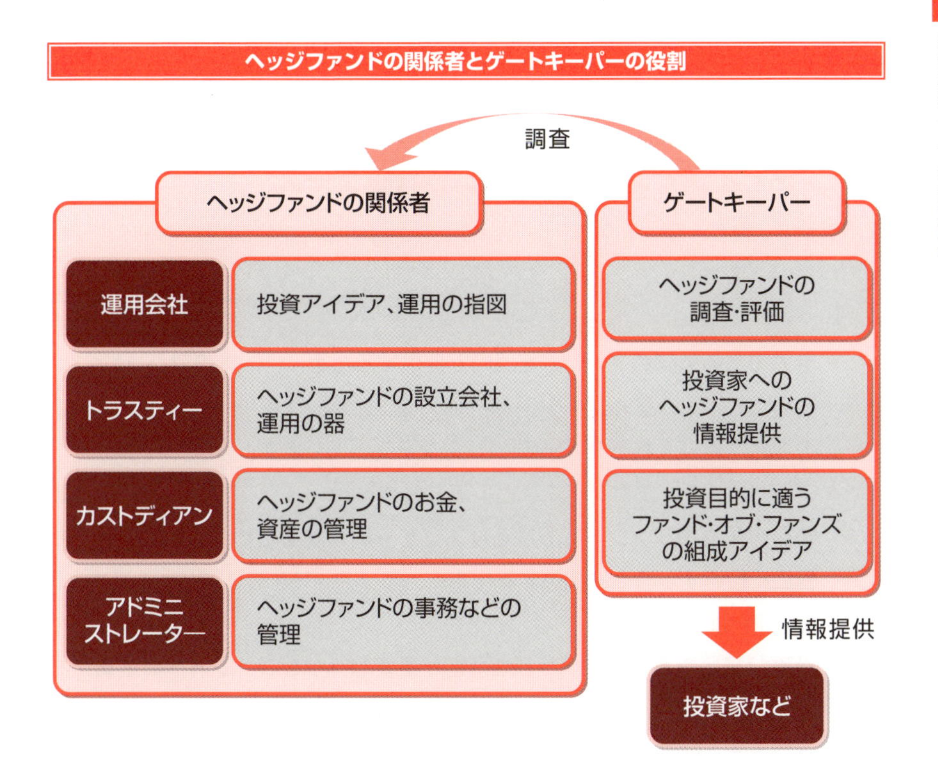

8-6 ファンド・オブ・ファンズは投資目的によって活きるスキーム

金融商品には、ファンドからさらに別のファンドに投資をするファンド･オブ･ファンズの形態があります。複雑な形態であるからこそ、活かせる投資目的があります。

ファンド・オブ・ファンズは金融商品の形態の1つ

この章の最後に、ファンド･オブ･ファンズ（FOFs）について見ておきましょう。ファンド・オブ・ファンズは、投資信託や特金、ラップ口座など投資の器として併記するものではありません。それら器を用いた**金融商品の形態の1つ**です。

ファンドの器を用いて別のファンドに投資をする形態のことをファンド・オブ・ファンズと呼びます。最もよく見るケースは、国内の投資信託の器で外国籍のファンドに投資するものですが、ラップアカウント内で様々な投資信託に投資をすることも､形としてはファンド･オブ･ファンズのようなものです。ここでは実質的にファンド・オブ・ファンズの仕組みを用いているものを広く念頭に置いてお話しします。

ファンド・オブ・ファンズが用いられるケース

ファンド・オブ・ファンズは、いろいろな形や目的のために利用されますが、私たちがビジネスシーンでよく目にするのは以下のケースです。

- **魅力のある外国のファンドを国内で提供するため**に、国内のファンド（器）を用いて外国のファンドに投資を行い、金融商品として提供するケース。この場合は組み入れるファンドは1つのケースもあります。
- プライベート・エクイティなど低流動性資産への投資において、この**領域特有の個々のファンドにおけるリスクを分散させるため**、また、**少額でも幅広く投資する機会を提供するため**に、各ファンドを取りまとめるファンド（器）を用いるケース。
- **戦略が複雑であり、ファンドの選別が重要なヘッジファンドへの投資**において、運用者によるファンドの見極めを活かして、よりよいファンドをポートフォリオ（器）に組み入れる目的のために用いるケース。

- **複数の資産を組み入れるマルチアセット運用**（器）において、各資産で魅力あるファンドを柔軟かつ機動的に組み入れるために用いるケース。

このように、ファンド・オブ・ファンズの形態を用いるのは、特定の資産や運用タイプに限るというものではなく、**特定の投資目的を適えるために用いる**ことが多いです。実際には上記の項目が重複するケースもあります。

ファンド・オブ・ファンズの活用、メリット、デメリット

ファンド･オブ･ファンズは、投資するファンドと器の二重構造になっているため、シンプルなファンド(シングルファンド)と比べて**コストは高くなります**。そのため、デメリットを強調する論調も見られますが、目的通りの運用により、コストを打ち消す高いリターンを実現するファンドも多く見られます。

ファンド・オブ・ファンズの金融商品は、年金、個人の領域において数多く提供されています。顧客が得られる**メリットとの比較でコストを考えること**が大切であり、この形態が活きるケースは数多くあります。

ファンド・オブ・ファンズのスキーム、メリット、デメリット

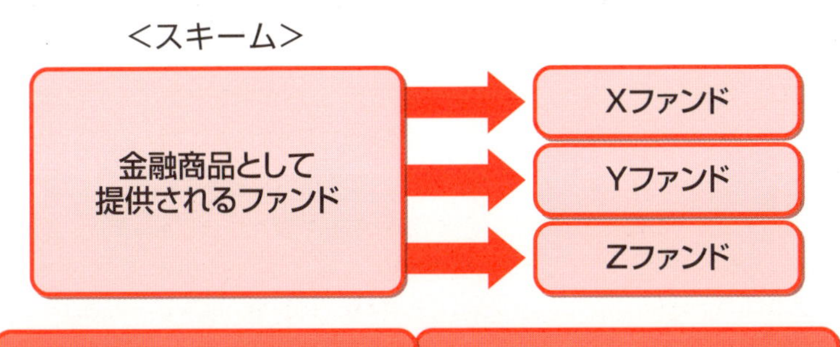

どうして投資信託はこんなに多いの？

世の中に、投資信託は5千を超えると言われています。どうしてこんなにも多いのでしょう？　これでは、選ぶ側からすると、金の卵のような投資信託があったとしても、自分で見つけ出すことはできませんよね。

そもそも、どうして次々と投資信託が設定されたのか？　それは、自動車のように新しいもののほうが売りやすいことが挙げられます。しかし、自動車の場合と異なり、金融商品は、次のモデルを出したとしても、一定の顧客がいる限り古い商品の運用を止めることはできないので、製造責任は意外と大きいです。

ただ、運用会社もやみくもに金融商品を作っているわけではありません。投資信託が設定された数だけ、そこには投資目的や投資ニーズがあったのです。世の中にこれだけ投資信託が多いということは、それだけ投資家のニーズは多様で、より精度が高いものを求め続けている結果と言うこともできるでしょう。設定したときに、魅力や狙いは何か、各投資信託に分類しやすいタグを付けておいたならば、数が多くても目的別の投資信託を逆算して見つけることができたはずです。レトルトカレーのように、辛さの度合いとチキンかポークかなどの種類が一目でわかれば整理が進むはずです。これは今後の課題です。

もう一点は、各運用会社が似通ったタイプの投資信託を作るため、運用会社の数だけ膨れ上がっていることが挙げられます。自動車でも、各メーカーはコンセプトや車種ごとに似たような車を作っていますよね。それと同じです。投資信託の製造責任は大きいのですが、新たに投資信託を作ることは物作りほどの負担はないので増えてしまうのです。

このような状況で、個人が自ら資産形成のために投資信託を選ぶのは容易ではありません。銀行など投資信託を販売する金融機関に期待するところは大きいです。フィデューシャリー・デューティによる顧客本位の業務運営が推進されているのは、個人の金融リテラシーが高くない中で、金融機関の存在が鍵だからです。また、つみたてNISAのように、安心して行える入り口を用意してあげることも賢明な対応です。

現在のようにわかりにくいままであれば、外見的な費用の低さや、短期リターンのランキングなど、目に見えてわかる特定の情報で投資信託が選ばれる傾向が続くことでしょう。それは本来の望ましい姿ではないはずです。

第9章

アセットマネジメントの中心的存在・運用会社

アセットマネジメント・ビジネスの中心に位置する運用会社に求められるものは、投資家に対する良質なリターンの提供です。運用会社は、投資哲学と運用プロセスによって目指すリターンの獲得に違いがあります。

この章では、運用会社の役割や特徴についてお話しします。

図解入門
How-nual

9-1 運用会社の役割

運用会社に求められること、それは、幅広い顧客のニーズに応え、良質なリターンの提供に努めることです。

運用会社の位置付け

アセットマネジメントの世界の真ん中に位置し、投資に関する高度な専門知識を用いて運用を行うのが運用会社です。多様な運用ニーズを有し、投資機会と良質なリターンを求める投資家に応えるために、**投資家になり代わって**株式や債券などの金融資産へ投資を行います。

また、その行為は、株式や債券を発行して資金調達などを行う企業の資金ニーズに対して、金融市場を介して間に立ち、お金の供給サイドと需要サイドの**仲介機能**も果たしています。

顧客の多様な運用ニーズに応える

運用会社は、年金や個人、法人に対して、運用ニーズに適したお金を受け入れる金融商品を設定し、運用を行います。**運用商品の設計者**であり、かつ、お金を株式や債券などのどの資産に投資するのか、**お金の配分を決める**立場にあります。

また、特殊な運用ニーズや複雑な運用商品では、外部の運用に任せたほうがよい場合もあります。そのときは、外国など他の会社が運用している商品を組み入れる、運用そのものを外部の会社に委託することもあります。この点では、**運用のアレンジャー**であり、任せた**外部の運用会社を監視**する立場でもあります。

設計する商品に関しては、投資信託のように一定の顧客ニーズを想定し、それに適した商品を設計して幅広く販売することもあれば（レディメイド）、年金などの大口顧客に合わせた仕様で運用を行う場合（オーダーメイド）もあります。

自ら運用を行うことが運用会社の主な業務ですが、顧客のニーズに合わせてアレンジもする、まさに運用に関する総合商社のような役割を担っています。

良質なリターンの提供を目指す

運用会社が目指すもの、それは投資家に対する**良質なリターンの提供**です。良質なリターンとは、単純に高いリターンを目指すものではありません。顧客はそれぞれに、運用の制約の中でいかによいリターンを獲得するかという目的を有しています。制約の基本はリスクに関することですが、それ以外にもあります。

年金であれば、リスクを5%の範囲に抑えながら、3%程度の運用利回りを確保したいとの運用目標があるでしょう。その中でも、新興国への投資は一定範囲を超えないなどの投資対象国の制約、また、特定の投資対象の影響を抑えるために適度な資産分散も備えておくのが一般的です。

一方で、個人の資産運用においては、若い世代は制約が少ない中で高いリターンを求めるのに対して、年金生活者では、損失をできるだけ抑えることを優先し、銀行預金よりも高い運用利回りを求めるニーズが根強くあります。

このように、個人から機関投資家までの幅広い顧客に対して、それぞれの運用ニーズと制約を満たしつつ、安定的なリターンを提供すること、それこそが投資家にとっての良質なリターンであり、運用会社の使命でもあります。

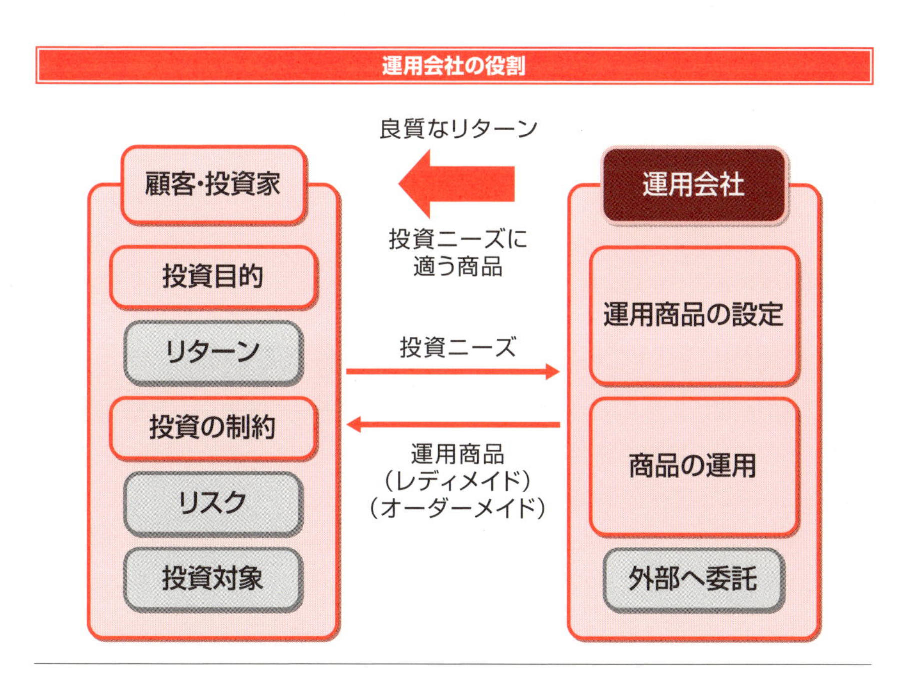

9-2
運用会社の業務範囲

運用会社ができる業務は1つではありません。金融商品取引法に定められた範囲で、行える業務範囲が定められています。

運用会社の業務範囲は金融商品取引法により細かく定められる

2007年に**金融商品取引法**が施行され、投資顧問業の廃止・統合によって、運用会社は証券会社などと同じ金融商品取引業者に位置付けられました。

それに伴い、運用会社の業務は、株式や債券などの有価証券の価値や投資判断の助言を業務とする「**投資助言代理業**」と、投資家に代わって有価証券の運用業務を行う「**投資運用業**」の2種類に分類されました。

投資助言代理業とは投資判断の助言

投資助言代理業の主な業務は、投資顧問契約に基づく**投資判断の助言**です。独自の情報や分析により、有価証券の投資判断を顧客に提供します。

身近なところでイメージするとすれば、インターネットを通じてセミプロ的な個人投資家に株式の売買情報を提供する事業や会社などがこれに当たります。投資助言では、金融商品に対する助言を行うのみとされ、実際の投資判断と有価証券の売買は投資家自身が行います。

投資運用業においても、業務範囲は定められている

投資運用業には大きく4つの業務がありますが、世間一般に馴染みがある投資信託は、そのうちの**投資信託委託業務**における金融商品です。運用会社と信託銀行との間に投資信託契約を締結して信託財産の運用・指図を行います。また、投資信託の募集・販売についても、販売会社である銀行などの金融機関に任せるだけでなく、運用会社が直接に行うことができます。その一方で、投資信託の業務を行うためには、価格（基準価額）の計算や運用報告、運用状況の開示など多くの

ことを備えておく必要があります。

投資運用業には、投資信託委託業務以外にも、投資家との投資一任契約を結び、投資家に代わって投資の判断とともに実際の運用を行う**投資一任業務**があります。これは、従来の投資顧問業によるもので、年金の運用などはこの業務に基づいています。最近急速に伸びているラップアカウントもこれに当たります。

また、投資法人と資産運用委託契約を締結し、不動産投資信託（リート）における資産運用を行う業務は、**投資法人資産運用業務**として規定されています。

これら以外にも、出資・拠出を受けたお金や財産の運用を行う**自己運用業務**があります。投資運用業における各業務は、関係者の法的な位置付けや契約の相手方、契約の内容が同じではないので、個々の業務において特有のスキームがあります。

投資助言業務と投資一任業務の仕組み

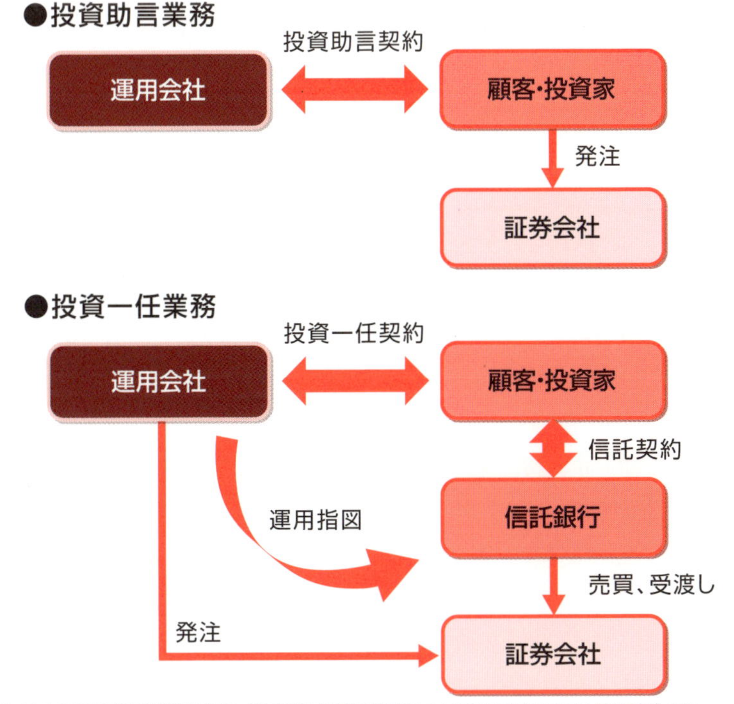

社団法人 日本証券投資顧問業協会『わが国の投資顧問業務について』（平成17年4月15日）より

9-3 運用会社の組織と意思決定

運用会社の組織は、一般的な企業と同じく、各社が同じ組織を備えているわけではありませんが、その基本的な機能には共通性が見られます。

コアとなる意思決定の組織

運用会社では、トップに運用の戦略を練る部署があり、そこで会社の**運用方針**や**投資戦略**の大枠を定めます。経済状況を調査するエコノミストや市場の動きを分析するストラテジスト、株式や債券、デリバティブなど各投資を担当する責任者がメンバーに加わります。通常の会社でも、各事業部の責任者が会社の方向性を検討するように、運用に関する主要メンバーにより投資環境を見定め、投資方針・戦略を練ります。

ここで下した決定にしたがって、それぞれの投資対象資産を運用する部署が細かい戦略を練って運用を行います。

フロント、ミドル、バック

運用会社では、運用に関する意思決定から運用の実務、運用の報告までの流れが背骨になります。これがリターンを提供するための組織だからです。その中で、実際に運用の判断や意思決定を行う部署を**フロント**と呼びます。ここに運用会社の経営資源を一番多く割いていることは言うまでもありません。

フロントでは、企業調査をするアナリストやファンドの責任者であるファンドマネージャーを中心に、運用方針・戦略の大枠に基づいて、個々のポートフォリオの戦略を考えて運用します。運用案に基づいて、実際に市場を通じて売買を執行するのはトレーダーの役割です。

ただ、これではまだ完了しません。売買取引した株式などは、お金の受け取りや支払い、株式の保管場所などを確認して決済を行う必要があります。ここまでを行ってはじめてポートフォリオの中身は変わります。これら、売買の決済や時価の確認などを担うのが**バックオフィス**です。

ミドルオフィスは、ポートフォリオの状態や売買の内容がルールにしたがっているのかの確認をするとともに、どのようなリターンを生んでいるのかなど、ポートフォリオに関するチェックや確認を担います。運用全体を監視する部署です。

姿・形の見えない金融商品を差別化するための商品企画、販売支援

投資に関する意思決定から実際のポートフォリオの運営は、上記の組織になります。自動車会社で言えば、良質で生産性の高い車を作るための製造ラインです。

それ以外にも、運用会社は、顧客ニーズに応えるために新たな商品を企画・開発する部署や、顧客とのリレーションを図り、金融商品の販売支援を行う営業関係の部署があります。これは、自動車における新車開発や販売セールスに近いものです。金融商品の場合、目に見える姿・形はありません。形が見えないものだからこそ、説明力の高い商品企画、販売支援も重要な役割を担っています。

運用会社の組織（運用の流れ中心）

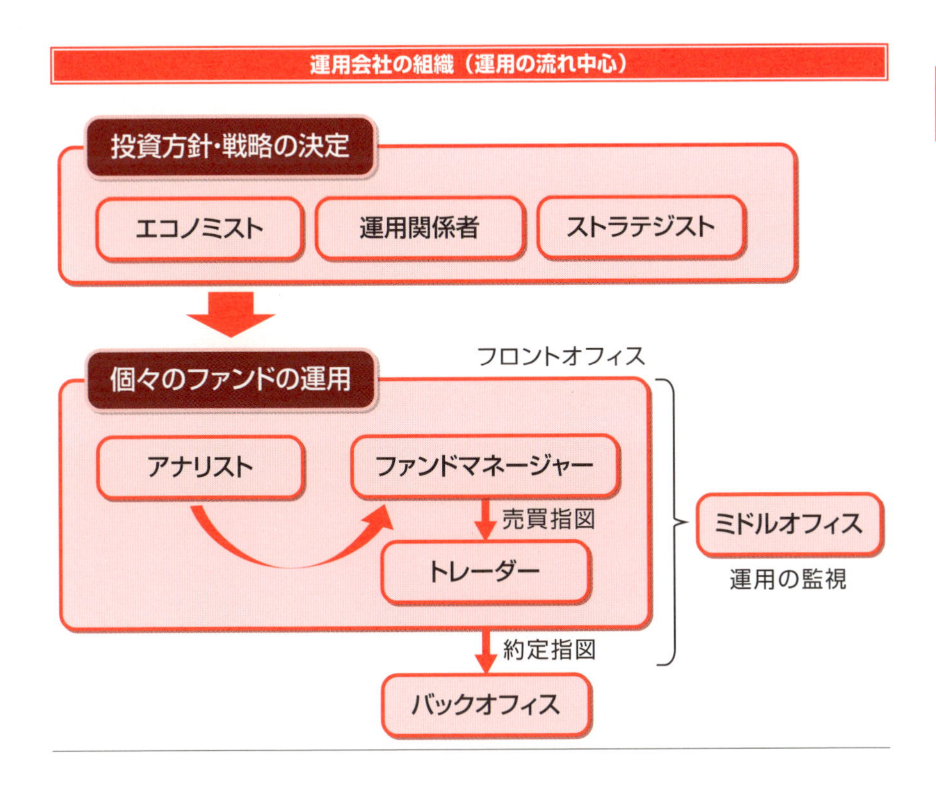

9-4 運用会社の特徴は投資哲学にある

多くの運用会社は、どのような考えに基づいて運用を行い、リターンの獲得を目指すのかについての考えを投資哲学として掲げています。各社は投資哲学に基づいて、運用のプロセスや体制を構築しています。

運用会社の性格が端的に表れる投資哲学

アセットマネジメントの世界には多くの運用会社があります。それらの違いとして端的に表れるもの、それが**投資哲学**です。投資哲学とは、運用会社がどのような考えに基づいて運用を行い、リターンの獲得を目指すのかを謳ったものです。

衣料品では、少数で品質の高いブランドにこだわる会社もあれば、安価で大量に提供する会社もあります。同様に、運用会社にも様々なタイプがあります。商品の幅広さではブティック型とデパート型があり、価格の低いパッシブ運用の商品を扱う会社もあれば、高くても良質のリターンを目指す会社もあります。

こういった運用会社の違いが表れるものが投資哲学です。すべての運用会社が明確な投資哲学を表明しているわけではありませんが、欧米の運用会社はわかりやすい哲学を掲げています。たとえば、米国の独立系の最大手運用会社であるフィデリティ社の投資哲学は「徹底したリサーチ」です。

投資哲学を実現するために会社の組織と運用のプロセスがある

運用会社は、自社の**投資哲学を実現するために組織を運営**します。実際に運用を行う基盤である運用のプロセス、それを支える体制は、投資哲学の実現に力を発揮できるように位置付けます。同じ組織の配置であったとしても、哲学が違えば重点の置き方は違ってきます。

たとえば、企業調査のボトムアップ運用に投資機会があると考える会社は、調査する陣容を充実させ、それらの意見が反映しやすい体制に気を配ります。一方で、豊富な経験と深い洞察力によるトップダウンの投資判断を重視する会社は、高い知見を有する少数メンバーによる議論の場と、そこから得られた判断を重視し、実際の投資に反映できるような運用プロセスや体制を作り上げます。

運用会社の5つのP

運用会社を評価する際の視点として**5つのP**があります。**哲学、運用プロセス、運用体制、人材、運用成果**の英語の頭文字をとったものです。これらを個別に評価することで総合的に運用会社の力量を把握できると言われます。これも大切な視点ですが、**一連の流れとして捉える**ことが重要です。

それは、確固たる方針に基づいた魅力ある哲学があり、それを実現する運用プロセスと体制が整えられていることには関連性があるからです。そこに有能な人材が携わることによって、これらを活かした運用成果が得られます。良質なリターンを獲得するためには、運用成果を除く4つのPが一貫性を持つことが必要とも言えるでしょう。競争が厳しい資産運用の世界において投資家に選ばれるために、これらの資質が常に問われているのです。

運用会社の５つのＰの関連性

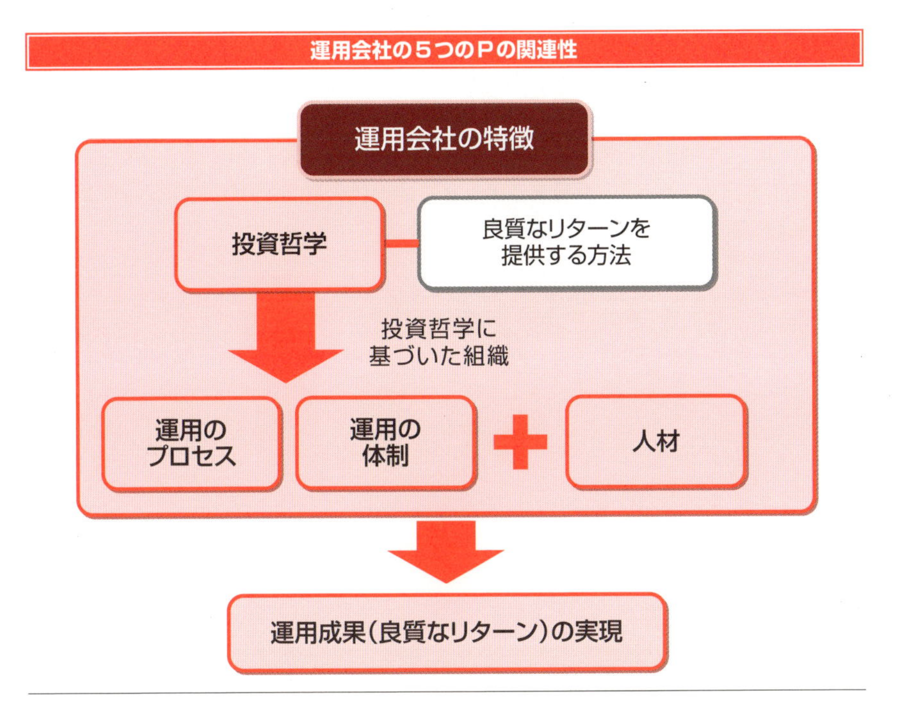

メッセージ性の強い投資哲学を持った独立系の運用会社が注目される

日本の運用会社では、大手の金融機関グループの一員として、金融商品を設定し、運用する会社が多いです。そういった中、最近では、独立系の運用会社の存在が目立ってきています。

独立系の運用会社の先駆けとしては、日本株式を運用する「さわかみファンド」が有名です。数十年の運用実績を有し、長期投資を標榜し、将来性のある割安な株式に投資するスタイルです。基本的に、金融機関による販売会社経由で投資信託を販売するのではなく、運用会社が直接に個人などの投資家に販売するスタイル（直販）を用いています。

さわかみファンド以外にも、独立系の運用会社が増えてきました。その多くは、馴染みがあり調査しやすい日本株式に投資をする投資信託を運用しています。これらの運用会社は、どのような投資を目指すのか、自社の投資哲学を明確にわかりやすく提示しているところに特徴があります。複数戦略のファンドをいろいろと運営するというよりも、会社を貫く投資哲学に基づいた戦略を用いる「ワン・カンパニー、ワン・フィロソフィー」（One Company、One Philosophy）のスタイルです。「わが社の考えに共感を持っていただける人は投資をしてください」というものです。

こういった運用会社が運用する投資信託の中には、良好な運用成績を示しているものも多く、運用会社が発するメッセージ性の強い投資哲学と実際の運用実績に賛同して投資を行う個人が増えてきています。

投資信託全体から見ると、独立系の運用会社が運用する投資信託の残高は全体の1割にも満たない存在ではありますが、着実に残高を伸ばしています。

第10章

運用に関わるプレーヤーたち

運用にはファンドマネージャーやアナリストだけでなく、戦略立案に関わるストラテジストやエコノミスト、実際にポートフォリオを構築するために売買執行を行うトレーダー、約定から決済を担うバックオフィスなど様々な役割を担うプレーヤーがいます。これら多くの役割によって運用業務は全体として機能しています。

この章では、主要なプレーヤーの役割についてお話しします。

10-1 運用会社の良識あるブレイン、エコノミストとストラテジスト

経済の調査・分析を行うエコノミスト、金融市場や投資環境の調査・分析を行うストラテジストは、投資の意思決定に大きく関わっています。

エコノミスト、ストラテジストの業務

エコノミスト、ストラテジストはいずれも調査業務を担当しますが、調査対象が異なります。エコノミストは**経済全般の動向**、それに対してストラテジストは**金融市場の動向**が主な調査対象です。

エコノミストは経済の調査・分析・予測を行う専門家です。景気動向や金融政策の分析、予測を行っています。金融市場のベースとなる経済環境がどのように動き、市場にどのような影響があるのかを把握し情報提供する役割です。アナリストをミクロの分析とすれば、**マクロ的見地**から分析などを行う立場です。

ストラテジストは、投資対象である金融市場や投資環境の調査・分析をもとに予測を行い、また、投資戦略や資産配分案の立案を行う専門家です。大きな会社では、株式、債券、為替など主要な各資産に専門のストラテジストを擁します。

エコノミスト、ストラテジストの立場による違い

エコノミスト、ストラテジストは、在籍する立場によって情報の発信相手や発信方法が違います。証券会社など、自社が運用する立場ではなく、顧客に運用会社や投資家がいる会社に在籍している場合には、投資家を対象に経済や市場の分析結果や展望などの情報を提供します。広告塔的な役割で表に出る機会も多く、テレビの経済番組のコメンテーターとして活躍するエコノミストもいます。

一方で、運用会社など投資する立場の会社に身を置いてエコノミストやストラテジストとして活動する場合には、主に自社の運用そのものに関与します。

運用会社における具体的な役割

運用会社におけるエコノミストやストラテジストは、**会社の投資の意思決定**に大きく関わっています。それは主に、会社の見通しであるハウスビュー、運用方針、投資戦略にかかる部分です。

運用会社は一般にハウスビューと呼ばれる、会社の経済見通しや投資環境見通しを作成します。これは会社の運用方針の方向性を決めるベースとなりますが、実際に投資を担っているメンバーとともに、ハウスビューの決定に参画します。

次いで、ハウスビューで定めた見通しに基づいて債券や株式をどのように運用するのか方針を決定しますが、特にストラテジストは、考え方を提供するとともに、中心メンバーとして携わります。たとえば、債券の投資方針において、金利の上昇圧力が続きそうなので、その影響を抑えるためにデュレーション戦略は短期化で臨むといった、大枠の戦略に関与します。

直接に個々のポートフォリオの運用に関わることはないのですが、運用会社における良識あるブレイン、ご意見番といった存在です。

エコノミスト、アナリストの役割

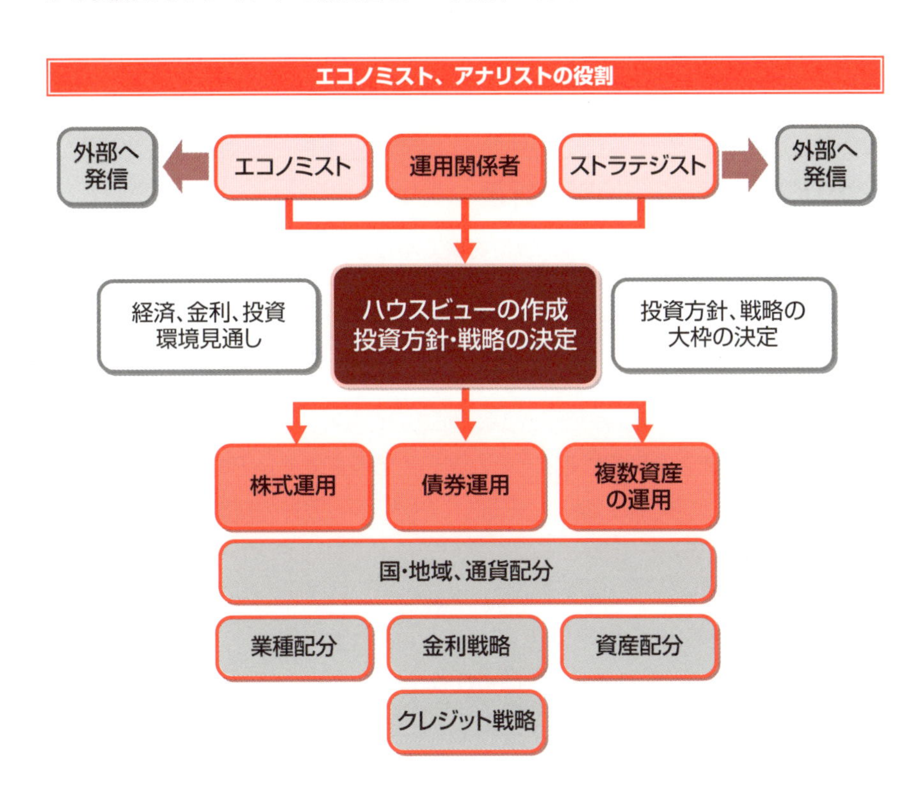

10-2 アナリストの目的と役割

アナリストの役割は、投資判断に資する情報を提供することです。また、わかりやすい情報を市場に提供することや、企業への成長の働きかけも期待されます。

社内アナリストと社外アナリスト

アナリストは、証券会社に所属するアナリストが多いのですが、運用会社にもアナリストがいます。前者は、株式などを投資家に売る側として**セルサイド・アナリスト**、後者を買う側として**バイサイド・アナリスト**と呼びます。所属する立場が違っても、適正な企業評価を行うことは同じです。ただし、情報を発信し貢献する相手方、評価される相手方は違います。セルサイド・アナリストは、調査・分析した情報を広く運用会社や投資家に提供することにより、サービスの対価を求めます。一方でバイサイド・アナリストは、情報を自社内の運用に活かします。その点では、セルサイド・アナリストの情報のほうが、広く展開される傾向が強いです。

アナリストの目的、役割、評価

運用の世界でアナリストとは、投資対象である企業について**調査・分析**する立場の人を指します。アナリストの目的、それは投資機会を見出して投資判断に資する情報を提供することです。そのために、調査・分析を通じて適正な企業評価を行うことです。

これは、単に現在の企業がどういう状況にあるのかを見極めることではありません。企業の将来価値を見極めることが求められる役割です。それにより、現在の市場における株価が割高か割安に評価されているかどうか判断でき、投資機会を見出すことができるからです。

そのために、得られる情報をもとに、業界のみならず世の中の動向に対しての幅広い知見を有し、競争環境において企業が目指す方向に成長していくことができるのか、深い洞察力と判断力が求められる、非常に専門性の高い仕事です。

より広い視点でアナリストに求められるもの

アナリストの主目的は、①**企業の将来価値**を見極め、よいリターン獲得の機会を提供することですが、それ以外にも役割はあります。それは、②**情報の非対称性を解消**する役割、③企業との対話による**成長への働きかけ**です。

アナリストは、投資の目線として、公平な立場で、企業について最もよく知っている存在です。その企業が何を目指しているのか、どんなことが課題なのかなど、財務情報のみならず、経営陣への取材などを通じて多くの情報を得ることができる立場にあります。これらに基づいた正しい情報を世の中に提供することにより、資本市場の活性化に厚みを持たせる間接的な役割を担っています。

もしアナリストの存在がなければ、企業の情報はわかりやすい形で行き渡らなくなり、よい会社が正しく評価されず、投資の効率性が低下する恐れすらあります。アナリストは、金融市場において、情報の潤滑油のような役割を果たしています。

また、定期的に企業と行う取材やミーティングは、企業の価値向上に向けた対話をする機会でもあります。企業のことは会社の担当者が一番よく知っていますが、アナリストも同業他社を含めた担当セクターを分析し、マーケットに深く関わる専門家です。企業価値を向上させるための情報を企業に提供できます。このように、スチュワードシップ活動における重要な役割も期待されています。

アナリストの役割

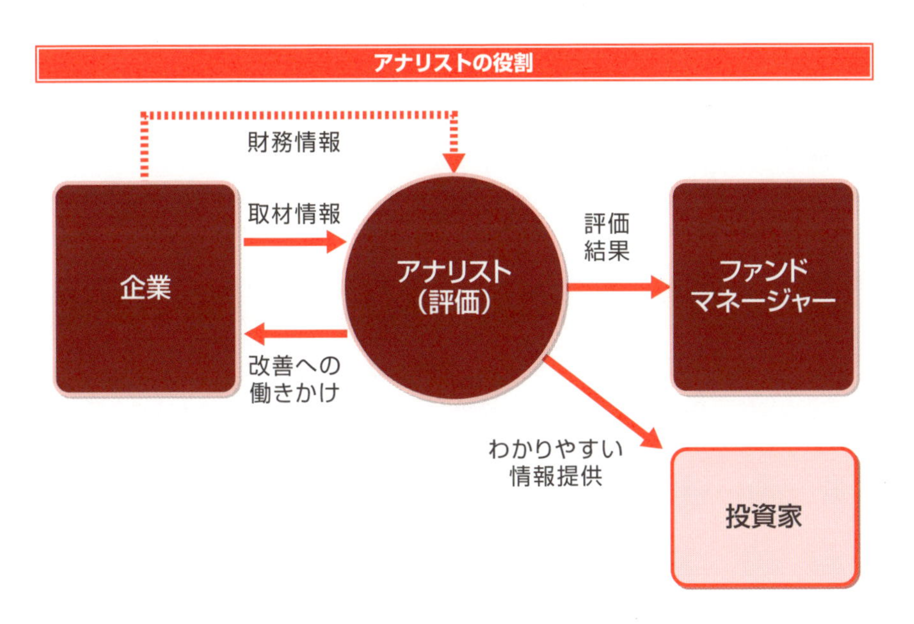

10-3 アナリストが分析に用いる情報と分析手法

アナリストは、開示されている情報の分析や企業とのミーティングなどを通じて、将来の利益を生み出す見通しを立て、現在の株価の魅力度を判断します。

分析に利用する財務情報

アナリストは、企業が開示する有価証券報告書などの開示資料に掲載されている情報をベースに基本的な分析を行います。上場企業に作成が義務付けられている**貸借対照表**（B/S：資産、負債、純資産の状態を示した書類）、**損益計算書**（P/L：収益と費用の状態を示した書類）、**キャッシュフロー計算書**（C/F：営業活動、投資活動、財務活動におけるお金の流れを示した書類）などが主な対象です。

それらには数字以外にも、経営方針や重要事項など企業の活動に関する各種情報が記載されています。これらの基本情報は、特定の期間の断面で見るのではなく、企業活動の連続性の中で確認します。一時的な断面であればイレギュラーな点が影響することもありますが、それらをならして企業活動を確認します。

開示情報などを用いて企業活動を評価するには様々な指標がありますが、これを**財務指標**と呼びます。損益に関するものであれば売上高営業利益率など、資産・負債に関するものであれば負債比率など、また、損益と資産・負債を結合した指標としては株主資本利益率ROEなどがあります。これらの代表的な指標を確認するとともに、その企業を評価するにあたって重要な指標（不動産業界であれば、投資物件として計上する棚卸資産と借入金の関係など）を用います。

また、財務情報には表れにくい経営戦略・経営課題、リスクやガバナンスに関する**非財務情報**も企業活動を把握するうえで重視されています。これらをベースに、企業の業績状況や推移、同業他社比較を行うことで企業活動の健全度や企業が置かれた状況を確認します。運用会社の投資哲学や運用スタイルによって重視する対象には違いがあります。

将来見通しと企業評価

それとともに、企業とのミーティングなどを通じて、企業の中長期の経営計画と照らし合わせて、計画の達成度や課題などについて検討します。これらを通じて最終的に行うことは、①**将来の利益を生み出すキャッシュフローの見通しを立て**、それに基づいて、②**現在の株価の魅力度を判断**することです。

分析に用いる情報の多くは、どのアナリストでも取得できます。また、その数字はあくまでも過去のものに過ぎません。将来を見通すうえで、その数字を見てどのように判断するのか、ここにアナリストの技量が表れます。

ポートフォリオの運用においては、そのファンドがどのようなコンセプトで運用されるのかについてある程度の方針が定められ、そのプロセスに則って行われるので、特定の分析指標にこだわることもありますが、アナリストが株価の投資判断を下すときには、比較的柔軟に総合判断をするケースが多いです。

アナリストの評価・分析の流れ

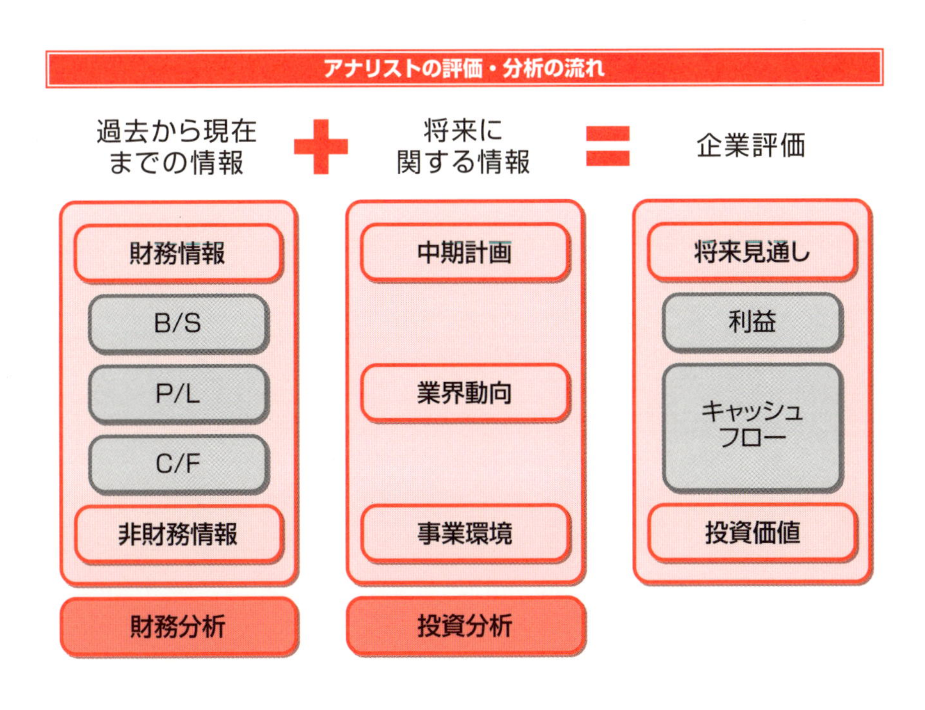

10-4 企業との対話とフェア・ディスクロージャー・ルール

アナリストと企業による対話の重要性が高まる一方で、企業が提供する情報にはフェア・ディスクロージャー・ルールが適用されることになりました。

取材などによる情報の確認や非財務情報の取得

アナリストは、企業の経営者や役員、財務・IR（インベスター・リレーションズ）担当者と定期的にミーティングを持ちます。これは、アナリストにとって財務情報などから得られた**企業活動の確認の場**であり、企業にとっても、**会社を投資家に正当に評価してもらう**ための有益な場です。

最近では、コーポレートガバナンス･コードとスチュワードシップ･コードによる、企業と投資家における対話がより重視されています。近年では、ESG（環境･社会･企業統治）への取り組みが企業の持続的成長に大きく影響するという見方が強まっており、財務情報としては表れにくい、環境や社会の課題に対してどのように取り組むのか、非財務情報が確認できることも重要です。

フェア・ディスクロージャー・ルール

企業との対話が重視される一方で、企業から提供される情報には一定のルールが定められました。それが**フェア・ディスクロージャー・ルール**です。

以前から、上場企業の情報開示には、金融商品取引法や証券取引所による開示制度が整備されており、インサイダー取引に関する情報管理の規制などがあります。その一方で、上場企業が重要な情報を第三者に提供する場合に、他の投資家への公平な情報提供を確保するルール（フェア・ディスクロージャー・ルール）は定められていませんでした。

一昔前には、アナリストが企業から得る未公開の情報を顧客に伝えるといった早耳情報が投資家にとって好まれた時期があったことも事実です。企業が一部のアナリストに提供した未公開の業績見通しの情報を顧客に伝えて売買を促したとされる事件が発生したことを受けて、そのあり方がクローズアップされることになりました。海外の主要国ではすでにルールが整備されていることも踏まえ、日本においても2018年よりフェア·ディスクロージャー·ルールが導入されることになったのです。

フェア・ディスクロージャー・ルールは、投資家に対して**公平な情報開示**を行うことを目的としています。上場企業は、アナリストなどに未公表の重要情報を伝える場合には、同時に（意図的でなく伝達された場合にも速やかに）その重要情報を公表しなければなりません。ここで重要情報とは、通常、業務または財産に関する公表されていない重要な情報であって、投資家の投資判断に重要な影響を及ぼすものとされています。具体的なものとして、決算に関係する定量的、定性的な未公開情報が該当します。

こういったルールが制定されると、情報を伝える企業側は、過度に慎重になることも想定されます。アナリストは中長期的な企業の成長の姿を描くのが目的なので本質的には問題ないはずですが、得られる情報は今までよりも制約を受けるかもしれません。ただ、そういった環境だからこそ、アナリストの真価が問われるということもできるでしょう。

企業との対話とフェア・ディスクロージャー・ルール

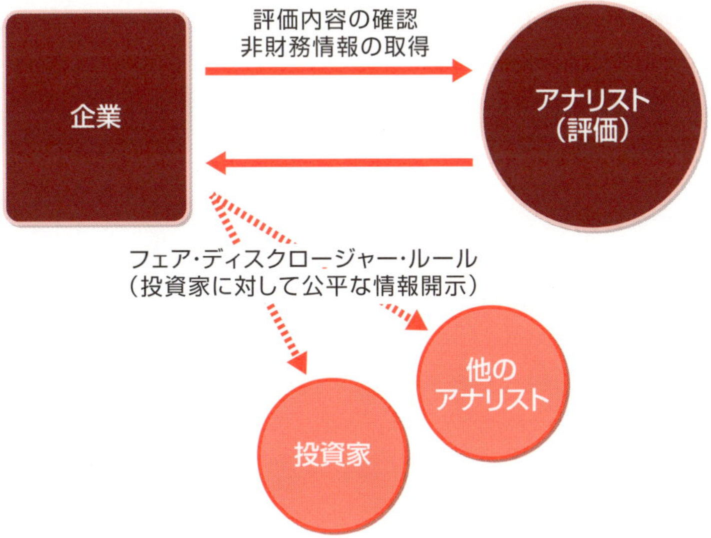

10-5 債券の信用力を評価するクレジットアナリスト

クレジットアナリストは、債券の信用力を評価対象とします。そのために、発行する企業などの返済能力などを調査・分析し、投資判断に資する情報を提供します。

債券の信用力を分析するクレジットアナリスト

一般的に、特定の前提を置かずにアナリストと呼ぶ場合には、株式投資のために企業を評価する人を指すことが多いです。それ以外にも、債券投資のために信用リスクを評価する**クレジットアナリスト**と呼ばれる人がいます。

企業が債券を発行する場合には、債券の返済能力を評価した「AA」、「BBB」といった信用格付けを格付け機関より取得し、その格付けに基づいた金利で債券を発行します。発行後も、債券は時々の信用力を基準とした価格で取引されます。

クレジットアナリストは、債券に付与されている信用格付けに変化が生じているかどうか、信用格付けの状況を調査・分析し、投資判断や投資機会に活かす情報を提供することが主な役割です。

債券価格は信用力によって変化する

債券の価格は、一般的に、格付け機関による信用格付けに基づいて価格が決まります。たとえば「AA」と「BBB」の債券があったとします。「AA」の債券は国債に0.3%上乗せされた金利、「BBB」であれば0.7%上乗せされた金利で取引されます。もちろん、経済環境や債券市場の状況、また、債券の満期までの期間やデュレーションによって、国債に上乗せされる金利幅（スプレッド）は変化します。

業績見通しなどの悪化により、A社の社債の格付けが「AA」から「BBB」に引き下げられると、他の債券の価格が変動しなくても、先ほどの例ではA社の社債価格は金利0.4%上昇分に相当する価格の下落になります。債券の信用状況が変化することは、債券価格にそのまま反映します。

格付け状況が改善しそうなときは、国債とのスプレッドが縮小して価格差が縮まるので、投資のチャンスになります。信用状況が悪化しそうなときは、価格差が拡大するのでリスクになります。

クレジットアナリストによる分析の視点

　クレジットアナリストが債券の調査において企業を見る視点は、企業による債券の**返済能力**です。安定的な利払いや元本の返済が見込めるのか？　その視点で企業を分析します。これには、株式のアナリストと共通する部分が多いのですが、比重が異なる部分があります。

　株式アナリストと共通する部分は、企業の成長性に対する見通しです。企業が成長して利益の獲得に努めることは返済の安定性を高めることにつながるからです。正確な数字ではありませんが、一般的に6割～7割は企業分析のアナリストと同じ視点で企業を評価していると言われています。

　比重が異なる部分は、返済に対する**財務の安定性**です。クレジットアナリストは、この点を株式アナリストよりも重視します。企業によっては、大きな負債により積極的な設備投資を行い、財務のレバレッジを高めて利益を高める会社もあります。しかし、これが過度になれば、事業環境によっては返済に影響を及ぼすなど安定性を欠いた経営にもなりかねません。企業活動において返済に充てることができる収益を安定的に確保しているか、負債や投資は過大ではないかなど、財務面やキャッシュフローの安定性にも強く気を配ります。

クレジットアナリストと株式アナリストの注目ポイント

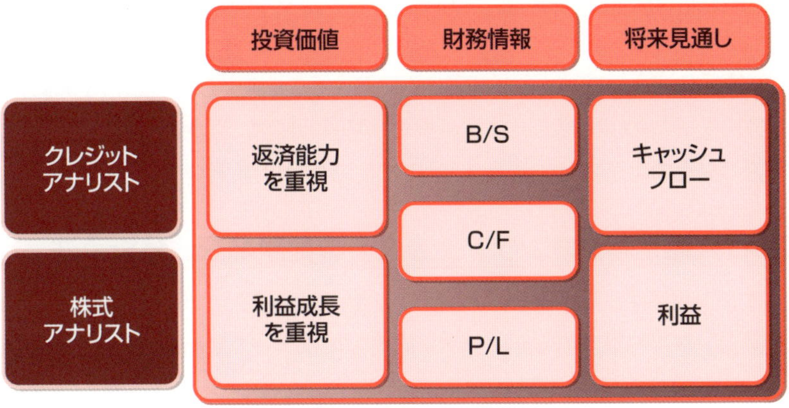

投資価値
財務情報
将来見通し
クレジットアナリスト
返済能力を重視
B/S
キャッシュフロー
C/F
株式アナリスト
利益成長を重視
P/L
利益

10-6
データ分析を駆使するクオンツアナリスト

データ分析を駆使したシステマティックなアプローチで投資機会を探る運用手法をクオンツ運用と言い、その役割を担う人をクオンツアナリストと呼びます。

クオンツアナリスト

証券会社や運用会社におけるアナリストの多くは、株式や債券投資として企業の成長性や信用力を個別に調査・分析する役割です。それに対して、データ分析に基づいて個々の企業やその集合体であるポートフォリオの特徴や魅力度を判断するアプローチがあります。

これは長い歴史を有する伝統的なアプローチと比べると、比較的新しいものです。技術が進展してデータ分析が容易になるのと歩調を合わせて、この分野も大きく成長してきました。データ分析を駆使したシステマティックなアプローチで投資機会を探る運用手法を**クオンツ運用**と言い、その役割を担う立場の人を**クオンツアナリスト**と呼びます。

クオンツアナリストは、金融市場における実務的な知識や経験、投資に関する理論などの理解、また、金融工学的な知識が求められます。

一般的に、クオンツ運用においては、運用手法を決めると、そのルールに従って運用するので、クオンツアナリストが運用者であるファンドマネージャーの役割を兼ねることが多いです。仮説、検証によるデータ分析を行い、運用手法を作り上げ、実際に運用を行い、必要に応じて改良してよりよいものにしていく流れを担います。そのため、組織も一体型の場合が多く、研究・開発から運用、モデルの管理までを行います。

広がりを見せるクオンツアナリストの対象範囲、分析手法

クオンツ運用は、従来から、アクティブ型の運用が主流でした。財務情報などの企業データと株価やボラティリティなどの市場データを用いて、市場を上回る

可能性の高い特徴があるポートフォリオを作り、運用を行うのが**クオンツアクティブ運用**です。データ量も処理速度も格段に進展した現在においては、運用の高度化が続いています。詳しいクオンツ運用については、クオンツ運用の項でお話しします。

客観的な情報を提供する役割も担う

企業調査のアナリストと同じく、クオンツアナリストも分析手法やその結果に基づいた**投資アイデアを提供**する立場にあります。市場において何が注目されているのか、個別銘柄としてではなく、利益成長の高い銘柄群がよいとかキャッシュリッチな企業群が好まれているなどの客観的な分析に基づく情報を提供します。

クオンツアナリストも、証券会社に在籍している立場と、運用会社に在籍している立場がありますが、企業調査アナリストよりも、運用会社に在籍しているほうが多いです。それは、分析がそのまま運用手法に直結すること、そして、そのまま運用会社のノウハウや差別化にもつながるからです。

クオンツアナリストの業務と範囲

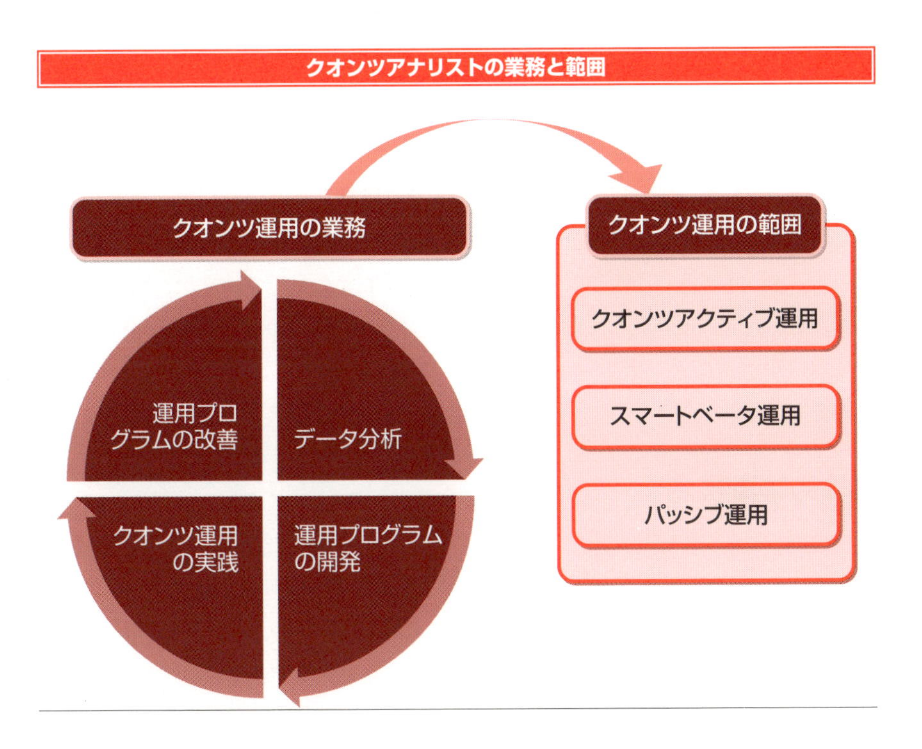

10-7 運用におけるリーダー、ファンドマネージャーの役割

ファンドマネージャーとは担当する金融商品（ファンド）を運用する責任者です。運用におけるリーダーであり花形であるとともに、ファンドの運用結果に責任を持ちます。

ファンドマネージャーの役割

ファンドマネージャーと似た言葉にポートフォリオマネージャーがあります。運用会社によって用いる名称や役割には違いもありますが、多くの場合にはどちらか一方を使用しています。あくまで目的は**ポートフォリオを管理し、良質のリターンを提供する**ように努めることであり、最終的にリターンに責任を持つ、ポートフォリオ運用の責任者の総称です。

ファンドマネージャーの役割を一言で言えば、投資目的に沿ったポートフォリオの内容を決定し、それが維持されるようにポートフォリオをメンテナンス（管理）することです。

ポートフォリオによるリターンは、**どのような銘柄**を**どういう割合**で保有するのかに尽きます。これによりポートフォリオの特性が決まり、市場の特性に対して、ポートフォリオが有する固有の動きが特徴づけられるからです。また、市場の動きによって、時間の経過とともにポートフォリオが持つ特性は変化していきますが、常に目指す状態にメンテナンスすることも重要な仕事です。そのために、運用会社の様々な情報をフル活用して、ポートフォリオに活かします。

具体的な業務

具体的には、大前提として、①運用会社やファンドにおける基本的な運用方針や運用スタイルに基づいて運用することです。企業の成長性に着目して投資することを標榜しているのであれば、成長性に着目してポートフォリオを構築します。

そして、実際にポートフォリオを考えていくうえで、まず、②会社の投資戦略を

ファンドに反映させます。金利が上昇しそうな見通しであれば、金利感応度の高い銘柄を抑えるといった具合です。これはトップ・ダウン・アプローチによるものです。それとともに、③アナリストの意見を反映して、銘柄を選定し、投資割合を決定します。一般的には、業種ごとに担当している企業調査アナリストによる魅力度の高い銘柄の推奨をもとに、ときにはディスカッションを交えながら、ファンドマネージャーの目線で魅力度を確認します。他の業種のアナリストの推奨も踏まえ、全体的にバランスのよい銘柄の組み合わせと投資割合を考えて配分します。これは、ボトム・アップ・アプローチをポートフォリオに反映させる作業です。

最後に、④ファンドが守るべきガイドライン（規則）に則ったポートフォリオになっていることを確認します。これは、ポートフォリオのリスクや銘柄の分布状況など、ファンドによって個々に定められているものです。

ファンドマネージャーは、よくアナリストと比較されます。この点で言えば、アナリストは主に担当する業種の企業活動に焦点を当てて個別銘柄の分析を担いますが、ファンドマネージャーは市場の動きも観察しながら、企業活動の全体像を見渡しつつ、**ポートフォリオを戦略的に整える**ことが主な役割です。

ファンドマネージャーの役割

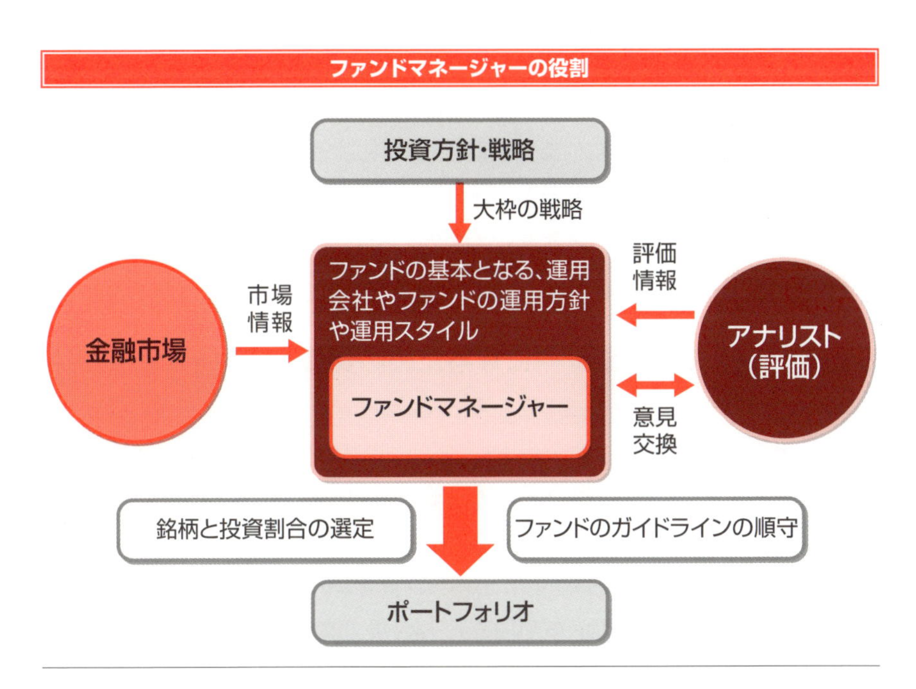

10-8 ファンドマネージャーに求められる資質

ファンドマネージャーに求められるのは良質なリターンです。どういうファンドマネージャーがもたらしてくれるのか明快な答えはありませんが、当然に必要とされる資質と、よいファンドマネージャーになるための資質があります。

業務遂行としての資質

いきなり最初からファンドマネージャーになることは滅多にありません。運用会社の多くは、ある程度の社内経験を積ませたうえでファンドマネージャーを任せます。企業分析をベースとした運用を行っている会社であれば、アナリスト業務を学んだうえで株式運用のファンドマネージャーになることが多いです。また、複数の資産に投資するファンドマネージャーには、投資戦略部門を経験したうえでなるケースもあります。

いずれも、そのファンドマネージャーが担う役割の基礎となる分野を学び、会社の**投資哲学**と**運用プロセス**の経験値を高めたうえでファンドマネージャーに就きます。その意味では、投資に関する知識を経験によって磨くとともに、会社の哲学に基づいてリターンを獲得する術を身に付け、実践できることがファンドマネージャーに求められる資質と言えます。スポーツと同じように、スターはそのチームで機能してこそスターなのです。

よいファンドマネージャーになるための資質

ファンドマネージャーがマネジメントする対象は、市場に対峙したポートフォリオです。ポートフォリオをよりよくするために用いるリソースは社内外の各種情報であり、それを有効に活用できるかどうかは、判断力の鍵となる**洞察力**です。

ファンドマネージャーは1人で運用しているわけではありません。アナリストやストラテジストなど、多くの専門家から得られる情報を活用してポートフォリオを運用します。それらの情報は、すでにアナリストたちの目線でフィルターがかかったものが多いです。その点では、加工された二次情報の質を見極める洞察力が求められます。

世の中には膨大な情報があります。その情報に重要度の重みをつけられるバランス感覚が大切なのです。これは学校で習う、1つしかない答えを導き出す勉強法とは異なります。極端なことを言えば、本当に洞察力が高ければ、市場のニュースだけでも投資判断はできるのです。

それとともに重要なのが**胆力**です。これらは経験によって磨かれるものでもあります。たとえば、リーマンショックやITバブルを経験している人と記事で読んだだけの人では、その局面での判断力や胆力には明らかに差が生じます。そのため、経験豊富なファンドマネージャーは信頼される傾向が強いのです。

胆力とは、経験によって鍛えることができる、強い精神力です。市場は常に思ったように動いてくれるとは限りません。ファンドマネージャーの多くはストレスとの闘いであり、いつも顧客や投資家に説明責任を負わされています。市場の動きに対して自分の考えを顧客に説明でき、また、市場に対して簡単には動じない胆力を兼ね備えたファンドマネージャーには高い信頼が置かれます。ファンドマネージャーは、歴史と心理学を勉強すべきとアドバイスされますが、これらは経験によって補えない部分を埋めてくれるからです。

ファンドマネージャーに求められる資質

- ファンドマネージャーに求められる資質
  - 業務遂行としての資質
    - 投資の知識と経験
    - 運用会社の投資哲学、運用プロセスの習得
  - よいファンドマネージャーとしての資質
    - 情報を活用できる洞察力
    - 経験に基づく判断力、胆力

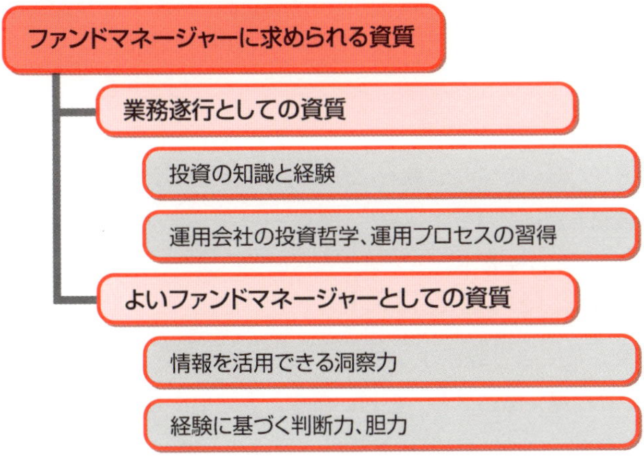

10-9 ファンドマネージャーの設計図を実現させるトレーダー

トレーダーは、売買執行に責任を持ち、投資家の利益を損なわないために、執行にかかるコストを抑えるように努めます。

最終的にポートフォリオを作り上げるのはトレーダーの仕事

トレーダーの業務は、ファンドマネージャーによる売買などの発注依頼を受け、それを執行することです。ファンドマネージャーが描いたポートフォリオという図面を作り上げるため、できるだけ余計なコストをかけずに、最短で設計図を現実のポートフォリオにすべく、**最良な執行**に努めます。

一昔前までは、ファンドマネージャーはポートフォリオに組み入れる銘柄を決定し、銘柄の売買も自ら行っていました。しかし、特定のファンドの売買を優先するといった行為への懸念がありました。また、証券会社から有益な情報を得ることの見返りとして、他社よりも高い手数料の証券会社に発注する可能性もありました。これらは投資家の利益を損なうことにもつながります。

そこで、ポートフォリオを設計するファンドマネージャーと、実際に売買を行うトレーダーの役割を明確に分けることで、牽制を働かせるようにしたのです。このように、運用と売買執行を明確に分ける体制を**最良執行体制**と呼びます。

トレーダーは、発注を受けたどのファンドに対しても公平な取引を行います。また、執行に関しての責任を持ち、特定の証券会社などを優遇することなく、投資家の利益を損なわないために、執行にかかるコストを抑えるように努めます。これを**最良執行義務**と言います。

見えるコストと見えざるコスト

銘柄を売買するには手数料がかかります。手数料など、取引について明示されているコストを「**見えるコスト**」と言います。その他にも「**見えざるコスト**」があります。大きなお金で目的の銘柄をすべて買うことは、自らの売買が市場の価格を動かしてしまいます。その結果、当初よりも高い価格で購入（低い価格で売却）することになります。専門的な分析によると、見えざるコストは、手数料の5倍～10倍もかかると言われています。コストはそのままリターンを失うことを意味するので、コストをいかに抑えるのかは重要です。

ファンドマネージャーとの連携と市場の熟知

トレーダーは独立した部署ですが、なぜその銘柄を買うのか、時間的な性急度や市場の折り込み度など、取引に関する情報をファンドマネージャーと共有します。逆に、取引の難易度についてはトレーダーが情報を提供する立場にあります。

特に、コストを抑えることが運用目的であるパッシブ運用の場合には、トレーダーの役割は一層大きくなります。ファンドマネージャーにコストを抑える取引の仕方を提案するとともに、実際に取引する立場にあるからです。このように、その背景や状況なども鑑みながら執行するのが良質なトレーダーです。

トレーダーの役割

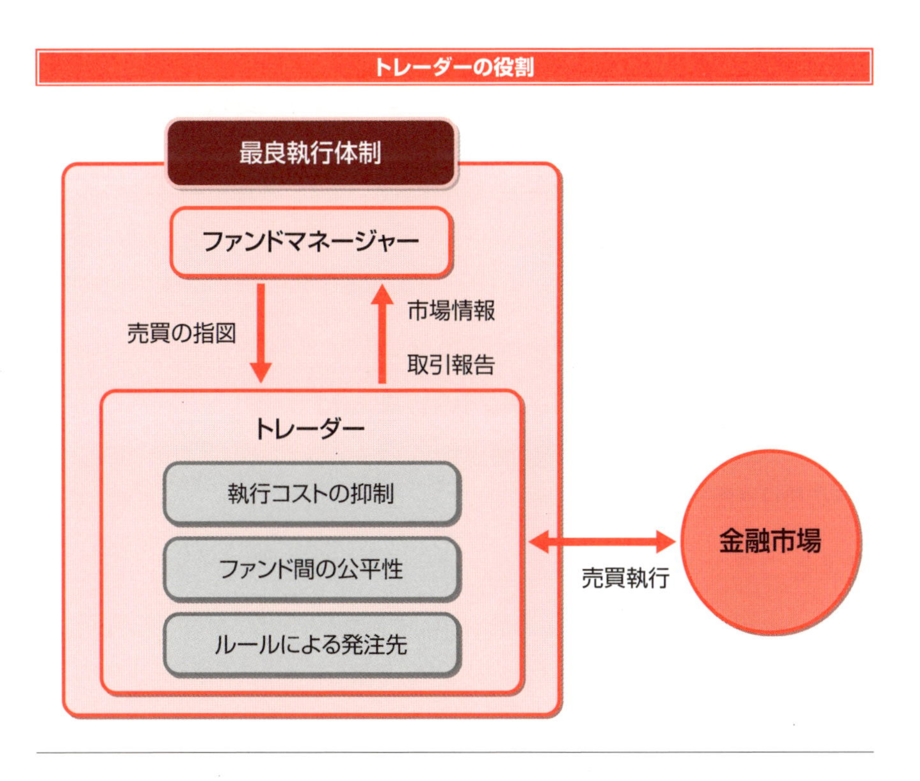

10-10 運用を監視するミドルオフィス

ミドルオフィスは、運用全体を監視するなど多くの役割を担っています。

ミドルオフィスによる運用のリスク管理

ミドルとバックというと、運用の現場であるフロントから、そのままミドル、バックを通じて業務が完結するイメージを持たれますが、実際には少し違います。

ミドルオフィス業務は、個々の金融商品（ファンド）の運用や取引におけるリスク管理やパフォーマンスのチェック、運用に付随する業務を全般に担当する部署を指します。

運用におけるリスク管理とは、フロント業務で扱っているファンドが定めたガイドライン（規定）に従って運用されているか、また、取引の内容は適正かなどについて管理することです。個々のファンドは、ポートフォリオ全体において特定の銘柄の組み入れ比率を5%以内に抑えるなど、ファンドが過度なリスクを負わずに適正な運用が行われるように、共通の制約を定めています。それとともに、ファンドの商品性によって、価格変動リスクの上限目安を設けるとか、投資対象国・地域、銘柄などに制約を設けています。これらに則した運用がなされているのか管理します。

パフォーマンス評価や開示資料の作成も行う

ファンドの**パフォーマンス状況の評価**も行います。ファンドはそれぞれに応じて運用の目標を持っています。目標に対してしっかりと運用ができているのか、要因分析などを行います。また、似通った投資対象のファンドの中での相対的なリターンはどの位置にあるのかといった比較分析も行います。これらの結果は、フロントの運用セクションにフィードバックされ、確認を促すとともに運用に活かします。こういった業務を通じて、運用状況全般について監視する役割を担っています。

さらには、運用全般に付随する業務として、運用報告に関する**ディスクロージャー**

資料の作成も行っています。投資信託であれば、法定の開示資料である目論見書や運用報告書に加え、月次報告書など、ファンドの数だけディスクロージャー資料があります。

実際には、ミドルオフィス部という部署で1つになっていることはなく、大きい運用会社であれば、これらの部署は個々のセクションに分かれ、たとえばリスク管理部、市場評価部、ディスクロージャー部などの名称でそれぞれの業務を行っています。

ファンドのガイドラインなどの管理

・ポートフォリオの保有銘柄の制限やリスク水準などの確認。

取引に関するオペレーショナル・リスクなどの管理

・取引は定められた範囲内で適正に行われているのか確認。

パフォーマンスの評価

・運用目標に対しての状況、他の似通ったファンドとの比較と要因分析など。

ディスクロージャー資料の作成

・目論見書や運用報告書の作成・更新など。

ミドルオフィス業務

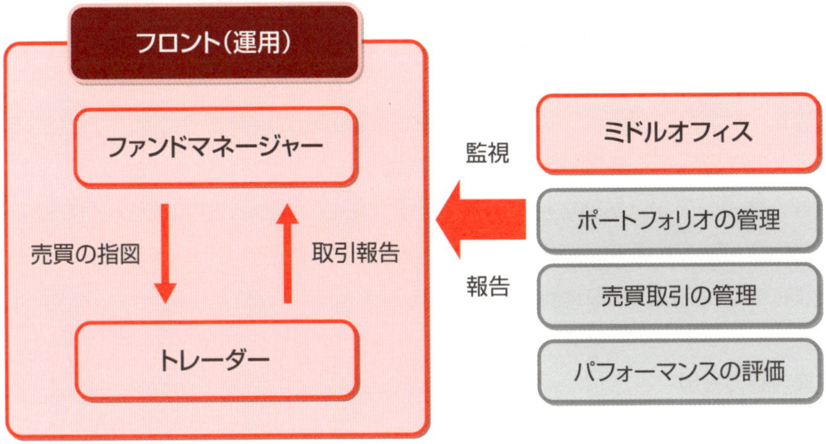

10-11 決済と価格の算出を担うバックオフィス

バックオフィス業務は、フロント業務の後続処理として、売買などの約定内容の連携や、ファンドの時価の算出などの業務を担います。

バックオフィス業務

バックオフィス業務は、フロント業務の後続処理を行う部署です。投資は、ファンドマネージャーがポートフォリオの銘柄の売買案を決めて、トレーダーが売買を執行しただけでは、まだ確定しません。その売買に基づいて、実際にお金と有価証券の**決済（受け渡し）**を行って初めて完結します。

バックオフィスの主な業務の1つに、フロントで行った売買などの約定内容を有価証券の保管先や決済を取り扱う信託銀行に正しく連携することがあります。

また、投資信託などの金融商品ごとに、売買を反映させた**ポートフォリオの時価を計算し、報告する**ことも重要な業務です。投資信託には独自の計理処理方法があります。他の金融商品も、それぞれに定められた計理方法が採用されており、運用会社が扱う商品ごとの計理に当てはめて、ファンドの価格を算出します。

商品によって報告義務の頻度は違いますが、いずれにしても、定期的にファンドの時価を算出する必要があります。特に、投資信託のように日々の基準価額を算出して、その価格で取引されるものは、日々、定められた時刻までに適正な価格（時価）を常に算出する義務があります。国内の株式だけであれば比較的簡単ですが、海外の株式や先物、為替など多岐にわたる対象について、売買を反映させ、配当などの権利関係も処理した正しいポートフォリオをもとに適正な時価を当てはめ、扱うすべての投資信託の時価を算出することは大変な作業です。

売買内容の指図

フロントにおける売買などの約定内容や配当などの権利関係を決済処理などのために適正に指図する。

価格の算出

売買内容などを反映させたポートフォリオの銘柄などに時価を割り当て、ポートフォリオの価格を算出する。

バックオフィス業務をアウトソースする動き

ミドルオフィス業務とバックオフィス業務は、運用会社における縁の下のような仕事ですが、なくてはならない業務です。ここには書ききれないほどの多様な仕事を担っています。フロント以外の運用関連業務が集約されているからです。こういう業務知識を有している人は限られていることから、経験値の高い人には強いニーズがあります。

その一方で、直接的には収益を生み出さないコストセンターであり、膨大なデータを利用し、時間などの制約の中で処理を行うためにシステムなどの設備負担が大きい業務でもあります。そのため、最近では、これらの業務の一部を切り出して外部の専門会社に**アウトソース（外部委託）**する動きが強まっています。

バックオフィスの業務

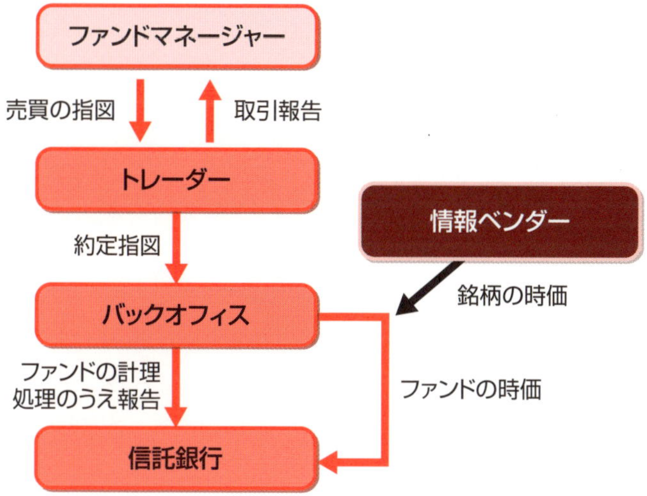

アセットマネジメントは高度に役割分担した専門家集団

70歳までの就労機会確保を企業の努力義務とすることとした、高年齢者雇用安定法が2021年4月に施行となりました。雇用の延長が進む一方で、従来の定年である55歳からの働き方が課題となっています。

運用会社においても同様の影響はありますが、運用は専門的な人材を必要とする業務であるため、一般の企業よりも、個々人の専門性が進んでいる組織と言えます。そのため、同じ金融関係の会社の中においても、定年制が持つ意味合いはかなり違います。90代でもなお現役のウォーレン・バフェットとまでは言いませんが、ファンドマネージャーをはじめとした各プレーヤーでは、60代でも現役のリーダーとして第一線で活躍されている人は数多くいます。

第10章では、運用に関わるプレーヤーたちについてお話をしました。運用に関心が高い人の多くは、運用のピラミッドの頂点にファンドマネージャーが君臨していて、その下にアナリストなど、他のプレーヤーがいるというイメージを抱いているケースが多いようです。しかし、実際は必ずしもそうではありません。

もちろん、ファンドマネージャーは担当するファンドに責任を持っているので、ファンドマネージャーによってファンドの成果が決まることは確かです。しかし、ストラテジスト、アナリスト、トレーダー、バックオフィスの資産管理も、それぞれにこの世界ではプロフェッショナルな存在なのです。たとえば、資産管理では、オルタナティブ投資への広がりやリスク管理の強化など業務が高度化・複雑化する中で、この業務を熟知している人は貴重であり、引く手あまたであったりします。

高度に役割分担が専門化しているアセットマネジメントの世界では、それぞれのプレーヤーが双方の専門性を信頼し、リスクペクトし合いながら、よい金融商品、サービス提供に努めているというのが実際の姿です。

第11章

運用会社を取り巻く存在

アセットマネジメントにおいては、金融商品を販売する金融機関、運用資産を管理する信託銀行、運用力や実績を中立的立場で評価する会社など、運用会社を取り巻く多くの関係者がいます。

この章では、運用会社以外の関係者が担う役割についてお話しします。

11-1 金融商品販売の主役、銀行と証券会社

銀行や証券会社などの金融機関は、法人や個人に対して金融商品を販売する仲介機能の中核を担っています。

金融機関は、個人・法人に金融商品を提供する双璧

アセットマネジメントの世界において、公的年金や私的な年金基金などは自らが加入者に対して受託者責任を負うアセットオーナーとして、運用会社が提供する金融商品･サービスを選択します。それに対して、年金ほどの規模ではありませんが、主要な投資主体である**個人や法人に対する金融商品の販売**は、証券会社、銀行などの金融機関に強みがあります。従来からの取引関係を活かした幅広い法人に対するネットワーク、さらに広範な個人に対する金融機関の接点として、非常に強い影響力を持っています。

米国では、運用会社が直接に投資家に金融商品を販売することが根付いていますが、日本では圧倒的に金融機関が強いです。投資信託の販売においても、ETFを除いて60兆円程度の個人向け販売残高がありますが、そのほとんどは金融機関経由によるもので、運用会社が直接に販売するお金は1割にも満たないものと思われます。

販売面のみならず、巨大資本であるメガバンクや大手証券グループが中心になって、グループ内において運用会社や資産管理の信託銀行も擁し、金融商品の製造から販売、管理までを一体として運営する傾向がありました。これは、効率性の観点からはよい点もあるのですが、顧客よりもグループ優先への懸念もありました。フィデューシャリー・デューティによる顧客本位の業務運営では、こういった点にも改善を促しています。特に個人の資産形成において、金融機関が果たす役割は大いに期待されています。

銀行と証券会社の扱う金融商品の違い

銀行の取り扱い商品の拡大により、投資信託と保険商品のほぼすべてを取り扱うことができるようになりました。以前は、銀行と証券会社の取り扱い商品には大きな隔たりがありましたが、今ではその違いは株式の取り次ぎ業務など限られたものになっています。

ただし、顧客に提供する**商品性には違い**があります。証券会社は、以前からリターンに着目した金融商品を顧客の意向に合わせて提供することに長けています。顧客も証券会社にはそういった期待をしています。一方で銀行においては、リスク性の高い金融商品よりも、個人に対しては長期の資産形成に適う商品、法人においても長期投資で収益に寄与するような商品を提供する傾向が見られます。

これらは、顧客層と各業態に求められるサービスを反映しています。銀行によっては、リスクの高い、専門性の必要な商品は系列の証券会社で販売し、銀行本体では、比較的安定した商品を取り扱うといった戦略的な使い分けも行われています。

金融機関による金融商品販売の仲介機能

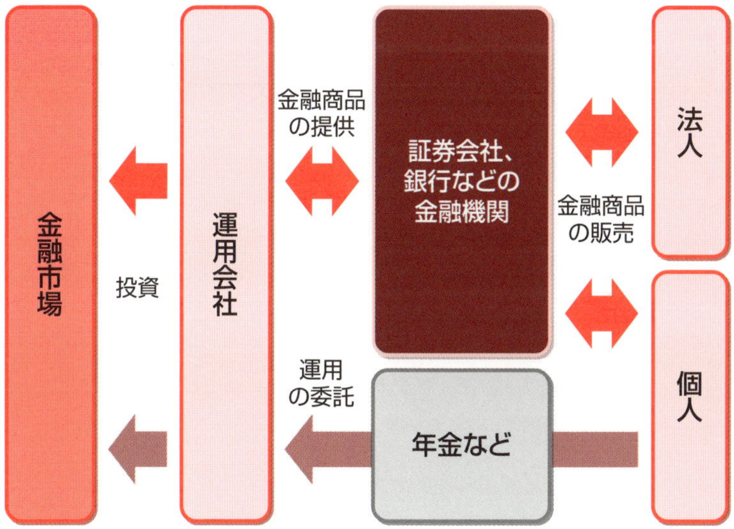

11-2
信託銀行は隠れた金庫番

年金や投資信託の財産は信託銀行が管理しています。これは、信託銀行本体とは別に分別管理されているので安心です。

信託財産は信託銀行にある

信託銀行は、普通の銀行とは異なり、財産に関して幅広い業務を行うことができます。信託の言葉通り、お金だけでなく、不動産や有価証券などの財産を信じて託される業務です。その中で、アセットマネジメントにおいてなくてはならない業務が**資産の管理**です。

私たちが投資信託を購入すると、実際には、そのお金は投資信託を運用している運用会社には入りません。投資信託で買いつけた株式や債券などのポートフォリオに関する有価証券も、運用会社には存在しません。それらはすべて信託銀行にあります。

信託銀行は、金融商品における有価証券を管理し、売買した際にはお金と有価証券の決済の指図を行うなど、実物の資産を管理･運用しています。日本において、数百兆円という単位のお金や資産が信託銀行の管理によって守られています。いわば、隠れた金庫番です。

分別管理義務

信託銀行は、他人の幅広い財産を預かり、執行できるという、高い信頼性に基づいた業務が認められています。そのため、信託法や信託業法において、他の銀行よりも高いレベルの責任が明記されています。近年になって使われ始めたフィデューシャリー・デューティも、信託銀行では従来からその考えが業務に根付いています。高い受託者責任の意識のもとで業務が行われているのです。

それらの責任の中に、**分別管理義務**があります。これは、有価証券など信託財産として預かったものは、信託銀行本体のお金などとは別に管理することが義務付けられているものです。アセットマネジメントに関して言えば、投資信託などの金融商品におけるお金や有価証券は信託銀行が管理・運用していますが、それは、信託銀行本体のものとは別に管理されているのです。

こうすることにより、万が一、投資信託を運用する運用会社、金融商品を販売する金融機関、信託銀行のいずれが倒産しても、金融商品がその影響を被ることはなく、投資家の財産は守られます。こうして、私たちは安心して金融商品にお金を回すことができるのです。

アセットマネジメントにおいて3つの顔を持つ信託銀行

信託銀行は個人からお金をラップ口座として預かり、**運用する業務**を行っています。また、ここでお話しした、有価証券などの信託財産を**管理する業務**も行っています。それ以外にも、銀行として、**投資信託や保険の販売**も行っています。

もちろん、これらは別々の組織のもとで行われているのですが、会社全体としては、アセットマネジメントの世界において3つの顔を持っていると言えるでしょう。

信託銀行の分別管理

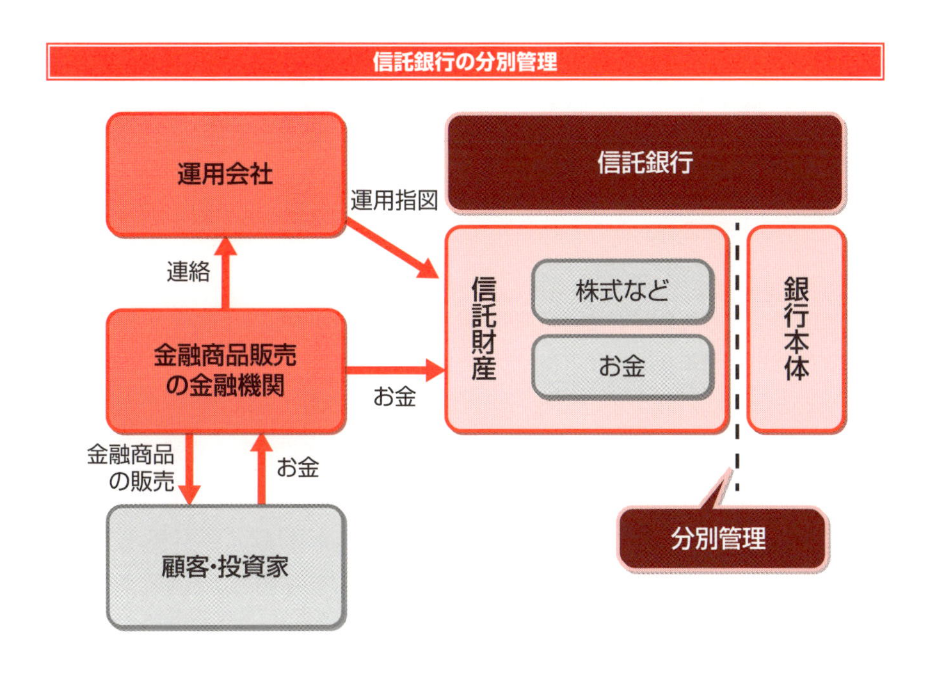

11-3 運用機関としての生命保険会社

生命保険会社は、その資金量を背景に、運用機関としても大きな位置を占めています。

生命保険会社における一般勘定と特別勘定

生命保険会社は、保険会社というイメージが強いのですが、実は巨大な運用機関でもあります。それは、保険商品に伴ったお金の運用を行っているからです。

生命保険会社が販売する保険商品は、一定の利回り（予定利率）を契約において約束している商品と、市場の動向によって利回りが決まる商品があります。保険会社は、利回りを約束している商品は**一般勘定**として自社のお金として運用し、利回りが変動する商品は**特別勘定**として切り分けてお金を運用しています。

利回りが確定しているお金を運用する一般勘定

一般勘定のお金は、個人向けとしては**養老保険**や**終身保険**になります。保険の機能が付いていますが、それとともに貯蓄性の機能が付加されており、それは契約時に基本的な利回りなどが定められている商品です。終身保険は一生涯永遠のようなイメージがありますが、実は100歳以上の一定時点を満期としたもので、ほぼ終身を想定した保険付きの貯蓄性商品です。また、年金において生命保険が提供する**確定給付年金**は、運用利回りを定めたものです。

一般勘定は、銀行預金と同じく、生命保険のお金として一括・合同で運用されています。上位の生命保険になると、この一般勘定の残高は数十兆円の規模になります。一定の利回りを約束しているお金の性格上、もし運用に失敗しても、その損失は保険会社が負うことになっているため、契約者に影響はありません。したがって、保険会社は経営にダメージを与えないように保守的な運用が基本であり、以前は国内債券中心の運用でした。

しかし、近年は金利が低下したことや、資産と負債の双方を一元的に総合管理

（ALM）する手法が進んだことにより、多くの資産に分散して投資されています。これらのお金は、生命保険会社自らが、自社の契約の内容に見合った運用として、株式や債券、不動産に対して直接に運用を行う部分が大きいです。

利回りが変動するお金を扱う特別勘定

また、生命保険会社は、市場の動きなどによって契約者の運用利回りが決まる**変額保険**、**変額年金**などの商品によるお金は、一緒に管理するわけにはいかないため一般勘定とは別の**特別勘定**で運用を行います。

特別勘定とは、契約者から支払われた保険料の運用結果について、契約者ごとに直接還元することを目的にして運用されるものです。特別勘定では、一般勘定よりも積極的に運用され、投資信託などの金融商品を取り入れて運用を行うことが比較的多いです。生命保険会社における特別勘定の資金規模は、一般勘定と比べると、相対的に小さい金額になります。

一般勘定と特別勘定の違い

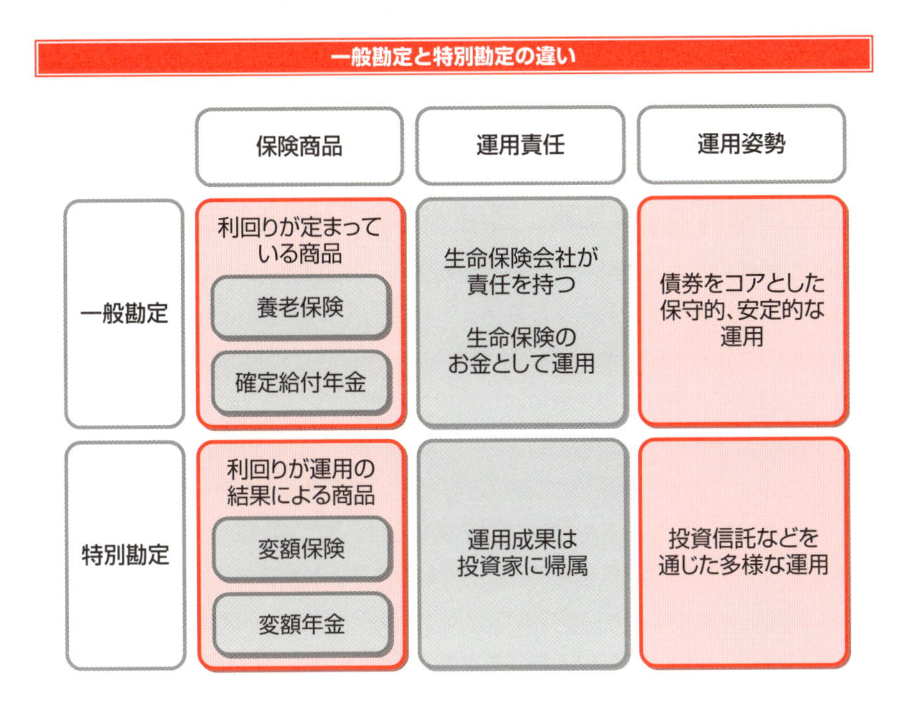

11-4 確定拠出年金を支える運営管理機関

運営管理機関は、確定拠出年金において企業や国民年金基金連合会より委託を受けて、加入者や受給者に対して運用商品の選定や資産の記録などを行います。

企業などから確定拠出年金制度の運営を委託される運営管理機関

運営管理機関は、確定給付年金における年金基金のように、自らがお金を運用する立場ではありません。確定拠出年金では加入者が自ら運用商品を選んで運用するので、そのための**管理や情報提供などを行う機関**です。ここでは、確定拠出年金の運営を理解するために、その役割と主な業務内容についてお話しします。

確定拠出年金は、企業型であれば各企業、個人型（iDeCo）であれば国民年金基金連合会が制度を運営します。しかし、運営には専門的な管理体制や情報提供が必要なため、企業などの委託を受けて、それらの役割を担うのが運営管理機関です。銀行や証券会社、保険会社などの金融機関がサービスを提供しています。

運営管理機関の主な業務、運用関連業務と記録関連業務

運営管理機関が担う業務には、①**運用関連**と、②**記録関連**の2つの業務があります。運用関連業務では、各企業が採用する投資信託などの運用商品の選定および加入者への提示を行い、運用商品の特徴やリターンなどの運用実績に関する情報提供を行います。また、加入者に対して投資教育も行っています。個人のライフプランに則した資産形成が行えるように、年金制度、投資の考え方や個人の事情を反映した資産形成、運用商品の選び方などの知識を高めるお手伝いをします。

記録関連業務（レコードキーピング業務）では、加入者の資産や取引記録の保存などを行います。記録関連業務には巨大なシステムを構築する必要があるため、共同で設立した専門の会社にアウトソース（再委託）するケースが多いです。

確定拠出年金の運営においては、運営管理機関とは別に、**資産管理機関**が存在します。この機関は、加入者の年金資産を会社の財産から分離して管理し、運営

管理機関が取りまとめた運用の指示に基づいて運用商品の売買、受給者への年金や一時金の支払いなどを行う機関で、主に信託銀行や保険会社が担っています。

加入者の健全な資産形成に向けた確定拠出年金法の改正

確定拠出年金は加入者が自ら運用を行います。しかし、加入者が投資の知識を高め、運用商品を選び、運用を行うには高いハードルがあります。それらへの配慮により、確定拠出年金法の改正によって多くの変更が行われました。

加入者への**継続的な投資教育**が義務付けられ、運用商品選びで悩まないように企業が採用できる**運用商品の上限**（35ファンド）が定められました。また、年金なのに投資に回さず預金商品にお金を置く加入者が半分近くいることから、運用商品を指定しない加入者をあらかじめ定めた運用商品（**デフォルトファンド**）に導くための設定が柔軟に行えるようになり、運用成績の芳しくない運用商品の見直しが行えるように**商品を除外するルール**も緩和されました。さらには、制度を運営する企業が責任を持ち、運営管理機関との積極的な対話を促進する目的で、企業が運営管理機関を定期的に評価することが定められました。

運営管理機関の業務

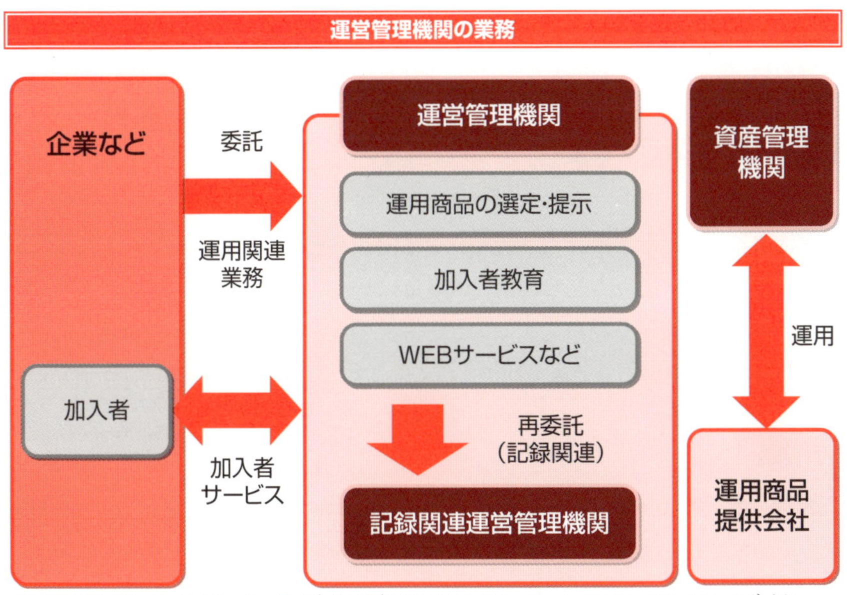

ジャパン·ペンション·ナビゲーター株式会社HP（http://www.j-pec.co.jp/dcps/part.html）より

11-5 債券取引になくてはならない格付け会社

格付け会社は、債券を発行する国・企業（発行体）や個別債券の信用リスクの分析を専門に行う会社です。

格付け会社の役割

格付け会社は、主に債券を発行する国や企業などの発行体、また、個々の債券などについて信用リスクを調査・分析し、意見を公表しています。

信用リスクとは、倒産や債務不履行などにより、金利の支払いや債務の返済が滞るリスクを言います。格付け会社は金融市場の取引に直接に関わっていないため、債券に投資をする投資家と、債券を発行する発行体から**公平かつ中立的な立場**で信用リスクの意見を提供する立場にあります。格付け会社の情報に基づいて、多くの投資家や市場参加者が投資の判断などに利用しています。

大手格付け会社である「S&P」、「ムーディーズ」、「フィッチ」（すべて略称）が世界の格付けの8割以上を占めていると言われています。

格付けの手法

格付け会社は、信用リスクを調査する専門のアナリストによる分析や定量的な手法による評価尺度を用いて、信用リスクに関する格付けを示します。具体的には、信用リスクの水準について、「AAA」（最高位）から「D」（返済能力に強い懸念がある）などのランクを用いた**符号**で表すのが一般的です。符号による格付けは、わかりやすさもあり、金融市場で広く利用されています。

利用者

債券を発行する国や企業は、自らの信用力について、第三者からの評価を示すために格付け会社を利用します。利用することにより、多くの投資家からのスムーズな資金調達が可能になります。

投資家をはじめとする市場参加者は、投資の判断をするときに、債券の信用リスクが問題ない範囲に収まっているかチェックする手段、また、運用するうえでの規定（ガイドライン）として信用格付けを利用します。特に、**投資適格**と**投機的水準**はガイドラインとしてよく用いられる区分けです。投資適格は、信用力が高い水準にある発行体や債券のことを意味し、一般的に「BBB」以上の符号による信用力を指します。一方、非投資適格、もしくは投機的とは、返済能力はあるものの、事業環境や財務状況の悪化といった信用リスクに影響を及ぼす不確実性を有していることを意味します。これらの債券は金利水準も高く、ハイイールド債券、高金利債券と呼ばれています。

このように、格付け会社が信用力を示した符号である信用格付けは、債券中心に金融市場で幅広く利用されています。

格付け会社の役割

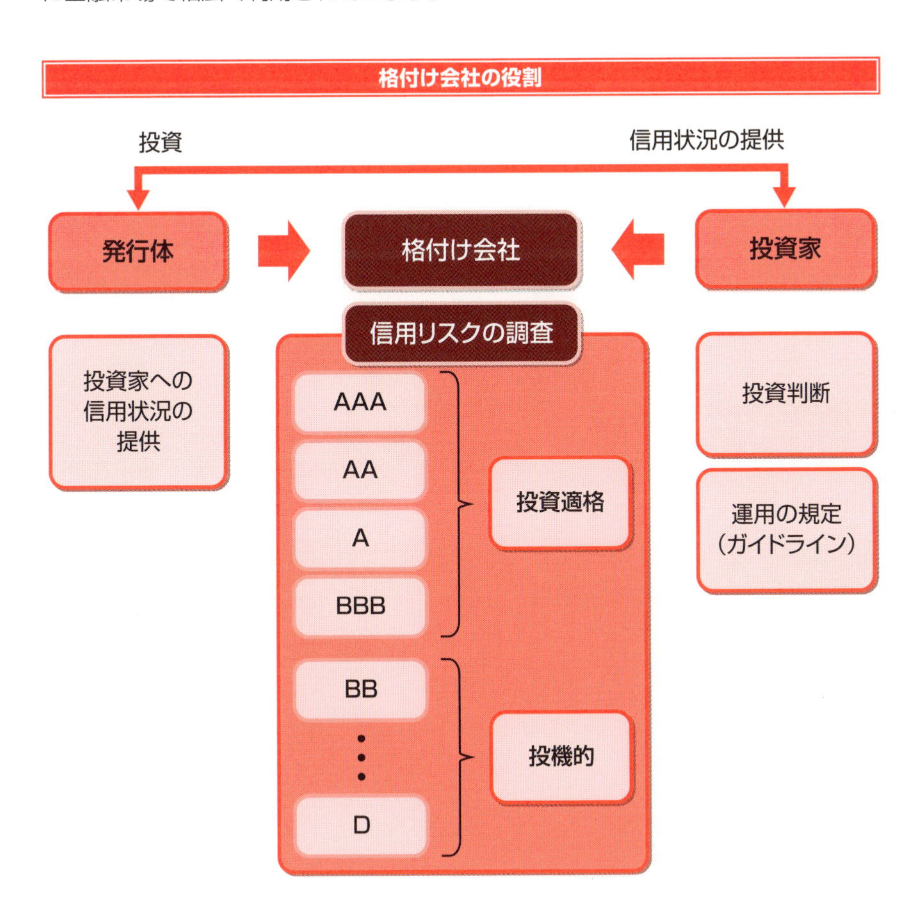

11-6 受託者責任を担う評価会社の役割

評価会社は、公平・中立な立場で運用や金融商品の評価を行う会社です。評価する方法には、絶対評価と相対評価、定量評価と定性評価による2つの切り口があります。

受託者責任を担う評価会社の役割

評価会社は、確定給付型の年金基金や確定拠出型の運営管理機関、また、金融商品を販売する銀行などの金融機関による依頼を受けて、専門的な知見を活かし、金融商品の良し悪しを評価・分析します。さらには、特定の基準で金融商品の比較を行い、金融商品の選択に役立つ情報の提供を行っています。

評価会社が一定の役割を果たしているのは、多くの金融商品が存在し、複雑な機能や商品性を有しているため、**専門的な知見で金融商品を見極める**ニーズが存在するからです。また、第三者として**公平・中立な評価**を用いることにより、機関投資家にとっては運用の向上、顧客に金融商品の販売などを行う金融機関にとっては良質の商品を提供するという受託者責任を果たすことになります。

評価会社の分析内容

評価会社は、金融商品のクオリティについて**多面的に評価**します。運用方針は明確で妥当なものか、しっかりとした判断基準に基づいたプロセスによって運用が行われているのか、それを継続できる体制が整っているのか、そして、それらは運用実績という形で有効に機能しているのかなどについてです。運用の結果だけを比較するのは簡単ですが、それだけであればランキング業者に過ぎません。そうではなく、仮に運用実績が一時的に悪かったとしても、一過性なのかそれとも課題があるのか、あるとすれば何が課題なのかを調べるのが評価会社に求められる役割です。

絶対評価と相対評価、定量評価と定性評価

具体的に金融商品を評価する方法には2つの切り口があります。それは、絶対評価と相対評価、定量評価と定性評価です。**絶対評価**とは一定の基準を定め、それに対してよいか悪いのかを個々に判断するものです。他と優劣を比較するのではなく、その商品自体の良し悪しを評価します。それに対して**相対評価**は、株式や債券など特定のカテゴリーの中で、金融商品に優劣の順位を付けることです。

これらはそれぞれにメリットがあります。絶対評価であれば、その金融商品が投資してもよいクオリティなのかを確認することができます。一方で、相対評価であれば、その中でどれがよいのか順位を付けることができます。

評価方法のもう1つの切り口として、定量評価と定性評価があります。**定量評価**は、リターンやシャープレシオなどの客観的な数値に基づいて評価するものです。それに対して**定性評価**は、どのような運用方針やプロセス、体制に基づいて運用されているのかを評価するものです。基本的には必ず両面を評価します。定量面だけでは、レースの結果だけを見ているのと同じで、本質が見えないからです。

年金の世界では、従来から評価会社は重要な位置を占めてきました。個人の資産形成においても、フィデューシャリー・デューティの高まりとともに、さらなる役割が期待されています。

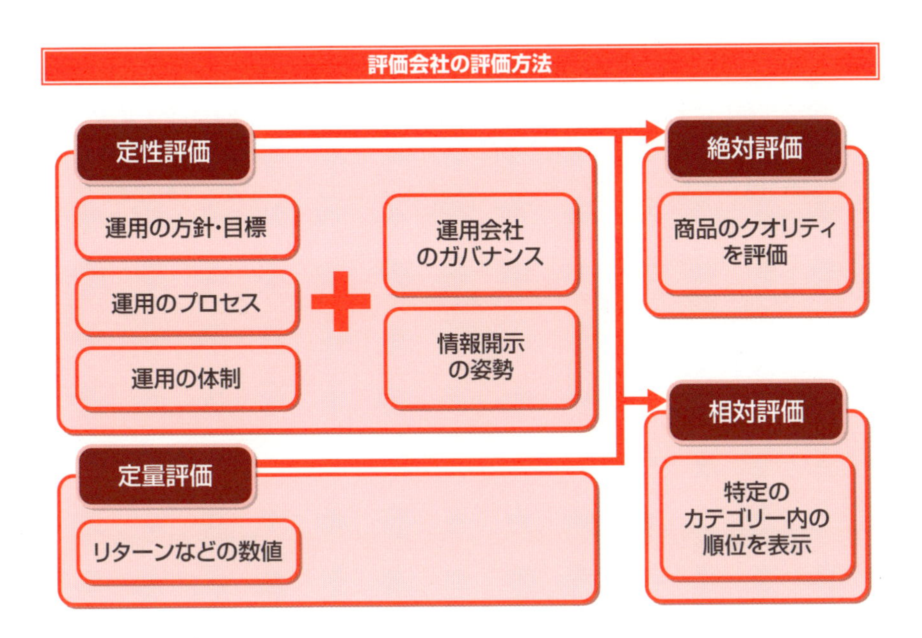

顧客に近い立場で商品提案を行うIFA、金融サービス仲介業

運用会社の金融商品を個人に提供する最大のチャネルは、銀行や証券会社といった金融機関です。金融機関よりも顧客に近い立場で活動されているチャネルもありますが、大きな動きが見られました。それは金融サービス仲介業の創設です。これまでも、IFA（独立系金融アドバイザー）、投資助言業などがありましたが、そこに新たな業態として加わる形になります。

IFA、投資助言業、金融サービス仲介業には認可や登録の違い、また、顧客に成り代わって売買するのか、商品の助言をするのか、商品を媒介するのかといった関与の違いはありますが、共通していることは、中立的な立場で具体的な商品に関して顧客に提案できることです。

個人の資産形成への啓蒙や投資教育においては、FP（ファイナンシャル・プランナー）の存在は大きく、貢献されています。ただし、FPが顧客に対して行えるのは、一般的な投資商品選びやポートフォリオの考え方までであって、顧客に具体的な個別商品の提案はできません。その点で言えば、IFAや金融サービス仲介業などは、顧客を商品に導いてくれる存在です。

IFAの登録者数は2021年時点で4,000人以上と増えてきており、今後の活躍が期待されます。特定の証券会社と契約している場合もありますが、中立的な商品提案、顧客との長期にわたるお付き合いに強みがあります。

また、金融サービス仲介業は、2020年に公布された「金融サービスの提供に関する法律」（「金融商品の販売等に関する法律」の改正による名称変更）により新たに創設されました。これまでの銀行、証券、保険における金融商品販売などの縦割りをなくして、ワンストップでのサービス提供を可能にするためです。特定の証券や保険の代理店といった形態でなく、幅広くワンストップで行うために扱う商品には一定の制約もかかりますが、アセットマネジメント・ビジネス全体から見れば、顧客ニーズに適うチャネルが増えるのは喜ばしいことです。

第12章

パッシブ運用とアクティブ運用の特徴

資産を運用する投資手法の考え方には、市場には多くの投資機会が存在することを前提としたアクティブ運用と、市場は効率的で投資機会は少ないことを前提としたパッシブ運用があります。

この章では、アクティブ運用とパッシブ運用の違いや特徴についてお話しします。

12-1 パッシブ運用とアクティブ運用の特徴

資産運用の方法はアクティブ運用とパッシブ運用に大別できます。これらは、同じ市場を対象としても、まったく別の考え方を前提にしており、異なったアプローチによる運用の方法です。

アクティブ運用とパッシブ運用の違い

アクティブ運用とは、市場に対してより高いリターンを得ようとする運用スタイルを指します。それに対して**パッシブ運用**（インデックス運用）は、市場の動きと同じリターンの確保を目指すものです。

たとえば、日本株式の代表的な指数であるTOPIX（東証株価指数）に対して、アクティブ運用はその指数の動きを上回るリターンを得ようと目指します。一方で、パッシブ運用では指数と同じリターンを目指します。

同じ資産や市場を対象としても、その運用スタイルやアプローチの方法はまったく異なります。一見すると、高いリターンを目指すアクティブ運用のほうが魅力的な響きがありますが、必ずしもそうとは限りません。近年はパッシブ運用の利用が拡大しています。

アクティブ運用とは

アクティブ運用は、リターンを獲得するために、**市場が見逃している投資機会**（アノマリー）を見出して収益獲得を図ります。大前提として、市場には収益を得る投資機会が多く存在するとの考えがベースにあります。

そのために用いるアプローチには様々な方法がありますが、よく知られているのは、調査・分析の専門家によって市場が十分に価値を反映していない魅力ある企業を発掘し、割安な価格で投資する運用スタイルです。

また、データを駆使してシステマティック・定量的に投資機会を判断するクオンツ運用と呼ばれる方法もあります。最近はAIやビッグデータを積極的に活用するなど、こういった領域では新たな進展が期待されています。

パッシブ運用とは

これに対して、パッシブ運用とは、**市場と同じリターンを目指す**運用スタイルです。市場を丸ごと買ってしまうようなもので、特定の業種や銘柄からのリターンを期待しないものです。そこには、市場の価格はすでに多くの情報を反映しているため、収益を得る投資機会はあまり残されていないとの考えがあります。

実際には市場を丸ごと買うことは難しいので、市場を代表する指数を目標として定め、その指数と同じように動くことを目指します。市場を代表とする指数は、必ずしも市場の全銘柄を対象としているわけではありません。TOPIXは東証一部上場企業である約2,000銘柄のほぼすべてを対象としていますが、これは珍しい部類です。日経平均株価指数は、そのうちの225銘柄、米国で代表的なNYダウ指数は30銘柄であり、投資家がよく用いるS&P500指数は500銘柄です。

これらの代表企業を用いた指数と同じポートフォリオを組めば、市場を代表する動きと同じリスク、リターン特性のポートフォリオができます。それによって、市場と同じリターンの獲得を目指すものです。

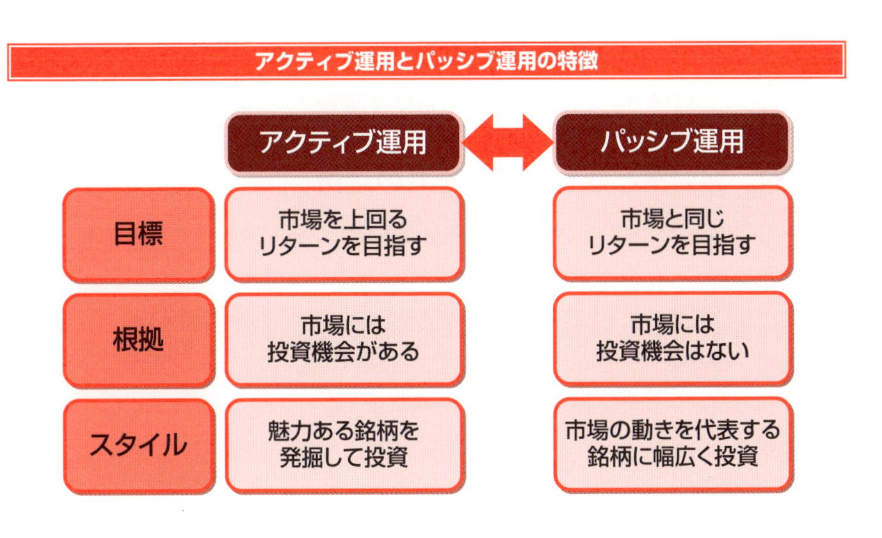

12-2 市場は効率的か否か

私たちは、市場は効率的との前提で投資理論を教わります。しかし、最近では、完全に効率的ではないことも学ぶべき対象となっています。市場は効率的と示した学者にも、効率的ではないとした学者にもノーベル賞は与えられています。

アクティブ運用とパッシブ運用の考え方の違い

アクティブ運用とパッシブ運用における運用スタイルの違いは、市場を効率的と捉えるかどうかに根差しています。

アクティブ運用がリターンを得られるのは、市場がすべての情報を十分に反映していないことを前提に、隠れた投資のチャンスがあるので、それを見つけ出して投資に活かそうとするものです。この考え方を「**市場は非効率**」と言います。

それに対して、パッシブ運用では、市場は多くの情報をすでに織り込んでいることを拠り所にしています。そのため、隠れた投資チャンスは存在しないのだから、市場と同じポートフォリオで運用することにより、確実にリターンを確保するほうがよいというものです。この考え方を「**市場は効率的**」と言います。

効率的、非効率とされるそれぞれの理由

これについては、どちらが正しいと言い切れるものではありません。情報開示や技術の進展によって多くの情報が速やかに共有される時代において、魅力ある情報がゴロゴロと埋もれているような投資機会は減っている可能性があります。

実際に、欧米などの洗練された先進国の市場では、アクティブ運用によって市場を上回るリターンを得るのが難しく、新興国のように未整備な市場のほうが投資機会は多く、市場を上回れる確率が相対的に高いとする報告もあります。こういった調査結果は、パッシブ運用の価値を支持するものです。

その一方で、市場が将来的なものも含めて多くの情報を十分に反映しているのであれば、市場が過熱しすぎてバブルが生じることもないはずです。しかし、実際

にはそんなことはありません。市場では幾度となくバブルが起こり、株価や為替をはじめとした市場の行きすぎが生じています。こういった現実が頻繁に起こっていることが、市場は十分に効率的とは言えない理由とされます。

市場の効率化は進む、それでも非効率性は残り続ける

個人的な経験に基づけば、市場から得られる情報に基づく投資機会は徐々に減っている印象です。たとえば、企業が定期的に開示する財務情報をどれほど細かく読み込んでも、その数字の分析から投資機会を見出す余地は少なくなっています。技術が進み、情報の取得や分析が容易になれば、既知の情報は市場の価格に反映されやすくなるからです。今後もその傾向は強まっていくでしょう。

その一方で、非効率性は残り続けます。人間が判断する場合には、行動心理学で言われる心理的なバイアスが働くので、市場が行きすぎてしまうことは排除できません。AIが進んでも、得られた情報からしか判断できないのであれば、やはり限界があります。

誰もが得られる情報を前提とした判断が進むほど、そこに反映しきれなかった情報の価値は大きくなり、歪みも生じるからです。私たちは、**市場はある程度の効率性を保ちながらも、完全ではない**と理解しておくべきでしょう。

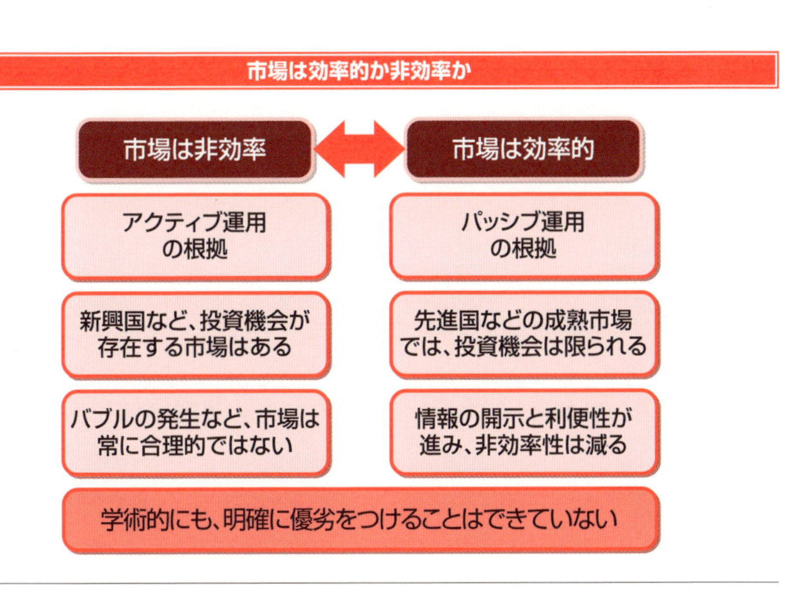

12-3 ポートフォリオにおける銘柄数と個別銘柄の影響

アクティブ運用とパッシブ運用では、個別銘柄の扱いに違いが表れます。アクティブ運用は個別銘柄の影響を強めるために銘柄を厳選する一方で、パッシブ運用は市場との連動性を高めるためにポートフォリオに多くの銘柄を組み入れます。

個別銘柄は固有の動きと市場に連動する動きに分けられる

アクティブ運用とパッシブ運用について、ここでは個別株式の市場に対する感応度の観点から考察しましょう。個別の株式の価格の動きを統計的に分析すると、**市場全体の動き**に影響を受ける部分と、**個別株式固有の動き**に分けることができます。これを式に表すと、次のようになります。

個別株式の価格の動き＝
個別株式に起因する部分（α）＋ 株式市場全体の動きに影響を受ける部分（β）

個々の銘柄によって、株式市場全体の動きに影響を受ける部分βの数値は違います。一般的に、市場を代表するような企業は経済全体の影響を受けやすいので、株式市場全体の動きに影響を受ける傾向が強い一方で、ユニークな企業や新興企業はその影響は小さいです。

ここで、市場と同じ影響を受ける場合には$\beta=1$、まったく影響を受けない場合には$\beta=0$となります。逆に、市場が上がるときに同じだけ下がるといった反対の動きの影響を持つ場合には$\beta=-1$になります。

パッシブ運用は銘柄を増やし、アクティブ運用は銘柄を厳選する

個々の銘柄で見れば程度の差はありますが、ポートフォリオの銘柄数を増やすにしたがって個別株式に起因するαの部分は徐々に薄まり、株式市場全体の動きに影響を受けるβ部分の影響が大きくなります。極端に言えば、市場全体と同じ

構成ですべての銘柄を保有すると、そのポートフォリオのα部分は限りなく薄まり、$\beta=1$に近づきます。

パッシブ運用は、$\beta=1$となるようにポートフォリオを組成することを目指します。そのため、パッシブ運用ではポートフォリオに**たくさんの銘柄**を保有することで、市場との連動性が高まるようにします。

市場のすべての銘柄に投資できればよいのでしょうが、そういうことができない市場もたくさんあります。そのため、数百から数千銘柄といったできるだけ多くの銘柄数を組み入れることで、個々の銘柄の影響を抑え、市場の動きとの連動性を高めるようにするのです。

一方で、アクティブ運用は市場全体よりも高いリターンを目指すものであるため、市場の中から**厳選した銘柄**を選び、銘柄固有の動きであるαの特徴を高める戦略をとります。そのため、高いリターンを目指すほど、ポートフォリオに組み入れる銘柄をαが高いと期待される銘柄に絞り込んで集中的に投資をします。

少ない場合には20～50銘柄に厳選することもあります。個別銘柄やポートフォリオ全体のαをどのように高めるのか、それがアクティブ運用における投資戦略の鍵になります。

銘柄数と銘柄固有の影響、市場への感応度の関係

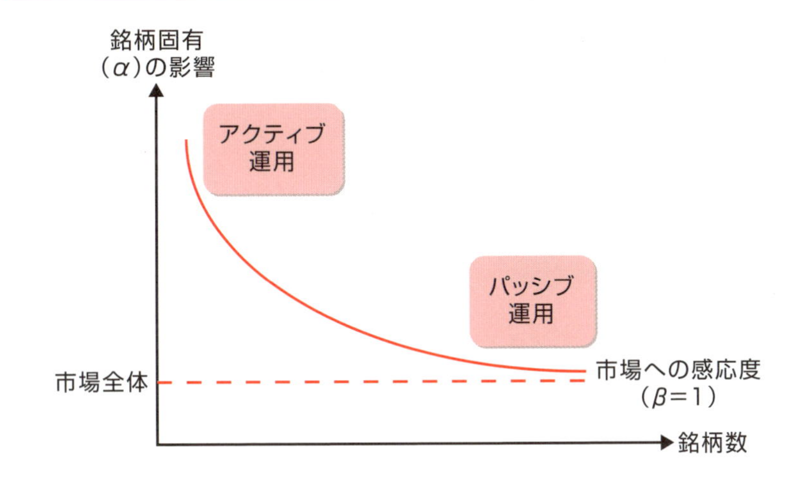

12-4 パッシブ運用のリターンは安定して良好

専門家による多くの分析では、一般的にはアクティブ運用はパッシブ運用を上回ることは難しいという結果が報告されています。全体として見ればパッシブ運用のほうがリターンは高く、安定していると言えます。

アクティブ運用とパッシブ運用のリターン

百聞は一見にしかずで、実際のリターンの分布について見てみましょう。ここでは、多くのデータが揃っており比較しやすい、外国株式に投資する投資信託の数値を用いて、アクティブ運用とパッシブ運用のリターンを比較します。

図を見てください。まず、**リターンの水準**はどうでしょう？　平均値、中央値ともにパッシブ運用のリターンがアクティブ運用を上回っていることがわかります。

また、個々のファンドの**リターンのバラツキ（分布）**にも注目です。パッシブ運用は目標とする市場の指数に連動することを目指すので、リターンが大きくばらつくことはありません。それに対して、アクティブ運用は高いリターンを目指すので、そのためにリスクをとります。その結果、よいも悪いもリターンにはバラツキが生じやすいのです。

外国株式の運用に限らず、他の多くの投資対象においてもアクティブ運用とパッシブ運用には似たような傾向が見られます。

こうしてみると、パッシブ運用のほうが優秀なように見えます。ただし、アクティブ運用の中には、パッシブ運用の成績を上回っているファンドも少なからずあります。こういった優秀なファンドを簡単に見分けることは難しく、悩ましい点です。見分けるためのポイントとしては、長い期間にわたり運用しているファンドで、運用実績が長らく良好であること、そして、同じ運用責任者（ファンドマネージャー）が運用し続けているアクティブ運用の中に、こういったファンドが数多く見られます。

全体としてパッシブ運用のリターンがよい理由

なぜパッシブ運用のリターンがよいのか？　ここではいくつかの理由を確認します。それは「市場は効率的か否か」でもお話ししましたが、**市場の非効率な部分が情報技術などで減ってきている**ことにより、アクティブ運用がコストをかけてまでそのリターンを獲得することが難しくなってきているからです。市場の効率性は収益獲得の機会を奪ってしまいます。

それとともに、**金融工学や技術の進展はパッシブ運用のコストをドンドンと押し下げている**からです。市場の投資機会が減るとともに、パッシブ運用にかかる費用が低下してきたことが、アクティブ運用のリターンが全体として劣後している大きな理由と言えるでしょう。

ちなみに、パッシブ運用においても熾烈な競争は行われています。同じ市場の代表的指数を目標とするパッシブ運用の場合、リターンに最も影響を与えるのは費用水準です。指数との連動を目指しているのですから、費用の大きさだけ確実に指数に劣後していくからです。そのため、パッシブ運用では費用を引き下げるために運用を高度化・効率化する取り組みが継続的に行われており、それがこういう傾向を生んだとも言えるでしょう。

投資信託の外国株式ファンドにおけるアクティブ、パッシブのリターン分布

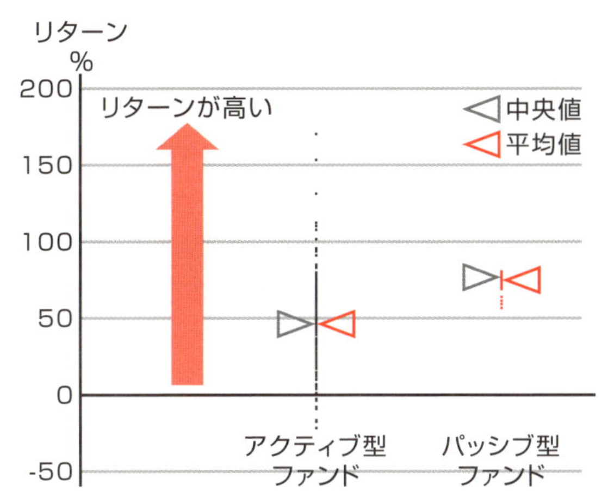

三菱アセット・ブレインズ株式会社資料より著者作成

12-5 急速に伸びるパッシブ運用

パッシブ運用の利用は大きく拡大しています。安定した投資成果、品ぞろえの充実、費用引き下げへの継続的な取り組みがその魅力を高めています。

年金運用の世界

パッシブ運用はそれほど長い歴史があるわけではありません。米国で1970年代に、株式指数に連動することを目指す投資信託を提供したのが最初と言われています。それからわずか40年程度の間に、パッシブ運用はすっかり運用の柱の1つに位置付けられるようになりました。歴史の長い運用の世界においてこれほどまでに急速に拡大したのは、完全とは言わないまでも市場は効率的であることを示しているのかもしれません。

パッシブ運用が受け入れられたのは、高いリターンは期待できないけれど、**安定した投資成果**が得られることです。年金の世界では、パッシブ運用はコア戦略資産の1つとして存在感を高めています。安定性があり、市場規模が大きく流動性の高い成熟した市場では、アクティブ運用による投資機会が限られる可能性も高まり、パッシブ運用を選択して資産の成長性に重きを置くことは1つの戦略になります。

また、指数の開発が進み、パッシブ運用の**対象が増えた**ことや、ETFにより**品揃えが充実した**こともパッシブ運用の利用を促進しました。

それとともに、アクティブ運用とパッシブ運用の優位性を比較する専門的な分析が数多く行われ、パッシブ運用の**魅力が広められた**ことも影響しています。

パッシブ運用においては運用の精度を高め費用を引き下げることがリターンの向上に結びつくため、そういった継続的な取り組みが行われたことも、アクティブ運用に対するパッシブ運用の優位性を高めてきました。

個人の資産形成の世界

個人の資産形成においてもパッシブ運用の波が押し寄せています。個人の資産形成では、金融リテラシーが高くないことによる情報格差と、運用ニーズが年金とは違うこともあり、アクティブ運用が主流でした。

個人は投資の知識が高くないため、専門家である金融機関のアドバイスに従う傾向があり、魅力的な商品性を謳うアクティブ運用を選好する傾向がありました。

また、個人の場合には、年金のようにリターンの追求とリスク管理や安定性だけでなく、個人特有の多様な運用ニーズがあることもアクティブ運用の出番を多くしていました。たとえば、預金＋αの金利がほしい、少しずつ取り崩しながら運用を行うスキームの商品が望ましいといったニーズがあります。

しかし、最近では運用に関する情報が行きわたってパッシブ運用の魅力への注目が高まってきたことにより、変化が見られます。また、**長期の資産形成**を行う層が増えてきたことにより、費用を抑えて資産の成長性に重きを置くパッシブ運用を利用する動きが徐々に広がってきています。

パッシブ運用が成長する背景

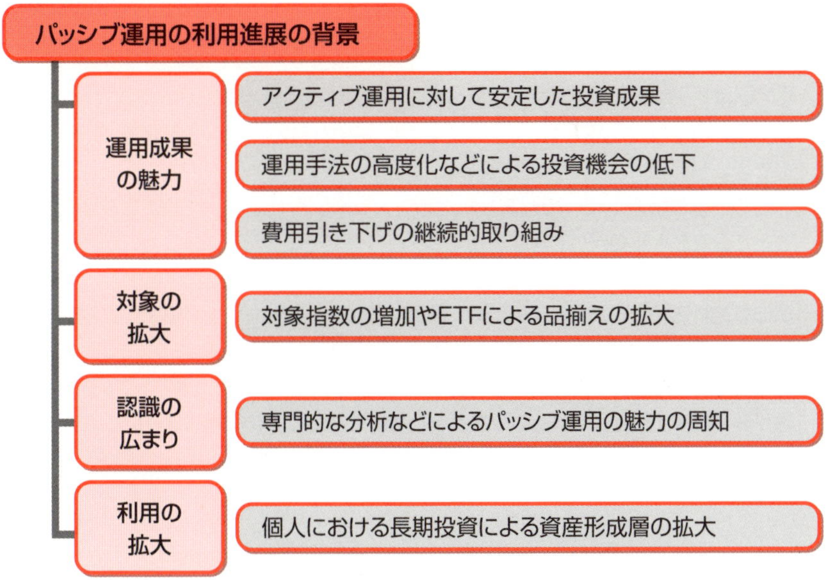

パッシブ運用の利用進展の背景

- 運用成果の魅力
  - アクティブ運用に対して安定した投資成果
  - 運用手法の高度化などによる投資機会の低下
  - 費用引き下げの継続的取り組み
- 対象の拡大
  - 対象指数の増加やETFによる品揃えの拡大
- 認識の広まり
  - 専門的な分析などによるパッシブ運用の魅力の周知
- 利用の拡大
  - 個人における長期投資による資産形成層の拡大

なぜバブルは発生するのか？

なぜバブルは発生するのでしょう？　この答えは1つではありませんが、共通した傾向があることは、いろいろな方面で指摘されています。

その主な理由はレバレッジの拡大です。何か基準となるものに過度に依存することでバランスを崩した状態になると、いつかその反動が生じるからです。

リーマンショックは、低格付けのサブプライムローンに対する信用が収縮し、金融機関の間で密接に絡み合っていた信用が突然に収縮し、最後はドルの流動性が一気に冷え込んだことにより大ショックとなりました。日本のバブルは、資産と負債が両建てで膨れ上がっていた状態で、無理な資産価格が維持できなくなり、バランスが崩れてしまいました。

妥当な価値があるものに対して、資産と負債が膨らんでいるだけでは大きな問題は起こりません。たとえば、銀行で借金したお金を預金に回しておけば、両方がほとんど現金と同等の価値なので大きな歪みが生じることはないでしょう。

それが、銀行で借金したお金を預金でなくて、割高な株式や不動産などに投資していた場合、そこには、価値に見合わない取引が行われるので歪みが生まれるのです。経済学者が信用の拡大に伴う負債の増大に注目するのはそのためです。過度な負債は過剰な投資につながりやすいからです。負債が増大している場合に、適正な価値の資産に投資しているのかがポイントです。

近年は、リーマンショック級ではなくても、ショックと呼ばれるものが頻繁に発生しています。ITバブル、アジア通貨危機、2015年には原油価格が1年間で100ドルから20ドル台まで急落しました。このような過剰な投資とショックはどうして起こるのでしょう？

その一端は金融市場への過剰なお金の流入が挙げられます。各国は国の信用力のもとで国債を大量発行して赤字を増やし、通貨供給を拡大してきました。基軸通貨ドルとの交換も容易になりました。これが過度な信用創造や余剰なお金を生み、金融市場になだれ込んでいます。そのため、いろいろなところでバブルが頻繁に発生しています。

お金も経済もグローバル化する中、歪みは一国にとどまらず、世界でこういった現象が起こりやすくなっているのです。私たちは、このことを前提に投資について考えていかなければなりません。市場が完全に効率的でない限り、どこかに歪みは生じるのです。

第13章

パッシブ運用とアクティブ運用の投資手法

　市場の動きと連動することを目指すパッシブ運用の代表的な投資手法として、完全法・準完全法、最適化法、層化抽出法があります。

　市場には多くの投資機会が存在することを前提としたアクティブ運用では、マクロ動向から投資方針を決定するトップダウン型、魅力的な個別銘柄を選択するボトムアップ型を基本に、多様な投資手法があります。

　この章では、株式、債券への投資を中心にアクティブ運用、パッシブ運用それぞれにおける代表的な投資手法をお話しします。

13-1 市場と同じポートフォリオを目指す、完全法と準完全法

パッシブ運用の考えに忠実な投資手法である完全法は、目標とする市場の指数を構成するすべての銘柄を、その時価構成比率に合わせてポートフォリオを構築する方法です。準完全法は、そのうちから信用リスク銘柄を除いた運用を行います。

パッシブ運用の投資手法

パッシブ運用の投資手法には大別して、①目標とする市場の指数と同じようにポートフォリオの銘柄を保有する「**完全法**」と「**準完全法**」、②ある程度の銘柄数を整えながら指数と同じような動きを目指すポートフォリオを構成する「**最適化法**」と「**層化抽出法**」の2つがあります。いずれも運用上のメリット・デメリットがあります。ここでは、①完全法と準完全法について説明します。

完全法

完全法は、目標とする市場の**指数を構成するすべての銘柄**を、その時価構成比率に合わせてポートフォリオを構築する方法です。たとえば、日本株式であれば、代表的な指数であるTOPIX（東証株価指数）に連動するポートフォリオを作るために、約2,000銘柄のほとんどを、同じ構成割合で保有することです。

完全法は指数との高い連動性が期待できる一方で、運用上の課題もあります。同じ銘柄を同じ構成割合でポートフォリオに組み入れれば済むので簡単に見えますが、株式では配当などの権利関係の変更にきめ細かに対応する必要があるなど、ポートフォリオを常に同じように維持するには、市場や各銘柄の情報を用いた細かなメンテナンスが必要になります。

銘柄には最低購入単位などの制約もあるので、すべての銘柄を保有するためには、ある程度の規模のお金が必要になります。また、すべての銘柄を組み入れるため、倒産確率が高まっている（信用リスクの高い）銘柄も無条件に組み入れることになります。

準完全法

準完全法は、完全法を用いながら、**信用リスクの高い銘柄などを除いた銘柄群**でポートフォリオを構築する方法です。信用リスク銘柄を除くことにより、ポートフォリオは健全なものになりますが、目標とする市場の動きとの連動性が低下する可能性があります。たとえば、信用リスクが高いと判断している銘柄の信用状況が改善すると価格も上昇するため、保有していないことによる市場との乖離が大きくなる可能性を秘めています。また、信用リスク銘柄をどのように抽出して除くのか基準を設定し、それに伴う銘柄の保有比率の調整や管理などをする必要があります。

完全法、準完全法ともに一長一短があり、どちらかが優れているというものではありません。顧客の意向や、運用するお金の性格に合わせて使い分けが行われます。

パッシブ運用の投資手法の比較

	完全法	準完全法	最適化法 層化抽出法
銘柄数	すべて	信用リスク銘柄を除くすべて	やや少ない
指数との連動性	完全に連動	かなり高い	高い
資金規模	大	大	中
取引コスト	かかる	かかる	低い

13-2 計量的な手法による最適化法

最適化法は、計量的なモデルを利用することにより、パッシブ運用が目標とする市場の構成銘柄の一部を用いたポートフォリオで、市場と連動することを目指す投資手法です。

最適化法と層化抽出法は、限られた銘柄によるポートフォリオ

市場には数多くの銘柄が存在し、すべてに投資するには相応の資金規模が必要になります。また、銘柄によっては取引しづらく、取引に大きなコストがかかる場合もあります。こういった完全法のデメリットに代わる投資手法として、ある程度の銘柄数を整えながら、指数と同じような動きを目指す投資手法として、**最適化法**と**層化抽出法**があります。ここでは最適化法について説明します。

最適化法は、市場の特性に合わせたポートフォリオの組成

最適化法の特徴は、**計量的なモデル**を利用することにより、市場全体の銘柄の中で取引しやすくコストのかからない、また、信用力のある代表的な銘柄を用いながら、目標とする市場を代表するTOPIX（東証株価指数）などの指数とポートフォリオとの乖離が小さくなるように、投資銘柄およびその構成比率を決定する方法です。

市場の特徴を示すものとして、業種や企業規模（大型株や小型株）など、数十にものぼる特性（ファクター）があります。最適化による手法は、この特性を利用して、指数の構成銘柄のすべてを組み入れなくても、銘柄群の特徴を計量的に把握することにより、市場と同じような特性を持つポートフォリオを作ります。

ただし、市場の動きによって、ポートフォリオの特性は時間の経過とともに市場と乖離する可能性が高くなります。最適化法では、常に市場と特性を合わせるようにメンテナンスする運用が求められます。

一般的には、市場の特性が把握・管理しやすい**株式の運用**において、よく用い

る投資手法です。

最適化法のメリット・デメリット

完全法と比較した最適化法のメリットは、①少額からポートフォリオを作ることができることです。特に、指数の構成銘柄が多い場合、大きな資金規模でないとすべてを保有することができない制約をクリアできます。

また、②流動性の低い銘柄の組み入れを除外することにより、取引コストを抑制できます。指数の中に市場にあまり流通していない銘柄が含まれていた場合、投資しようと思っていても投資できない、もしくは取引コストが非常に大きくなってしまう場合があります。最適化法では、流動性の低い銘柄を排除したうえでポートフォリオを構築するため、これらの影響を防ぐことができます。

一方で、目標とする指数との乖離が大きくなる傾向があります。指数の構成銘柄数とポートフォリオの組入銘柄数が異なること、また、組入銘柄の構成比率が指数と異なることにより、指数とポートフォリオとの連動性は低下します。

最適化法によるポートフォリオ作成のイメージ

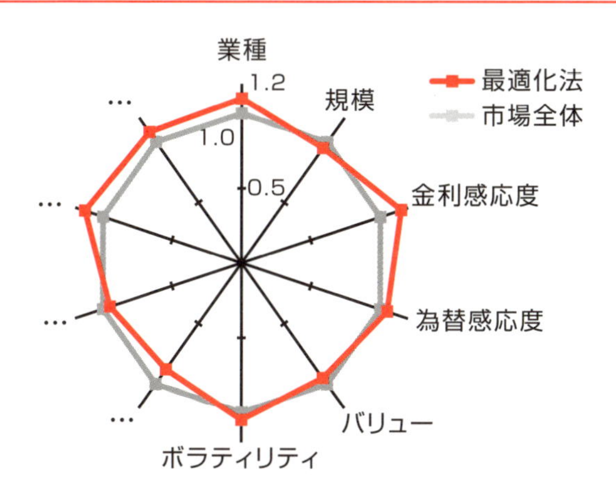

13-3 グルーピングにより代表銘柄を抽出する層化抽出法

層化抽出法とは、指数の構成銘柄を複数のグループに分け、それぞれのグループからの抽出銘柄および保有比率を決定し、ポートフォリオを構築する方法です。

層化抽出法の特徴

層化抽出法の特徴は、**銘柄抽出**によるポートフォリオ構築の仕方にあります。

まず、パッシブ運用が目標とする市場の動きを代表する指数を、特徴あるグループに分けます。そして、そのグループの中から、残高が大きいとか取引がしやすいなどの基準で代表的な銘柄を抽出し、その銘柄群によってポートフォリオを作る方法です。個々のグループの特徴的な銘柄を、その構成割合でボトムアップ的に組み合わせていくことにより、市場全体に近い構成のポートフォリオを作り上げていくイメージです。

そのため、指数の特性に合わせてグループを細分化すること、そして、その中から代表的な銘柄を取り上げる運用の仕組みがポイントになります。

層化抽出法のメリット・デメリット、活用する資産

完全法と比較した場合の層化抽出法におけるメリット・デメリットは、最適化法で示したものとほぼ同じです。少額からポートフォリオを作ることができる、取引コストを抑制できるなどのメリットがある一方で、目標とする指数との乖離が大きくなる傾向があります。

利用する資産で見た場合、**債券**において層化抽出法がよく用いられます。株式の場合には、業種などの多面的な特性によって色分けすることが価格の動きを把握することに向いていますが、債券の場合には、どのような属性の債券なのかによって価格に大きく影響を受けるからです。債券の属性に合わせてグループ化することで、特徴が活きます。

債券の属性とは、満期までの残存年数、国債や社債といった債券の種類、また、

債券を発行する発行体の信用リスクなどを指します。この属性でグループ化すれば、おおむねそのグループの中の債券は同じような価格変化をします。債券を指数とするポートフォリオにおいては、層化抽出法がよく用いられることになります。

層化抽出法と最適化法の併用

実際の運用では、最適化法と層化抽出法を併用することもあります。たとえば新興国の株式に投資する場合、完全法ですべてに投資するには対象国・地域が広く、取引をしづらい市場もあるために最適化法を用いたとします。その際に、市場の特性にポートフォリオを合わせただけでは、銘柄に偏りが生じるケースもあります。

層化抽出法を用いて国・地域の業種の代表的な銘柄をピックアップすることにより、最適化法を補完してより精度の高いポートフォリオを作ることができます。

層化抽出法によるポートフォリオ作成のイメージ

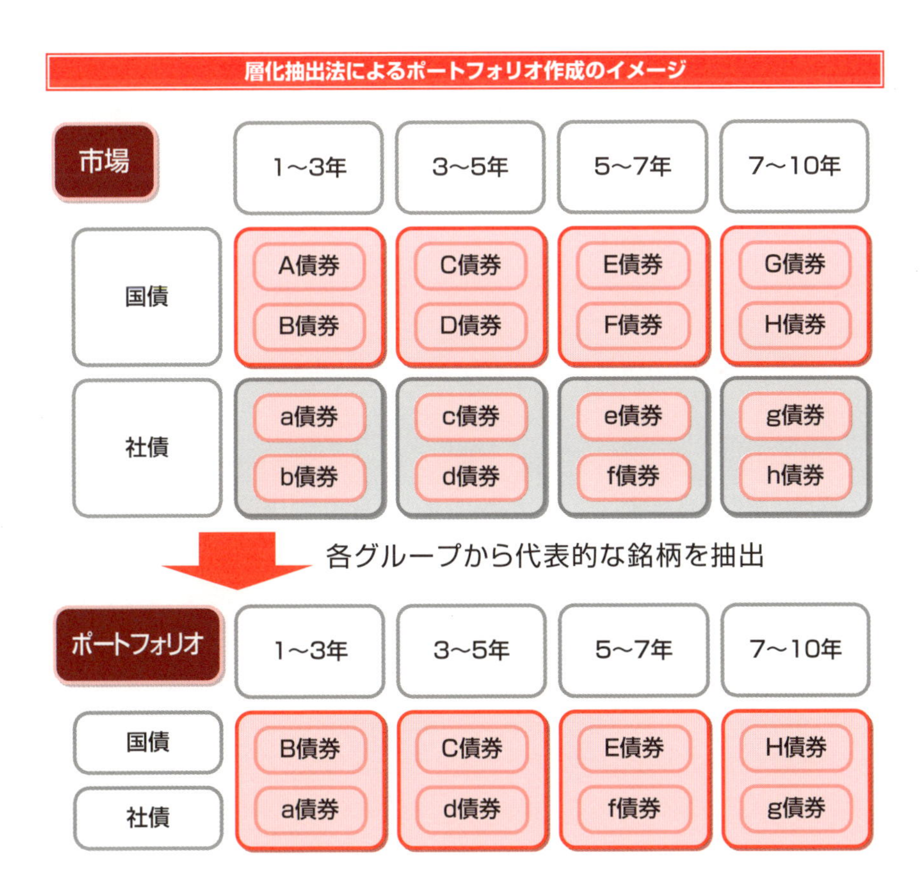

13-4 トップ・ダウン・アプローチとボトム・アップ・アプローチ

トップ・ダウン・アプローチとボトム・アップ・アプローチは、運用において最も多く用いられている、アクティブ運用における基本的な投資手法です。

トップ・ダウン・アプローチとボトム・アップ・アプローチ

ここからはアクティブ運用の投資手法についてお話しします。トップ・ダウン・アプローチとボトム・アップ・アプローチは、運用に限らず、経営やプロジェクト管理などでも用いられる手法です。運用において、これらのアプローチはアクティブ運用の代表的なスタイルの1つです。

トップ・ダウン・アプローチは、経済や市場動向など**マクロ的な投資環境**の予測から始まり、どのような国・地域の資産に配分するかを決定し、その資産の中で選択する業種を絞り、最後に個別銘柄を選択するといった方法です。マクロの視点から入って、順にミクロ的な視点に移っていくことから、この名称が付けられています。

必ずしもミクロの銘柄までたどり着かなくても、資産配分や通貨配分を中心に運用を行うこともあります。トップ・ダウン・アプローチの運用として有名なのは、英国通貨ポンドの売り仕掛けで中央銀行を追い込んだジョージ・ソロス氏でしょう。

一方で、ボトム・アップ・アプローチは、ファンドマネージャーやアナリストによる**個別企業の調査活動**により、企業の将来の成長性や財務内容などファンダメンタルズを細かく調査・分析することにより投資価値を判断し、その積み上げによってポートフォリオを構築していく運用手法です。

ただ、やみくもによい銘柄を探し当てていくというよりは、成長率の高い銘柄（グロース銘柄）をピックアップするなど、運用哲学による一定の基準に基づいて個別企業を選別するのが一般的です。有望な個別銘柄を発掘したときに得られるリターンは、株価が数倍になることもあり、非常に大きいです。このアプローチとして有名なのは、投資の神様と呼ばれるウォーレン・バフェット氏やピーター・リンチ氏です。また、伝統ある欧米の運用会社には、ボトム・アップ・アプローチの手法を標榜する会社が数多く存在します。

実際の運用スタイル

実際には、トップ・ダウン・アプローチとボトム・アップ・アプローチを併用する運用会社が多いです。投資資産ごとの特徴を見ると、株式運用の場合には、銘柄選択がリターン獲得の主要な源泉になっていることから、多くの運用においてボトム・アップ・アプローチが取り入れられています。ボトム・アップ・アプローチだけで運用するのか、それにトップ・ダウン・アプローチを加える手法が主流です。

債券運用の場合には、金利やインフレ動向、金融政策が債券価格に大きな影響を与えることから、基本的にトップ・ダウン・アプローチを採用します。そのうえで、個別企業の社債に投資する場合には、ボトム・アップ・アプローチを組み合わせて個々の信用状況を調査・分析します。

運用において何をリターン獲得の対象とするのか、運用哲学に基づく戦略によって、トップ・ダウン・アプローチとボトム・アップ・アプローチの活用や重視の仕方は変わってきます。

トップ・ダウン・アプローチとボトム・アップ・アプローチ

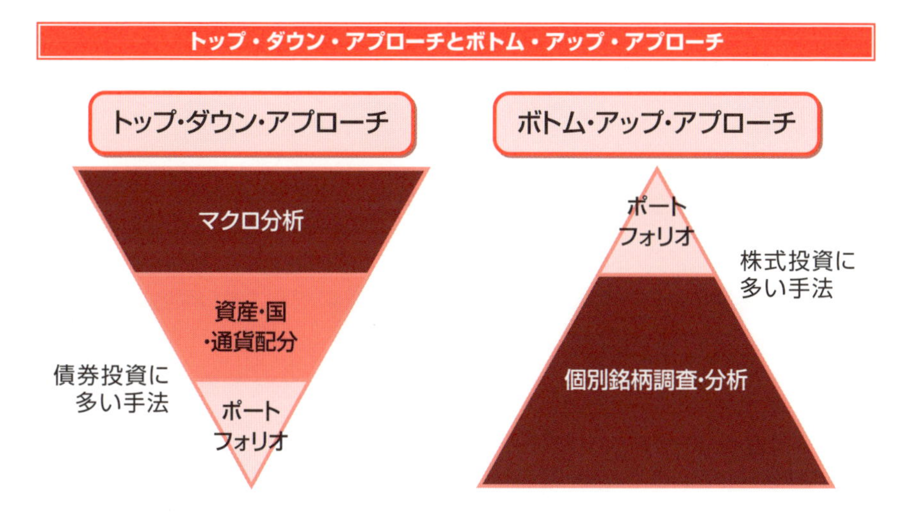

13-5 バリュー投資とグロース投資

株式のボトム・アップ・アプローチにおける代表的な投資手法に、バリュー投資とグロース投資があります。

バリュー投資とグロース投資の考え方

株式の投資手法には様々な切り口がありますが、ボトム・アップ・アプローチにおける代表的な手法として、バリュー投資とグロース投資があります。

バリュー投資とは、本来の企業価値や利益水準に対し、現在の株価が**割安と判断される銘柄**に投資し、正当な株価に上昇することを狙う投資手法です。市場が適正な評価を反映するには比較的時間がかかりますが、リスクが低い投資手法と言えます。

一方、グロース投資とは、企業の成長性が平均よりも高いと判断される、**成長銘柄**に投資する手法です。たとえば増収増益を繰り返せば企業が成長して、株価も上昇していくので、それによりリターン獲得を目指すものです。成長性の見極めが重要になります。すでにある程度の成長性は株価に織り込まれているため、想定よりも成長性が鈍ると、株価は大きく下落することもあります。

バリュー投資とグロース投資の優位性

バリュー投資とグロース投資ではどちらが優位なのか一概には決めつけられません。景気動向を反映した市場の局面において、それぞれに優位な時期があると言われています。

グロース投資は、**安定した景気拡大が長期にわたって続く局面**で効果を発揮します。好ましい経済環境において、企業の利益成長の持続性が保たれるからです。リーマンショック以降の長期にわたる緩やかな経済成長局面が好例です。

一方でバリュー投資は、景気回復の初期など、**市場が大きく上昇する局面**で、割安な銘柄が好まれ、よいリターンを示すと言われています。また、市場の下落局面では、相対的に抵抗力があります。

判断に用いる指標

銘柄の分類にあたっては、**株価純資産倍率**（PBR）や**株価収益率**（PER）の指標を基準として用いることが多いです。これらの指標の値が低い銘柄は、バリュー銘柄に分類されます。

ただし、株式の評価指標には、株価純資産倍率などに限らず、様々な指標があります。実際の投資においては、特定の指標だけに頼るのではなく、複数の指標を用いて投資判断するケースが多いです。

たとえば、業種や企業にとって有効と考えられる指標を重視する、運用会社の投資哲学に則った指標を中心に使用する、個別の投資信託の商品性や運用スタイルで謳っている方法に適した評価尺度を重視するなどによって、利用する指標や重きの置き方が異なってきます。そういった指標を軸に、多面的に投資判断を行います。

企業価値に軸足を置くバリュー投資、利益成長に軸足を置くグロース投資の違いはありますが、第6章における株式の投資評価で見たように、完全に切り離して考えるものではなく、むしろ関係し合っています。いずれのアプローチも、市場がその企業を十分に評価できていないところに投資機会を見出そうとするものです。

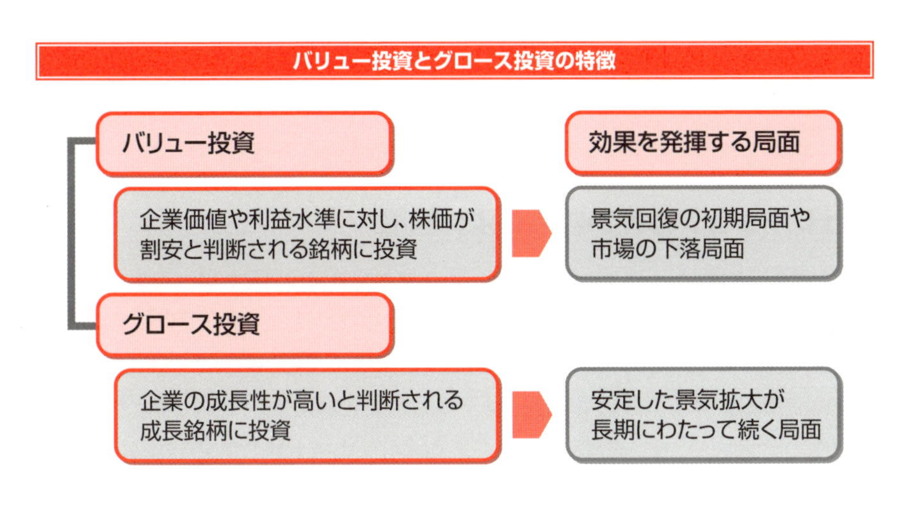

13-6 債券の主要な投資戦略の1つ、金利戦略

債券の価格は、全体的に、金利水準に大きく影響を受けます。金利戦略は、金利の動きや形状に着目した戦略です。

金利戦略

金利戦略は債券のアクティブ運用における主要な投資戦略の1つです。金利戦略は、金利水準や金利見通しに基づいて、**ポートフォリオが金利の変動から影響を受ける度合いをコントロール**し、リターンを高めようとする戦略です。これはトップダウンによるアプローチになります。債券の金利は経済動向、インフレ見通しなどのファンダメンタルズや金融政策の方向性、財政政策に基づく債券発行の需給要因など、マクロ的な観点による影響を大きく受けるからです。

債券の価格は、金利が上昇すれば債券価格は下落し、金利が低下すれば債券価格は上昇します。それは、金利の変動によって、保有する債券から得られるクーポン金利と満期時の元本の現在価値が影響を受けるからです。こういった動きによるマイナスの影響を抑え、プラスの効果を高めるのが金利戦略です。

具体的には、将来の金利に影響を及ぼす要因を分析し、現在よりも金利が上昇しそうなときは債券の価格下落の影響を抑えるようにポートフォリオを構成し、逆に金利が低下しそうなときは価格上昇の恩恵を受けるように構成します。

デュレーションは使い勝手のよい指標

金利戦略で一般的に用いられるのは、**デュレーションをコントロール**する方法です。デュレーションとは、金利が1単位動くことによって、債券価格がどれくらいの影響を受けるのかを示すものです。金利が上昇する見通しのもとでは、デュレーションを市場全体よりも短くして価格下落の影響を抑え、逆に金利が低下する局面では、デュレーションを長めにすることにより、価格上昇の効果を積極的に取りにいきます。また、市場動向の先行きが不透明なときには、デュレーションを市場

全体と同じにすることで、想定外のリスクを避けることもできます。

デュレーションの便利なところは、**金利変化の感応度**を把握でき、**ポートフォリオとして管理**できることです。債券の価格は、満期までの期間とクーポンによって利回りが違い、金利への感応度が異なります。これに対して、デュレーションを管理すれば、金利の変化に対する価格変動率の影響度合いがわかります。また、ポートフォリオ全体のデュレーションを把握することで、個別銘柄ごとの管理を行わなくても、全体として、金利の影響度を把握しておくことができます。

金利の形状から収益を得るロールダウン効果

金利の形状に着目した収益獲得の戦略を取ることもできます。債券の残存期間1年、3年、5年…の各期間の金利水準をつないだ線をイールドカーブと呼び、通常は右肩上がりの形状を示します。期間が長くなるほどリスクが高くなるので、市場も高い金利を求めるからです。このイールドカーブの傾きを利用して、金利水準が動かなくても収益を得ることができます。たとえば、4年債の金利が2%、5年債が3%とします。この5年債を1年間保有すると残存期間4年の債券となり、市場が求める金利は3%から2%に低下し、価格にはプラスの効果が生じます。イールドカーブ上を残存期間が短い方向に転がり落ちる動きから**ロールダウン効果**と呼びます。イールドカーブの傾きが大きいところでは効果が大きくなることから、ポートフォリオを組むうえでのポイントになります。

金利見通しと金利（デュレーション）戦略のイメージ

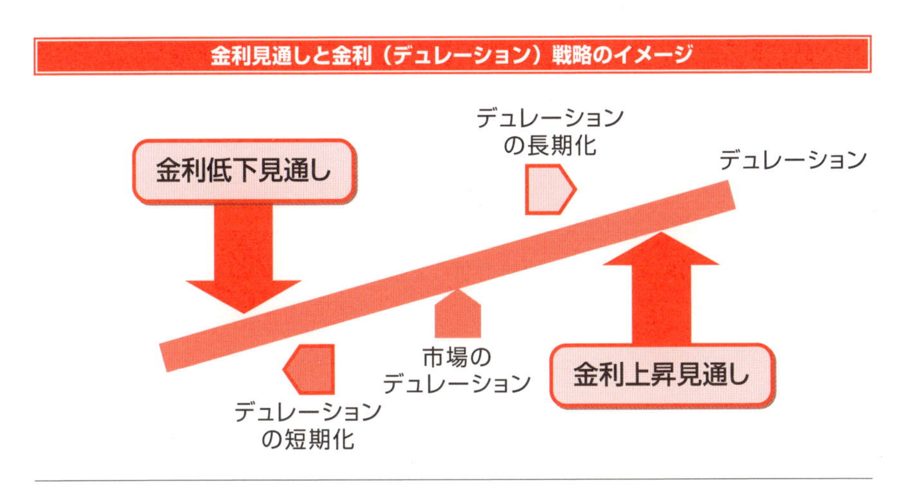

13-7 信用リスクを活かすクレジット戦略

債券に投資するもう1つの主要な戦略に、信用力に注目したクレジット戦略があります。

債券の価格は信用力で決まる

債券の価格は、金利水準、満期までの期間、そして、どれくらいの返済能力があるのかによって決まります。クレジット戦略は、この**返済能力=信用力**に着目した投資手法です。

債券の利払いや満期の返済能力を信用力（クレジット）と言います。信用力が高いほど、債券は低い金利（高い価格）になり、信用力が低いほど高い金利（低い価格）になります。一般的には、信用力の高い国債の金利が一番低く、信用力が低くなるにしたがって投資家が求める金利が上乗せされます。

クレジット戦略

クレジット戦略には大きく2つのアプローチがあります。それは、**ポートフォリオで債券の信用リスク構成をコントロールする手法**と、**個別銘柄の信用リスクを調査して銘柄を選択する手法**です。

信用力が低い債券は、信用力が高い債券よりも高い金利を得られます。その一方で、返済に対する確実性は低下します。債券の信用リスク構成をコントロールする手法は、返済の確実性をある程度確保しつつ、上乗せされた金利の獲得により、高いリターンを獲得する戦略です。

信用力は、全体で見れば景気の影響を強く受けます。景気がよければ企業の業績も安定し、返済能力も高まるからです。逆に、景気がよくない見通しになると将来への返済能力の不安が高まることから、格付けの低い債券ほど価格が不安定になり、下落圧力がかかります。

こういった特徴を利用し、マクロ経済の見通しに基づいて、ポートフォリオにどのような格付けの債券を組み入れるのかを考えます。信用状況が安定しているときは格付けの低い債券を多めに保有し、金利差の獲得を狙います。信用力が改善しそうなときは、格付けの低い債券の構成を高め、逆に低下しそうな場合には構成を引き下げます。

クレジットアナリストによる個別銘柄のクレジット投資

債券を発行する企業の信用力が低下すると、全体としての環境は変わらなくても、その債券の価格だけは固有の要因によって下落します。個別銘柄の信用リスクを調査して銘柄を選択する手法は、信用力の低い債券の中でも、安全性の高い債券を選択して投資することにより、ポートフォリオの安全性を高めながら、高い金利を得る戦略です。クレジットアナリストが、企業の返済能力などを調査して銘柄を選択します。

さらに、格付けが改善される銘柄に投資できれば、債券価格の上昇を見込むことができます。BBBの格付けの債券が、業績や返済能力の改善によって格付けがAに改善すると、国債に対する金利の上乗せ幅（投資家が要求するプレミアム）が低下し、価格は上昇します。信用力が悪化する銘柄を避け、信用力が改善する銘柄を選んでポートフォリオを構成することを目指すものです。

債券投資におけるクレジット戦略のイメージ

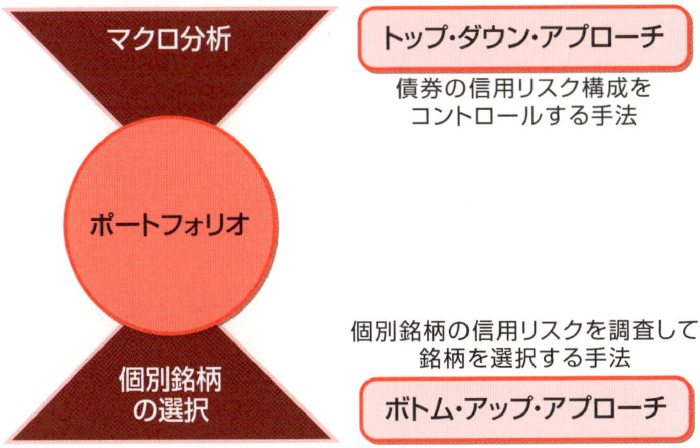

13-8 数量的な運用モデルに従いポートフォリオを運用するクオンツ運用

クオンツ運用は、企業の財務データや金融市場のデータを分析してシステマティックに運用する手法です。

ファンダメンタルズ分析を用いるアプローチは同じ

ファンダメンタルズとは、経済活動の状況を示す基礎的な要因のことで、経済成長率、物価上昇率などのマクロ的な活動を示す経済指標があります。また、個別企業の業績や資産価値などの財務状況もファンダメンタルズと言います。

ファンダメンタルズを用いた分析による投資は、マクロ的見地からはトップ・ダウン・アプローチになり、個別銘柄においてはボトム・アップ・アプローチになります。クオンツ運用は主に個別銘柄の分析をベースに行うことが多いですが、ファンダメンタルズによるデータを用いる点では、アナリストと似ています。

クオンツ運用の特徴

クオンツ運用はシステム運用と呼ばれることもあります。クオンツアナリストの項でも触れましたが、クオンツ運用は、高度な数理計算を駆使して、株式や債券市場の動きやファンダメンタルズのデータを分析して作られた**数量的な運用モデル**に従ってポートフォリオ運用するスタイルを言います。その際に、人による見通しなどの判断を極力排除し、システマティックに運用が行われるのが特徴です。

ポートフォリオ全体を捉えたアプローチ

クオンツ運用においては、個別銘柄1つずつを調べ上げてポートフォリオを構築するような運用はあまり行いません。それよりも、**ポートフォリオ全体としての特性**を出すことによって、投資機会を探るアプローチになります。企業価値から見て割安な銘柄を集める、株価の変動率の低い銘柄を集めるなどにより、ポートフォリオを構築します。

クオンツ運用というと、一般的には**システマティックなアクティブ運用**を指しますが、データを分析してシステマティックに運用するスタイルをより幅広く当てはめると、**パッシブ運用**もクオンツ運用の一部と捉えることもできます。最近注目を浴びている**スマートベータによる運用**もクオンツ運用です。

クオンツ運用の弱みとして指摘されるのは、過去のデータに基づいて運用すること、用いるデータが特定の範囲に限られていることから市場の価格形成に変化が生じるとうまく機能しなくなること、また、市場環境によってはリターンの出方に偏りが生じ、長期間ではリターンが見込めても一時的には思ったようなリターンが得られないことが挙げられます。

これに対し、AIやビッグデータの活用により、クオンツ運用のシステム自らが運用の仕方を市場動向に適応させるような取り組みが現実味を帯びてきています。クオンツ運用の領域はさらなる拡大が見込まれています。

クオンツ運用の流れ

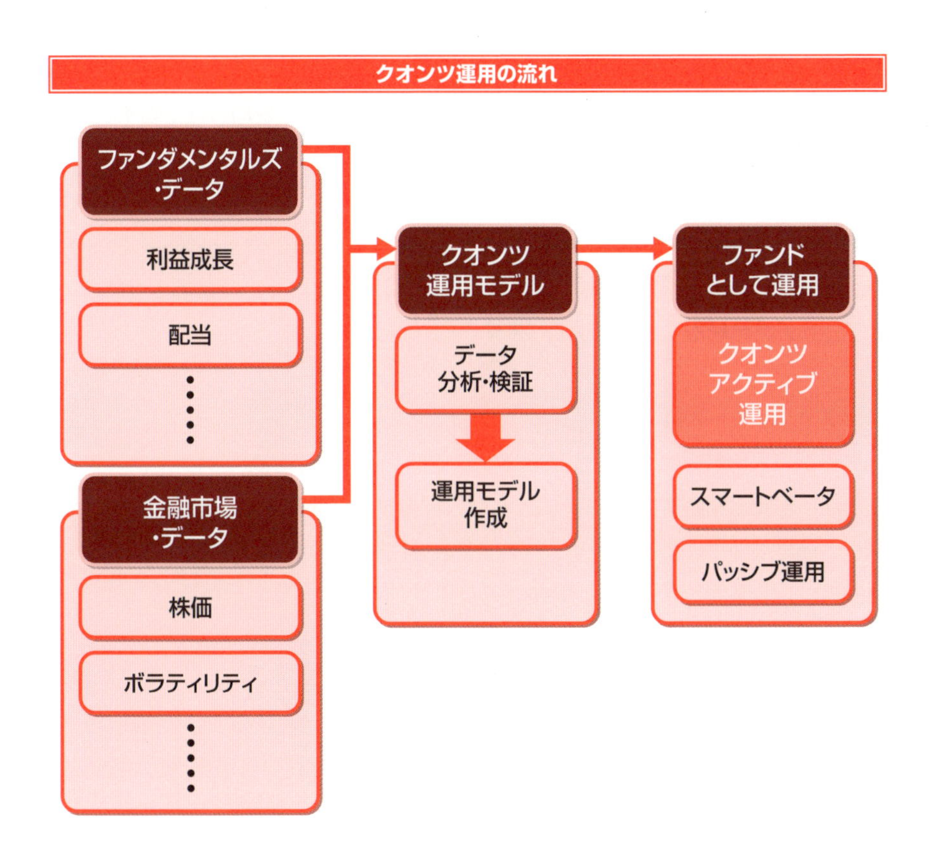

13-9 ヘッジファンドの投資手法

ヘッジファンドは、一般のポートフォリオ運用とは異なる投資手法を用います。市場全体の動きをリターン獲得のベースとしないところに特徴があります。一口にヘッジファンドと言っても、多様な手法があります。

ヘッジファンドの投資手法

ヘッジファンドは、市場の上げ下げの動きに影響されずリターンを獲得することを目指す株式投資を用いたロング・ショートを用いる投資手法が始まりと言われています。その後、多様な手法へと発展しました。アクティブ運用、パッシブ運用は市場の動き（β）に対して超過リターン（α）を求めるかどうかの違いですが、ヘッジファンドは市場の動き（β）の影響を抑えてリターン獲得を狙う点に戦略的な特徴があります。

投資手法にスタンダードな分類基準はなく、ヘッジファンドの調査などによって分類に違いがあります。その中で、ここでは代表的な投資手法として、①ロング・ショート戦略、②イベント・ドリブン戦略、③グローバル・マクロ戦略、④ターン・アラウンド戦略を取り上げて説明します。

ロング・ショート戦略

ヘッジファンドの代名詞とも言える戦略です。業績や株価のモメンタム（勢い）などから**割安と判断すれば買い（ロング）、割高な銘柄を売って（ショート）**、想定通りに価格が修正されることによってリターンの獲得を図る手法です。市場がどちらに動いても影響を受けにくい特徴があります。

イベント・ドリブン戦略

企業のM&Aなどのイベントにおいて、合併比率に収れんすることを前提に、株価の変動時に裁定取引を行います。その他にも、市場を代表する指数の銘柄の見直しが行われるときに、新たに組み入れられる銘柄と除外される銘柄の売買を行うなど、**市場のイベントをリターン獲得の機会**とする手法です。

グローバル・マクロ戦略

世界経済の見通しをもとに、株式や債券など**多様な投資資産を対象に取引**を行う手法です。この手法はロング・ショート戦略のように市場変動のリスクを抑えていないので、リターンの振れ幅は大きくなる傾向があります。リスクを抑えるためよりは、投資分散としての選択肢の1つとして位置付けられることが多い手法です。

ターン・アラウンド戦略

信用リスクに比べて割安な銘柄に投資する戦略です。破産しそうな企業や国の株式、不動産などを極端に安く買い、その後の改善などでリターンを得る、ハゲタカファンドと呼ばれるものも、この手法に含まれます。

このほかにも、世界中の投資対象の相関関係を定量的に分析して先物中心に取引を行うマネージド・フューチャーと呼ばれる戦略、また、これらの複数の戦略を1つのファンドにしたマルチ・ストラテジーという戦略もあります。

代表的なヘッジファンドの投資手法

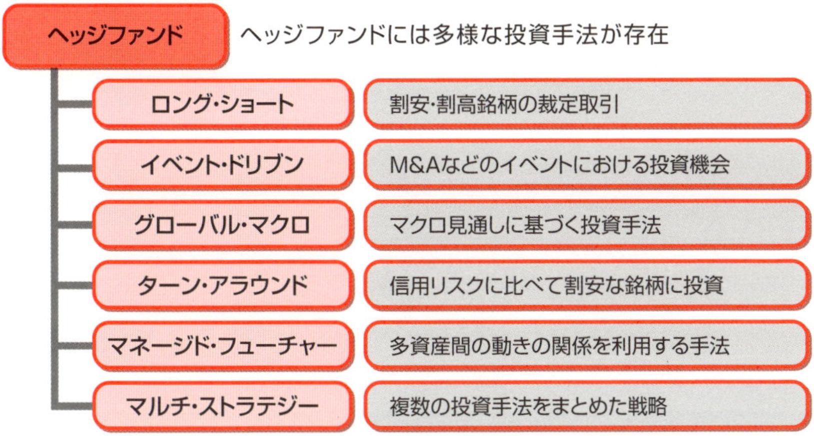

ヘッジファンド　ヘッジファンドには多様な投資手法が存在

ロング・ショート	割安・割高銘柄の裁定取引
イベント・ドリブン	M&Aなどのイベントにおける投資機会
グローバル・マクロ	マクロ見通しに基づく投資手法
ターン・アラウンド	信用リスクに比べて割安な銘柄に投資
マネージド・フューチャー	多資産間の動きの関係を利用する手法
マルチ・ストラテジー	複数の投資手法をまとめた戦略

パッシブ運用の選択において大切な運用目標の指数

パッシブ運用は、市場を代表する特定の指数を運用目標にして、その指数との連動性を目指すことにより、市場の動きと同じリターンを投資家に提供するものです。日本株式においては日経平均株価指数やTOPIX（東証株価指数）が代表格です。

日本の株式の場合にはわかりやすいのですが、海外の資産や馴染みの少ない新興国の資産の場合には、目標とする指数がどういったものか理解しづらいので注意が必要です。

たとえば、新興国の債券においても、各国の現地通貨で発行された債券を指数化しているものと、米ドルで発行された債券の指数があります。発行する通貨の違いに影響を受けるのはもちろんですが、新興国が自国通貨で発行できる債券は信用力が高い証拠であり、ある程度限られています。また、米ドルで発行される債券は、発行しやすい反面、米国の金利動向などの影響を強く受けます。これらを背景に、同じ新興国の債券でもリターンの推移にはかなりの違いがあります。

より身近なものとしては、アジアの債券に投資する場合でも、中国を多く含んでいるものもあれば、そうでない指数もあります。目標とする指数によってリターンはかなり違ってきます。

近年は、パッシブ運用の精度は格段に高まっています。投資家は、運用の手法やその精度について注目しがちですが、どの指数を目標とするのかによって投資家が手にするリターンには大きな差が生じることには注意が必要です。

第14章

複数の資産を組み入れるポートフォリオ

　ポートフォリオには、株式など単一資産で運用するものもあれば、複数資産を組み合わせて運用するものもあります。複数資産を運用する場合には、ポートフォリオにおける各資産の配分をどのように行うのかによって運用スタイルの違いがあります。

　この章では、複数の資産を組み合わせるポートフォリオの資産配分について、パッシブ型とアクティブ型の運用それぞれにおける代表的な投資手法をお話しします。

14-1
複数の資産を組み入れる運用

複数の資産を組み合わせた運用にも、パッシブ型とアクティブ型のポートフォリオがあります。

資産の組み合わせ

私たちがポートフォリオと呼ぶ際には、株式や債券などの単一資産を1つのポートフォリオとして扱う場合もあれば、それらの資産を複数組み合わせたものを指す場合もあります。

単一資産のポートフォリオとの使い分けをするために、複数の資産を組み合わせる場合には**資産配分**と呼ぶことがあります。単一資産の場合には、その市場の動きを捉えるために銘柄を選んでポートフォリオを作りますが、複数の資産を組み入れる場合においても、現代ポートフォリオ理論の考え方をベースにリスクリターンの観点から投資効率の高い資産の組み合わせを行います。一般的には運用において何らかのリスク制約がある場合が多いので、受け入れられるリスクの範囲内で一番リターンの高い組み合わせを選ぶことになります。

複数資産を組み入れるポートフォリオのアクティブ運用とパッシブ運用

単一資産の運用では、パッシブ運用は市場と同じリターンの確保を目指し、アクティブ運用ではより高いリターンを得ようとします。複数資産を組み入れた運用では単一資産のようなパッシブ運用、アクティブ運用の明確な定義はありませんが、**資産の配分を固定的なもの**として運用するものを**パッシブ型**、**配分を積極的に見直し変化させる**ことによってリターンを高めようとするものを**アクティブ型**と分類することができます。

さらに細かく見れば、組み入れる個々の資産の運用についてもパッシブ運用かアクティブ運用の違いがあります。つまり、複数の資産を組み合わせるポートフォリオをパッシブ運用とアクティブ運用として捉える場合には、資産配分ではどうか、組み入れる各資産の運用ではどうなのか2つの側面を見る必要があります。たとえば、資産配分は固定的で各資産の運用もパッシブ型の組み合わせがある一方で、資産配分を変動させるとともに各資産でもアクティブ運用により両面で高いリターンを目指す組み合わせもあります。大別すると、資産の配分においてアクティブ型とパッシブ型の2パターン、そして、各資産の運用においても同様に2パターンがあり、これらを掛け合わせると4通りのパターンに示すことができます。

ただし、一般的には、各資産における超過リターンの獲得よりも、リスクリターン特性が異なる資産配分がポートフォリオ全体のリターンに与える影響のほうが大きいと言われています。この章では、資産配分の運用に焦点を当てて見ていきます。

資産配分の提供

運用ビジネスの現場においては、顧客のお金を運用するにあたって、資産配分はアドバイスしながら株式などの個別資産では投資信託などの金融商品に投資するケースもあれば、資産配分と各組み入れ資産を1つのパッケージとして投資信託やラップアカウントとして金融商品化するケースもあります。より細かい運用を志向する顧客に対しては前者のケースが多く、一方で、お金全体の運用を1つの金融商品として手軽に利用したい意向の顧客に対しては後者を提供するケースが多いです。

資産配分と各資産の運用の組み合わせ例

資産配分	各資産の運用	リターン追求
パッシブ型（配分固定）	パッシブ運用	低コスト運用を優先
	アクティブ運用	個別資産で超過リターン追求
アクティブ型（配分可変）	パッシブ運用	資産配分でリターン追求
	アクティブ運用	すべての面でリターン追求

14-2 複数の資産を固定的な割合で組み入れるパッシブ型の運用

複数の資産を組み入れるパッシブ運用は、投資効率の高い資産配分を選択し、定期的にリバランスを行うことにより、安定的な運用を目指します。

パッシブ型の資産配分

複数資産を組み入れるパッシブ型運用での資産配分は、現代ポートフォリオ理論の考えによる**投資効率の高い組み合わせ**をベースに、配分割合を固定的に運用します。後述する、配分の再調整（リバランス）を行う必要はありますが、当初に目的に適った配分を決めれば、その後の運用にはそれほど大きな負荷はかかりません。資産配分でパッシブ型の運用を行う場合には、個々の資産についてもパッシブ運用を組み入れることが多いです。それは、資産配分も各組み入れ資産もパッシブ運用であれば、シンプルで費用も低く抑えられるからです。個人向けのロボアドバイザーで提供されるポートフォリオはその典型例です。

ポートフォリオは、どの資産を選択するのかによって形が決まり、リスク、期待できるリターンや投資効率が定まります。特にパッシブ運用の場合、市場の動きにリターンが委ねられるので、資産の選択、**魅力ある資産を組み入れる**ことは重要です。国内外の株式と債券を組み入れることが一般的ですが、近年は、リート、新興国といった対象も選択肢に加えることが当たり前になりました。

ポートフォリオを当初の構成割合に調整するリバランス

時価で評価したポートフォリオは、各資産の市場価格の動きによって構成割合が変化します。たとえば、株式を4割、債券を6割としたポートフォリオを作成しても、その後に株式が大きく上昇すると、株式と債券が5割ずつの構成になることがあります。市場価格の動きによって、当初の設定よりも歪んだ構成割合になったポートフォリオをもとの状態に戻すことを**リバランス**と言います。上記の例では、上昇した株式を売却して債券に投資することにより、当初の構成割合である株式4

割、債券6割の水準に戻すことです。

市場の動きの特性として、価格は一時的には行きすぎを示し、その後、平均に回帰する傾向が見られます。上昇した資産を売って下落した資産を買うことは、市場の短期的な動きの特性を捉えてリターンに寄与する可能性も期待できます。複数資産を組み入れるパッシブ運用では、月次や四半期の頻度でリバランスを行うポートフォリオのメンテナンスによって安定的な運用を行います。ポートフォリオを常に同じ構成割合にすることは、リスクとリターンの特性を維持することになります。

配分を均等分割で固定したポートフォリオとは

投資信託でよく見るものに、資産を均等に分割して、その割合で固定的に運用しているものがあります。たとえば、日本の債券と外国の債券、日本の株式と外国の株式といった4資産を1/4ずつ均等に配分するとか、それらに国内外の新興国とリートも加えて8資産に1/8ずつ均等配分するものです。円形のピザを4分割、8分割にしていろいろなトッピングを施しているイメージです。これはポートフォリオ理論に基づいた効率的な資産配分ではありませんが、何にどれくらい投資をしているのかについての**わかりやすさを優先**したものになります。

ポートフォリオのリバランスのイメージ

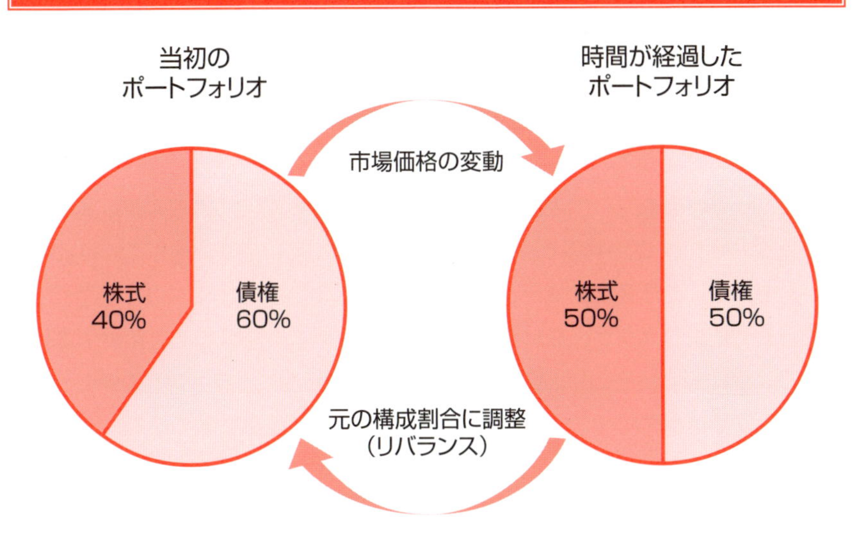

14-3 ライフサイクルに則して資産配分を変動させるターゲット・デート・ファンド

複数の資産配分を行う戦略の中で、主に個人が長期投資をするために提供されているものとしてターゲット・デート・ファンドがあります。

ターゲット・デート・ファンドは年齢に応じて資産配分を変化

ターゲット・デート・ファンドとは、組み入れる資産の配分を市場の動きに応じて変動させるのではなく、数十年という長期にわたって、年齢に応じて緩やかに変化させていくものです。ターゲット・イヤー・ファンドと呼ぶこともあります。個人の長期目線での資産形成を考えるにあたって、シニア世代である60歳などの年齢をターゲットに置き、その時点に向けて、年齢に応じたリスク許容度を考慮して組み入れ、資産の配分を調整することを目的としたものです。

ライフサイクルにおけるリスク許容度がベース

これは、個人が受け入れられるリスクの大きさ（リスク許容度）は若いときは高く、年齢とともに低下していくという**ライフサイクル**をベースにしています。若いうちは投資において大きなリスクを取ることができます。それは、投資した資産は短期では価格の変動があっても、長期に投資すれば期待されるリターンを実現する可能性が高くなるからです。また、若い時期であれば、働くことなどにより自分が収入を得ることができるので、投資における多少の損失があってもそれを取り返すことができます。こういった考えを背景に、若い時期には、リスクは高いけれど収益性も高い株式を中心に組み入れた運用が適しています。そして、年齢が進むとともにリスク許容度は低下していくので株式の割合を徐々に引き下げて、債券など相対的にリスクが小さい資産の組み入れを高めていきます。**年齢に応じて適している資産配分**を、投資家が自分で調整することなく、**ファンドの中にその機能を持たせている**のが、ターゲット・デート・ファンドになります。

長期投資を前提とした確定拠出年金のコンセプトにフィット

この機能を有したファンドを長期間にわたり継続的に保有することは、シニア世代への準備として長期の資産形成を目指す**確定拠出年金の運用コンセプトにフィット**しています。そのため、確定拠出年金向けに採用されることが多いです。

米国では、日本の確定拠出年金の機能に近いIRA（個人退職勘定）などにおいて、自ら資産配分を選択しない加入者が自動的に選択する**デフォルト商品**として用いられることが多いです。日本においても、確定拠出年金の加入者が投資商品を選択せずに預金の形でお金をプールしている割合が高いことが課題となっており、デフォルト商品として採用する動きが増えています。

組み入れ対象資産としては伝統資産を中心にしたものが多いですが、リートなどを加えるケースも増えています。また、資産配分や組み入れファンドにはアクティブ型とパッシブ型運用の双方がありますが、長期投資を前提としているため運用コストが抑えられるパッシブ型が主流です。

ターゲット・デート・ファンドにおける年齢と資産配分のイメージ

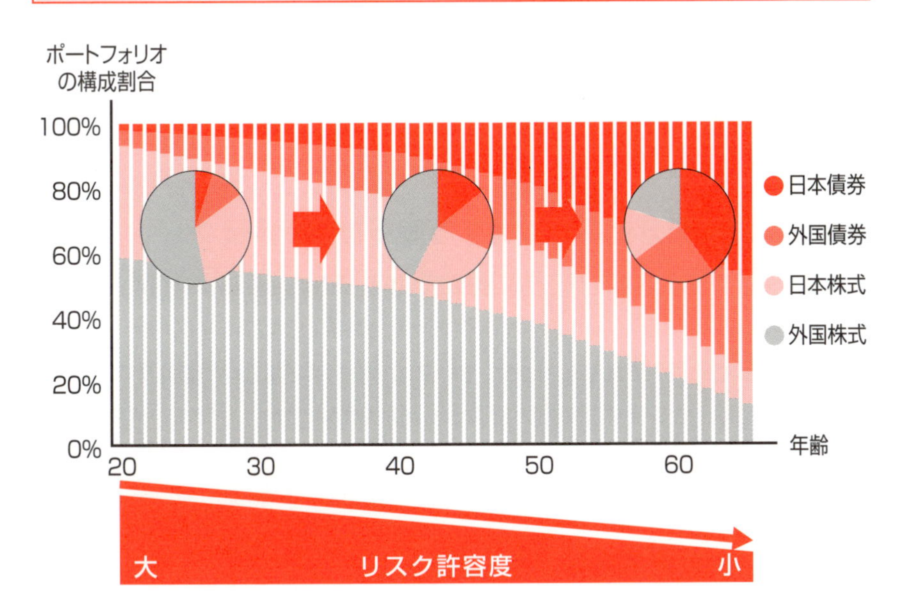

14-4 市場環境において資産配分を変動させるタクティカル・アセット・アロケーション

タクティカル・アセット・アロケーションは、複数の資産に投資しながら、短期的な市場の動向に応じて、魅力ある資産の構成割合を増やすなど、戦略的な資産配分を行うアクティブ運用です。

タクティカル・アセット・アロケーションと分散投資の違い

複数の資産に投資をする場合には、現代ポートフォリオ理論の考えに基づいた最適な資産配分による運用を行うのが一般的な考え方です。その場合には、各資産の配分比率をあらかじめ定めて運用を行います。市場の動きによって各資産の構成割合に変化が生じたときも、一定期間でリバランスを行うことにより、当初の配分比率に戻す調整を行います。

それに対して、タクティカル・アセット・アロケーション（TAA）は、**資産配分の比率を機動的、戦略的に変更する運用**を行う投資手法です。長期ではなく、数か月や1年などといった短期の戦略において、魅力ある資産に配分を高めることで、より高いリターンの獲得を目指すものです。

短期的に資産配分比率を変更する運用を行う背景

資産配分を変更する運用を行う背景には、各資産の市場価格は、短期的には情報を正しく織り込んでいないことがあります。長期的には各資産に期待されるリターンが得られる可能性が高いとしても、数か月や1年といった短期間であれば、市場環境や需給、センチメントなどによって資産価格は変動しやすく、資産間の価格にも歪みが生じやすいからです。

その動きを投資機会として捉え、市場の動向を予想し、**短期の資産配分戦略**で上昇しそうな資産や割安な資産に重点的に配分することで高いリターンを得ることができるという考え方です。

タクティカル・アセット・アロケーションの運用

具体的には、債券や株式などの投資資産について、債券の利回りや株式の魅力度などのファンダメンタル指標などで統計的に比較・分析し、どの資産が割安か割高かを判断します。中には、価格変動リスクの少ない預金のような短期金融商品も対象に含め、先行きの見通しが悲観的な場合には短期金融商品の割合を高めるといった、より積極的な運用を行う場合もあります。

また、これは一国の資産における運用だけではなく、海外の資産を対象にも行われます。ここで説明したのは基本的な考え方ですが、今では、代替（オルタナティブ）資産も含めた幅広い資産を対象に、様々なタイプの資産配分戦略による運用が行われています。

タクティカル・アセット・アロケーションの運用イメージ

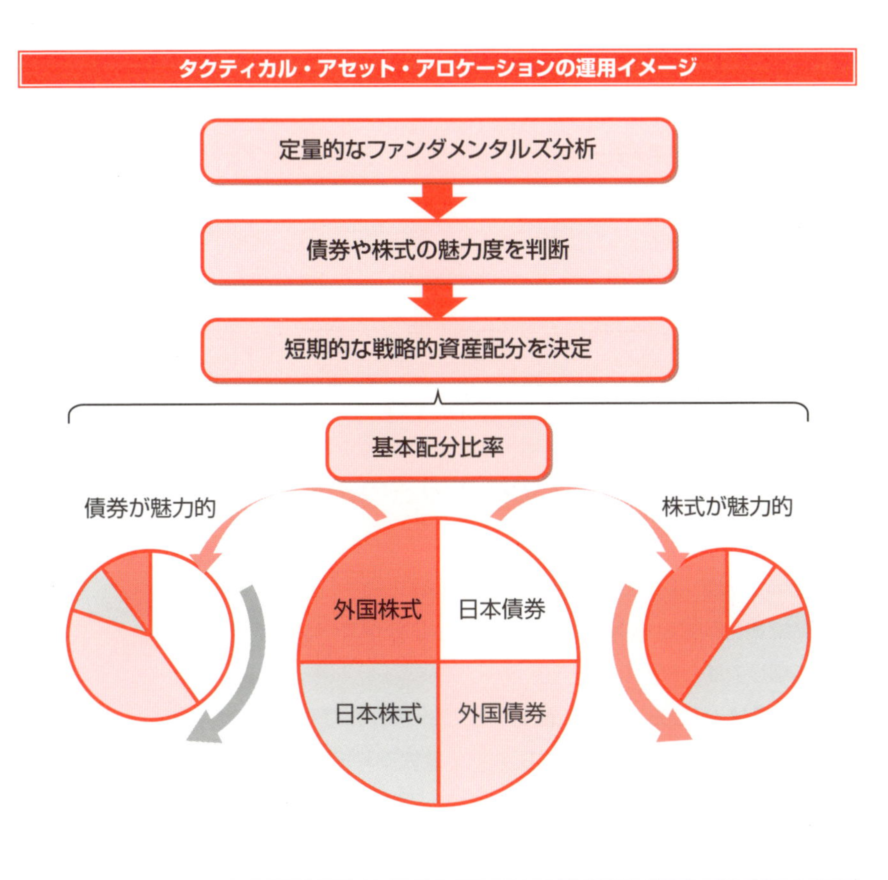

14-5 リスクの影響を均等に配分するリスクパリティ戦略

リスクパリティ戦略は、投資する資産がポートフォリオに与えるリスクの大きさを均等にする戦略です。リスクを抑制する投資手法として、従来のリスクリターンによるポートフォリオに加えて、年金などで利用されています。

リスクパリティ戦略の考え方

一般的な資産配分は、期待リターンとリスクを用いて、現代ポートフォリオ理論に基づいた最適資産配分により行います。それに対して、リスクパリティ戦略は、ポートフォリオ全体に占める株式や債券、コモディティなど**各資産のリスクの割合が均等**になるように保有することです。それにより、リスクを分散（低減）し、運用リスクを管理することを重視した投資手法を言います。

定量的な数値に基づいて配分を決定するものであり、積極的にリターンを獲得するよりもリスクをコントロールすることを目的に、市場の動きに合わせた運用を目指す点では、パッシブ運用の考えに近い投資手法です。

これは、多くの資産を組み入れて運用する場合や、リスクの抑制を重視する年金などの機関投資家の間で広く採用されています。

具体的なポートフォリオの構成方法のイメージ

簡単な例を用いて、ポートフォリオにおける資産配分を行ってみましょう。

株式のリスク：20%、債券のリスク5%

この場合、株式と債券がポートフォリオに及ぼすリスクを均等にすると、以下の配分になります。

・**株式の配分：20%、債券の配分：80%**

各資産のリスクの大きさの逆数（株式：1／20%＝5、債券：1／5%＝20）を用いて加重平均したものがリスクパリティの配分になります。

・**株式の配分：20%＝5／（5+20)、債券の配分：80%=20／（5+20)**

これにより、株式と債券がポートフォリオに影響するリスクの大きさは同じ（均等）になります。

リスクパリティ戦略の特徴と課題

リスクパリティ戦略はリスクリターンと相関をベースに資産配分を決定するのではなく、**資産のリスク寄与度が均等になるように調整**してポートフォリオを作るため、価格変動リスクが高い株式の配分は低く、債券など価格変動が相対的に小さい資産への配分が大きくなります。これはリスクを抑制する一方で、長期で期待できるリターンは抑えられます。

また、市場の価格変動の大きさをもとに資産配分を決めるため、株式の価格変動が小さいときには株式の配分が大きくなり、その後に急激に株式の価格変動が大きくなると株式の配分を後追いで引き下げるといった、市場追随型の運用になるという課題もあります。リーマンショック時には、この動きが加速して市場の下落を強めたと言われています。

リスクパリティ戦略のポートフォリオの作成イメージ

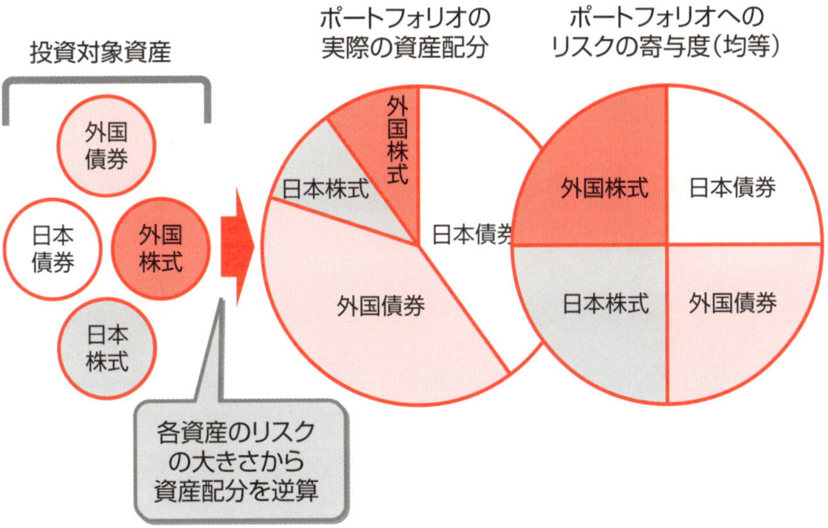

複雑な運用ほどコストもかかる

金融商品の費用が高くなるケースは主に2つあります。それは、①複雑な仕組みや機能を用いた運用、そして、②運用する側に多くを任せる運用です。

パッシブ運用の投資信託は、アクティブ運用よりも低い費用で運用ができます。それは、調査などにかかる費用を抑えることができるからです。この考えが基本です。そのため、何か余分なものを金融商品に求めると、それだけ費用がかさみます。

複雑な仕組みや機能を用いた運用は、たとえば、一時期に人気があった、債券の投資信託に高金利の通貨を組み合わせたものがあります。これは、高い金利の獲得を目指すために、リターンの源泉として債券と高金利通貨の2つを組み合わせたものです。家にたとえれば、シンプルな建て売り住宅ではなく、特別な吹き抜けのある注文住宅にしたようなものです。機能性は高まりますが、費用もかさみます。

運用する側に多くを求めることは、たとえば、ラップアカウントによる運用があります。ラップアカウントは、お金のすべてを任せて運用を行ってもらうものです。運用の方法から投資対象や投資商品の選択までをすべて任せるので、相応の費用がかかります。すべてをお任せできることは大変に便利なことではあるのですが、その便利さと引き換えに費用を支払うことになります。

わかりやすくするために簡単な例を示しましょう。運用する部分にかかる費用が一定だとしたら、100あるお金のすべてを任せて債券を中心に2%のリターンを求めるのと、100のうちの40のお金で株式を中心に5%のリターンを目指すのは、期待リターンはいずれも2になります。このとき、100にかかる費用よりは40にかかる費用のほうが低くて済みます。このようなイメージです。実際にはもっと複雑ですが、多くを任せるほどお金はかかります。

家を他人に貸す場合にも、不動産屋にすべてを任せればたくさんの費用がかかりますが、掃除などを自分で行えば、それだけ安く済ませられるのと同じです。費用はそのままリターンを蝕むので、低く抑えるように意識することが大切です。

第15章

新たに注目されている投資手法

　最近は、アクティブ運用、パッシブ運用の区別とは違った切り口による投資手法が注目されています。
　この章では、アクティブ運用とパッシブ運用の特徴を併せ持つスマートベータと、環境（Environment）、社会（Social）、企業統治（Governance）に配慮した投資手法であるESG投資を取り上げます。

15-1 スマートベータの特徴

市場の動きを捉える指数として、従来の時価総額加重平均型ではなく、財務指標や株価の変動率などの特徴を指数化したスマートベータが注目を浴びています。

スマートベータとは

運用において一般的に用いられる指数は、日経平均株価指数やニューヨークダウ指数など株価を単純に平均した指数を除けば、多くは時価総額加重型で構成されています。時価総額加重型とは、対象とする銘柄を金融市場における時価総額の大きさに応じてウェイト付けした指数です。

たとえばソフトバンクとソニーの時価総額に5倍の開きがあれば、ソフトバンクの株価の動きはソニーの動きに対して5倍の影響があることになります。金融市場で時価総額が大きい銘柄の動きが指数に与える影響が大きいことになります。

これに対して、スマートベータ指数がここ数年で増加し、注目されています。明確な定義はありませんが、**スマートベータ**とは、従来の時価総額加重型のように市場全体の平均や値動きを示す指数ではなく、財務指標（売上高や利益、配当金）や株価の変動率など**特定の要素に着目して銘柄を組み入れる指数**を言います。

たとえば、ROE（株主資本利益率）に着目したJPX日経400指数があります。組み入れる銘柄が違うのですから、市場の代表的な指数とは異なるリスク・リターンの特性を有する指数になります。

ポートフォリオの特徴を示すファクターとスマートベータ

スマートベータが着目する財務指標や株価の変動率などは、ポートフォリオの特徴を示す**ファクター**と呼ばれるものです。個別銘柄の中には共通した特徴を持つものがあり、その共通性を使ってポートフォリオを説明するのがファクターの考え方です。身近な例に置き換えると、日本全体の平均と比べて沖縄の人は豚肉の消費量や海藻の摂取量が多いなどのように特徴を捉えるものです。

個別銘柄であれば、株価が市場との連動性（β）とは違う動きをする部分を固有の特徴（α）として捉えますが、ポートフォリオ固有の特徴をファクターとして分解し、どのファクターがリターンに影響を与えているのかをポートフォリオの分析に用いるのです。

全国の平均寿命に比べて沖縄県民の寿命が長いのはどうしてなのか、食生活の特徴をピックアップして、その傾向と平均寿命の影響を考えるようなものです。

リターンに影響するファクターには様々なものがあります。代表的なものとして業種、企業規模（大型株や小型株）、割安度など20程度が一般的に使われています。ファクターを用いることで、ポートフォリオと市場全体のリターンの違いについて、特定のファクターの偏りがどのように影響したのかなどを分析することができます。

そして、これらのファクターの中には、幅広い研究により、中長期的に市場のリターンを上回る可能性が高いものがあるとされています。「**バリュー**」、「**サイズ**」、「**モメンタム**」、「**ボラティリティ**」、「**クオリティ**」などが該当します。

沖縄県民の平均寿命が長いのは、県民の消費量が多い豚肉に含まれているビタミンBの十分な摂取がプラスの効果を示していると結びつけるようなものです。

ファクターとスマートベータ

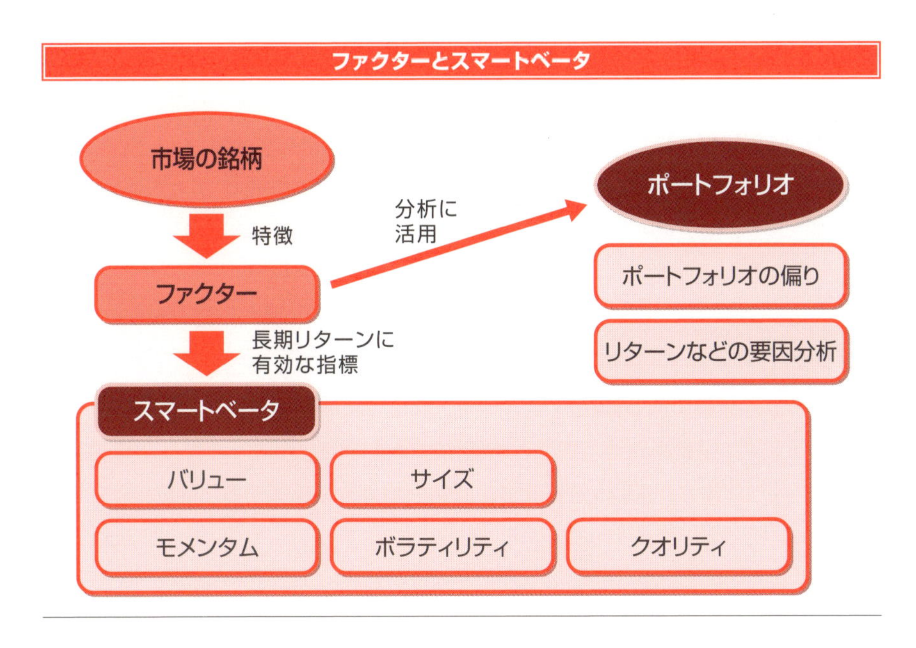

15-2 スマートベータの代表的な指数

中長期的に市場のリターンを上回る可能性が高い代表的なファクターを用いたスマートベータとして、主に5つの指数があります。

スマートベータの代表的な指数

スマートベータに用いられる、中長期的に市場のリターンを上回る可能性が高い代表的なファクターとして「バリュー」、「サイズ」、「モメンタム」、「ボラティリティ」、「クオリティ」があります。それぞれに特徴があり、リターン獲得の効果を発揮するとされる環境にも違いがあります。

バリュー

企業価値に対する株価が**割安とされる銘柄**を指します。指標としてはPBR（株価純資産倍率）が代表格です。景気回復局面に有効です。

サイズ

企業の時価総額を指します。サイズが小さい中小型株式は、相対的に高いリターンが得られやすいとされます。アナリストが十分に調査できないために投資機会が見逃されている、規模が小さくて投資できないなどから市場における評価が低くなっているなどの理由によります。景気回復局面に有効です。

モメンタム

株価が上昇基調にある銘柄はその傾向が続く可能性が高く、リターンを得やすいとされます。投資家もそういう銘柄を評価する傾向が強いことから、株価に上昇バイアスがかかりやすいとされます。景気が持続的に拡大する局面に有効です。

ボラティリティ

価格変動を指します。価格変動の小さい銘柄群は、低いリスクでリターンを獲得できる可能性が高いとされます。最小分散投資という形で、年金などにおいてよく利用されます。株価下落、景気後退局面に有効です。

クオリティ

ROE（株主資本利益率）など財務状況の健全度を指します。財務が健全な企業はより高いリターンを得る可能性があるとされます。景気後退局面に有効です。

スマートベータの活用法

スマートベータは、長期投資でリターンを獲得する手法として、投資信託や年金向けの商品として提供されています。また、年金のポートフォリオにおける活用として、①ポートフォリオ全体の**分散投資の一対象**としての利用、②ポートフォリオ全体の**リスクコントロールの精度を向上**するために利用、③**アクティブ運用の代替手段**としてポートフォリオに組み入れるなどにより用いられます。

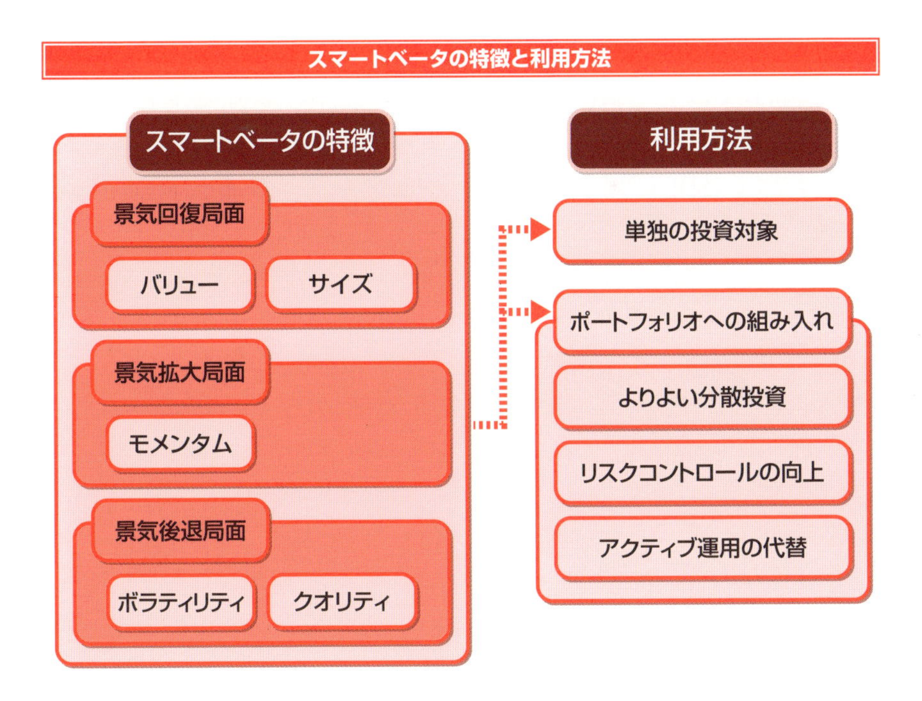

15-3 アクティブ運用とパッシブ運用の隙間を埋めるスマートベータ

スマートベータは、アクティブ運用とパッシブ運用の中間に位置する特徴を有しています。

スマートベータはアクティブ運用とパッシブ運用の隙間を埋める役割

スマートベータにおいて着目されるファクターである、高い配当や高いROEの銘柄を選ぶことは決して目新しいアプローチではなく、今までもアクティブ運用における投資手法の1つとして用いられてきたものです。それは、市場を上回るリターンを得られる可能性が高い切り口として従来から認識されてきたからです。

情報開示が進み、分析やデータの扱いに進展が見られる中で、こういった特徴の銘柄を選別して**定量的に指数化**することが容易になり、システマティックな運用に利用可能なものとして定着してきたのです。

こういった指数の運営ルールが公表されて透明性が確保され、どのように指数を作り上げればよいのか再現性が保たれるようになると、その指数に連動する比較的低コストの**パッシブファンド（インデックスファンド）**や**ETF**が作られるようになりました。これは、見方によっては、それまでアクティブ運用による収益獲得の源泉としていた領域にパッシブ運用が入り込んできたという見方もできます。

ただ、スマートベータ指数は公表されたデータなどの情報に基づいて割安度やROEの水準を判断するものであり、アクティブ運用が目指す、市場が価格に反映していない投資機会のすべてを補えるものではありません。

また、組み入れ銘柄や比率を機械的に決める点ではパッシブ運用に似ていますが、スマートベータ指数が対象とする銘柄は市場全体よりも少ないことから、構成銘柄の入れ替え（リバランス）の割合はパッシブ運用よりも高くなる傾向があります。

このように、スマートベータによる運用は、**アクティブ運用とパッシブ運用の両方の特徴を有した指数**と捉えればよいでしょう。

利用が進むとともに、指数も広がりを見せる

　日本では、GPIF（年金積立金管理運用独立行政法人）が2014年に株式投資の基準の1つとして日本株式の高ROE銘柄を指数化したJPX日経400指数の採用を始めたことにより、スマートベータによる指数が一躍注目を浴びるようになりました。その後、GPIFはESG投資に関する株式指数を採用するなど、従来の市場全体の指数に基づいた運用を補完するスタイルとして、スマートベータの活用は広がりを見せています。

　個人においては年金のように認知されてはいませんが、個人投資家向けの投資信託においても、スマートベータを用いたファンドやETFの設定が増えてきています。

　指数としても、代表的ファクターによるものだけでなく、女性活躍指数のように特徴を切り出したものに広がりを見せています。また、幅広く誰でも投資できるものだけでなく、特定顧客層のニーズにカスタマイズした指数も作られるなど利用が進んでいます。

スマートベータの特徴

	パッシブ	スマートベータ	アクティブ
コスト	低い	やや低い	高い
リバランスの割合	低い	やや低い	高い
市場との乖離	なし	あり	あり
リターンの透明性	あり	あり	なし

15-4
ESGとESG投資

ESGとは、環境（E）、社会（S）、ガバナンス（G）を指します。近年、このESGを重視した投資が注目を集め、拡大しています。

ESGとは持続可能な社会において考慮すべき要素

本書を最初に著した2019年時点ではESGは話題に上り始めたばかりでしたが、今では投資の世界において当たり前の言葉になりました。ESGとは、環境（Environment）、社会（Social）、ガバナンス（Governance）の頭文字を取ったものであり、**持続可能な社会において考慮すべき要素**を示しています。

具体的には、たとえば環境では二酸化炭素排出量の削減や再生可能エネルギーの利用向上、社会ではダイバーシティなどの課題が掲げられています。これらの課題は固定的ではなく変化しうるものですが、私たちは社会との共生を進めるにあたって課題に向き合うことが求められています。そして、企業の長期的な成長においても、これらの視点を持って長期的な事業機会を捉える必要があるとの考え方が、急速に世界的に根付きつつあります。身近な例として自動車メーカーが相次いで電気自動車へのシフトを謳っていますが、これもその表れの1つです。

企業のESGに関する取り組みを投資判断において考慮するESG投資

ESG投資とは、文字通り**ESGを考慮した投資**を行うことです。ESGという枠組みを通じて、企業や投資対象において持続的な成長が図られているのか評価・分析して、投資判断に反映させます。

実際にESG投資を考えるにおいては、**非財務情報**への注目が挙げられます。企業の経営状態を確認するには、損益計算書や貸借対照表など決算報告における財務情報が中心でした。しかし、これだけでは環境や社会への取り組みといったESGに関する情報は十分に把握できません。財務情報には表れにくい、持続可能な社会との共生を視野に入れ、長期的な事業機会を捉える企業の取り組みにつながる非財務情報も、しっかりと汲み取ることが大切になってきます。よりよい取り組みを行っている会社であれば、必然的にそれが将来の経営状況に反映されてくるわけですから、非財務情報は潜在的な将来の財務情報として結びつけることができます。

　これはまったく目新しいことをしているわけではありません。これまでもガバナンスは注目が高いものでした。企業の経営がしっかりしていることは、経営目標を実現するうえで重要であるため、ガバナンスの良し悪しは投資を判断するうえで重視されてきました。そこに環境、社会が加わり、全体として持続可能性という枠組みで企業活動を捉えるようになったものと理解すべきでしょう。

ESGによる受託者責任のさらなる高まり

　アセットマネジメントに携わる私たちは、加入者に対して、最良のリターンを提供することが大きな使命です。そのリターンの提供において、持続的な社会を実現するためにESGの要素を考慮することが広がっています。これは言い換えれば、直接的な顧客への受託者責任から、社会に対する責任へとワンステージ高まったものと言えます。

財務情報と非財務情報の関係

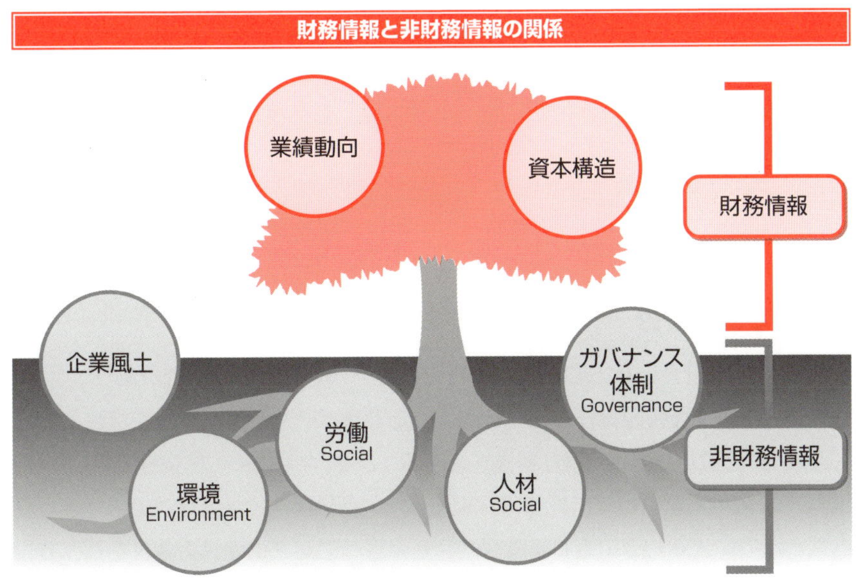

投資の時間軸が長引くほど非財務情報の重要性が高まる

三菱UFJ信託銀行「責任投資報告書2020」P.28より
https://www.tr.mufg.jp/houjin/jutaku/pdf/full_report.pdf

15-5 国連責任投資原則とESG投資の広がり

ESG投資の広がりには、国連責任投資原則の提唱とそれに対する賛同の動きが大きな役割を果たしています。

ESG投資が注目され始めた背景

ESGは、企業にとって長期的に見てその存在価値を左右するものであり、社会と共生していくうえでの課題でもあります。環境や社会的な課題に配慮しない会社、規律や規範を重んじない会社は長期的視野に立てば企業価値を高めていくことは難しいでしょう。ESGとは現代社会において企業に求められる課題です。

エネルギー大手エンロンの破綻やリーマン・ショックなど、業績拡大を優先する企業行動が不正会計や金融危機の一因になったとの反省から、企業の業績や財務情報では、企業経営の持続可能性を判断するには不十分だとの問題意識が起こりました。ESGなど財務情報には表れない情報（非財務情報）を重視することが企業の長期的な価値を高め、持続的成長につながるとの考えが背景にあります。

これらを推進すべく、国連支援のもと、2006年に**PRI（国連責任投資原則）**として、機関投資家の運用においてもESGの考えを受託者責任として反映させるべきと提唱されました。これを受け、財務情報には表れにくいESGの要素を考慮に入れる手法としてESG投資が注目されています。責任投資、持続可能な投資とも呼びますが、意味するところは同じです。

SRIとESG投資

資産運用の世界において、ESG投資の考え方は目新しいものではありません。従来から**SRI（社会的責任投資）**の考えがあります。これは、企業に社会的責任（CSR）に配慮した持続可能な経営を求めることで、キリスト教的倫理の観点から、武器、ギャンブル、タバコなどに関わる企業へは投資しないとの考えから始まったと言われています。その後、環境など社会問題への対応に優れた企業を選んで投資する考えに発展しました。その点では、ESG投資にはSRIの考えが受け継がれています。

一方、SRIは特別なアプローチによる投資手法と見る向きもありました。それに対して、企業による環境や社会的課題への取り組み、ガバナンスへの対応になるとほとんどの企業が対象となり、資産運用において当たり前にESGを考慮する手法として扱われるようになってきました。今では、企業の長期的な成長のためにはESGの観点が必要という考えが急速に根付いています。

国連責任投資原則への署名が大きなうねりに

ESG投資の進展を支える活動の1つが国連責任投資原則です。年金基金などのアセットオーナーや運用会社が、ESG投資に取り組むことを自主的に署名し参加を表明しています。世界の年金基金や運用会社による署名数は4,000を超え、世界のESG投資の資産は35兆ドルを超える規模に達すると報告されています。

受託者責任が強く求められる年金運用の世界では、投資対象においてESGを考慮するとともに、スチュワードシップ・コードにおける投資先企業とのエンゲージメントや議決権行使を通じたESGへの働きかけが強く意識されています。

国連責任投資原則への署名とESG投資

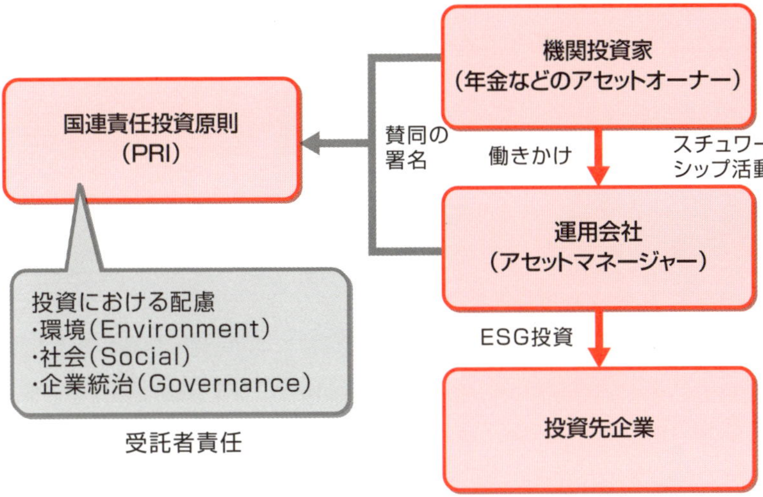

15-6 ESG投資の種類

ESG投資には様々な投資手法があります。そこに共通する目的は、ESGを考慮した投資を通じて、社会的課題に貢献する企業を支援し、育んでいくことです。

ESG投資手法の種類

ESG投資は、アクティブ運用、パッシブ運用のいずれにおいても取り入れることができるものです。ここでは、ESG投資の統計を発表しているGSIA（Global Sustainable Investment Alliance）が示す7種類の投資手法をもとに、それを3つのアプローチに集約して説明します。

投資先の選定に用いる手法

投資先の選定にESGの考えを反映させるものとして、特定の業界や企業の株式、債券を投資対象から除外する（**ネガティブ・スクリーニング**）、もしくはESGに優れた銘柄のみを選択する（**ポジティブ・スクリーニング**）があります。

前者としては、武器、タバコ、原子力発電などの業界や、環境破壊など**国際的な規範**を守っていない企業を対象とします。後者では、人権、環境、女性活用などがあげられます。

また、「再生エネルギー」など社会や環境に関する特定のテーマに関連する企業に限定して投資する**サステナビリティ・テーマ**があります。その他、環境や社会に恩恵を与える企業を育むことを主眼とした**インパクト投資**があります。

投資先の選定プロセスに取り入れる手法

これらに対して、**ESGインテグレーション**と呼ばれる手法は、特定のものを除外、選定するのではなく、投資判断において非財務情報としてのESG情報も評価に加えるところに特徴があります。この手法が大きく伸びてきています。

エンゲージメント、議決権行使による手法

上記のアプローチすべてにかかわるものとして**エンゲージメント、議決権行使**があります。株主の立場から，議決権行使などを通じて、投資先である企業に対してESGに関する行動を採用するように働きかけます。

投資する側、投資される側における価値の共有

最近では、石炭会社に新規の投融資をしない、プラスチックのストローを廃止するなど、投資する側もされる側も、ESGへの取り組みは高まっています。

社会や環境を意識した投資は、リターンが高くリスクが小さいという実証研究が大学などから報告されるようになりました。企業経営においても、社会や環境を意識した経営戦略は、企業利益や企業価値向上につながると意識され始めています。ESG投資は、投資する側とされる側の両者における、価値の共有によるWin−Winの関係を求めるものです。

ESG投資手法の種類

●投資先の選定に用いる手法

ネガティブ・スクリーニング	特定の業界や企業を投資対象から除外
国際的規範の順守	国際的な規範を守っていない企業を除外
ポジティブ・スクリーニング	ESGに優れた銘柄のみを選択
サステナビリティ・テーマ	社会や環境に関する特定のテーマを選択
インパクト／コミュニティ投資	環境や社会に恩恵を与える企業を育む

◆投資先の選定プロセスに取り入れる手法

ESGインテグレーション	投資判断においてESG情報も織り込む

◆投資先との関わり方に関する手法

エンゲージメント／議決権行使	企業との関わりを通じてESGを促す

参考:Global Sustainable Investment Alliance『Global Substainable Investment Review 2016』

15-7 ESG投資とSDGs（国連の持続可能な開発目標）

社会的な課題であるSDGs（国連の持続可能な開発目標）への企業活動による取り組みは、ESG投資が目指す具体的な姿と合致します。

SDGsとは

2015年に、国連加盟国すべての合意により**SDGs（国連の持続可能な開発目標）**が採択されました。これは、2030年までに貧困撲滅や格差の是正、気候変動対策など国際社会に共通する17の目標が達成されることを目指したものです。開発という言葉が入っていますが、発展途上国のための目標ではなく、先進国も共有すべきものです。

日本企業でも、SDGsが設定する目標を経営戦略に取り込み、事業機会として活かす動きが少しずつ広がってきました。2018年にGPIFが上場企業に対して行った調査によると、「SDGsへの取り組みを始めている」と回答した企業が24%になっています。

このSDGsをゴールとして目指す目標とすると、それに対してSDGsに賛同する企業が17の項目のうち自社にふさわしいものを事業活動として取り込むことで、**企業と社会の「共通の価値の創造」**（CSV）が生まれます。これは、ハーバード大学ビジネススクール教授のマイケル・E・ポーター氏が中心となり提唱している概念です。

ESG投資とSDGsの関係

SDGsに賛同して、企業が社会的な課題の解決に事業機会を見出して活動することは、まさにESG投資が企業に求めるものと合致します。ESGにおける環境・社会・企業ガバナンスによる持続的な成長を目指す姿に対して、SDGsが示した国際社会に共通する目標は具体的に目指す姿の1つだからです。

また、企業が社会的な課題の解決に事業機会を見出して活動することを通じて持続的な成長を目指すことは、それにより長期的なリターンがもたらされると考えるESG投資の根底にある考えと合致します。

今後は、具体的なSDGsへの取り組みが、ESG投資における評価尺度として用いられるとも言われています。**社会的な課題解決が事業機会と投資機会を生む**のです。

資産運用における世界的な潮流

2006年の国連の働きかけによる国連責任投資原則の提唱とそれに対する署名による投資家などの賛同とESG投資の広がり、それに続く2015年の国連におけるSDGsの採択と、企業が社会的な課題の解決に事業機会を見出して活動することは、大きな方向性のもとで連なっています。

これらは、日本の成長戦略における企業のコーポレートガバナンス・コードと機関投資家や運用会社の受託者責任に基づいたスチュワードシップ・コードにおける取り組み姿勢と相まって、**社会のために主体的に活動していく投資**のあり方が、今後の世界の潮流となってきていることを示すものでもあります。

ESG投資とSDGsの関係

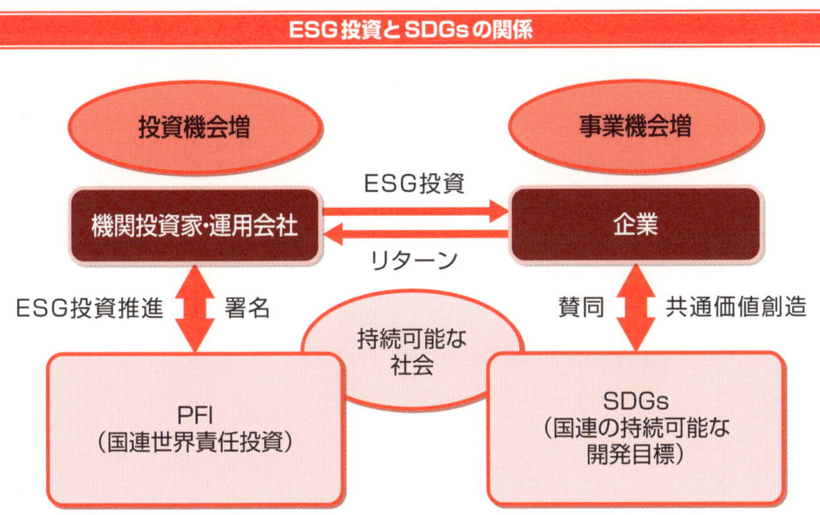

GPIF（年金積立金管理運用独立行政法人）HP（https://www.gpif.go.jp/investment/esg/）より

運用の陰でニーズが増大する指数（インデックス）提供会社

運用を行う場合には、どういった運用を目指すのか、目標や参考とする指数を定めるケースが多いです。特に、パッシブ運用の場合には必ず目標を定めます。

一部のお客のお金しか運用しないヘッジファンドやプライベートファンドであれば、そういう目標を設定しなくても賛同してくれるお客を集めればよいのですが、幅広く投資家を募るほど、説明責任として運用目標とする指数の公表が求められます。

こういったニーズに対して金融市場の動きを指数化して提供しているのが、インデックス・ベンダーと呼ばれる指数提供会社です。日経平均株価指数などはわかりやすい例ですが、運用に関する指数は、個別に提供されているものも含めると、数万もあると言われています。

金融市場では、すべての銘柄が簡単に取引できればいいのですが、上場していても株式持ち合いのため取引できる株式は一部だけとか、ほとんど取引できない株式もあります。指数を提供しているインデックス・ベンダーは、そういった制約を考慮して、代表的な銘柄を調整して指数を提供してくれる役割も担っています。

最近では、スマートベータのように、市場の動きの特徴的な部分を切り出した指数も次々と出ており、指数に対するニーズはさらに広がりを見せています。また、投資信託では、目論見書に個別ファンドと代表的な指数との比較表示が義務付けられています。このように、運用の目標からディスクローズまで、指数会社がないと回っていかないほど、様々なシーンで用いられています。

その一方で、指数提供会社に支払う費用が課題になっています。運用各社が費用を抑えることにしのぎを削る中、指数利用料が目立ってきたからです。大手運用会社では、低い費用の指数提供会社に切り替えるとか、自社が算出した指数を使用するところも出始めました。

運用の多様化や運用の説明責任は高まりを見せ、指数へのニーズは増える一方で、競争のために費用を抑える動きも強まっています。そういった中、指数にかかるコストをいかに抑えるのか、その課題がクローズアップされています。

第16章

国民の資産形成とアセットマネジメント

　アセットマネジメントにおいて、個人の資産形成におけるビジネスは潜在的な可能性を秘めながらも、これまでは期待されたようには成長できていない領域でした。しかし、足元では着実に変化が表れ始めています。

　この章では、これら個人の資産形成の現状や課題などについてお話しします。

図解入門
How-nual

16-1 国民の資産形成の現状と課題、変化の兆し

日本の資産形成の課題は、今も昔も貯蓄が多いことです。背景には個人の投資に対する様々なハードルがありましたが、最近は変化の兆しが見られ始めています。

国民の資産形成が進まなかった背景

日本の家計の金融資産に占める貯蓄の割合は、50%もあります。また、経済全体から見ても、預金を受けた銀行は債券投資への偏重が強く、また、担保主義が根強いため、担保がない新興のスタートアップ企業など、投資を通じて企業に必要なお金が行き渡りません。

アセットマネジメントは、運用を望むお金の出し手と資金ニーズがあるお金の受け手を結びつける役割がありますが、間接金融が強く、成長力のある企業にお金が回らないことは、経済全体としても収益機会、成長機会の損失です。

米国では十分な公的年金の制度がないため、金融資産のうち、直接・間接に株式や債券を通じて投資に回すお金の割合は高く、それが、国民の金融資産の増加という形を伴って豊かさを実現しています。英国では、所得の一定割合を半強制的に確定拠出型の年金として掛ける制度がスタートしました。日本では、公的年金が充実していたため投資に積極的ではありませんでしたが、低金利が続き社会保障も厳しくなる中、投資をもっと真剣に考えるべき状況にあります。

個人もそのことは理解しているのですが、課題は資産形成に踏み出せないハードルの高さです。その主な理由は、**個人が自ら心の中に作っている壁**です。資産形成を行ってこなかった理由はいくつもあります。親世代は資産形成に努めなくても相応の生活ができているという実体験。投資について興味を持ち、知識や経験を高めていく機会が少なかったこと。バブルが崩壊して失われた時代が続いたことによる投資への恐怖。そして、よく知らないで金融機関の言いなりになることへの抵抗感と、身近に安心して相談できる存在がなかったこと。

挙げるとキリがありませんが、これらが主だった理由でしょう。これによって、

損をするのが怖い、無理して行う必要のないものという意識が多くの人に根づいています。そこに、保険大国とまで揶揄される、貯蓄性の機能を有した生命保険商品が「安心、確実」を謳い文句に、資産形成に回ってもよいお金の一部を取り込んでいます。

変化の兆し

しかし、これらの課題の多くには変化が生じているのも事実です。**低金利の長期化**や**年金への不安**から、何かしないといけないと感じている人は8割近くに上ります。リーマンショック以降の10年以上にもわたる市場の上昇を受け、**成功体験**も生まれました。新型コロナ下で市場の動きがどういうものかを肌で感じました。どのメディアを見てもマネーのサイトはあり、ファイナンシャル・プランナーがわかりやすく解説をしてくれています。また、1千万人に近づこうとしている確定拠出年金の加入者には、**投資教育**が義務付けられました。**利便性が高い金融取引サービス**を提供してくれる金融会社も数多く現れています。

これらを見てみると、実は、課題とされてきた多くのことに対して、地殻変動は着実に起こっています。今の課題には変化が起こり、個人の長期の資産形成に向かう潜在的なお金のマグマが溜まっています。

投資を行わなかった理由に対する変化

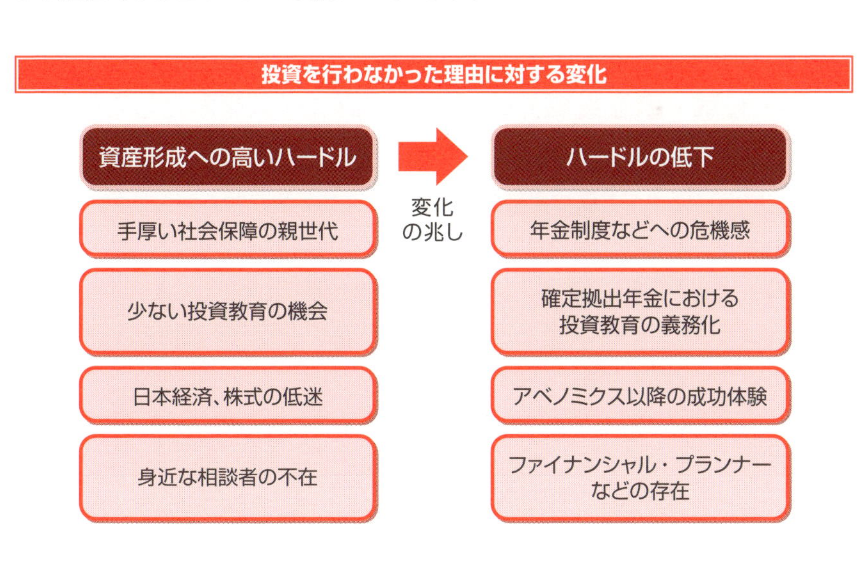

16-2 資産形成のための「長期・分散・積立投資」

長期・分散・積立投資は資産形成にうってつけの手法です。つみたてNISAの制度では、それに向けた商品を提供しているので、安心して利用できます。

つみたてNISAは国民の安定的な資産形成の道しるべ

日本の資産形成が十分に進展しなかった理由の1つは、資産形成層に対するわかりやすい道しるべがなかったことです。本来、金融リテラシーの高くない個人を資産形成に導く役割として、銀行などの金融機関への期待がありました。しかし、銀行が投資信託を販売する対象は余裕資金を有している高齢者が中心で、お金の少ない現役世代層に対して訴求力の高い商品を十分に提供できませんでした。また、少額で積立投資ができることも十分に認識されていませんでした。

そこで、フィデューシャリー・デューティに基づく顧客本位の業務運営として、金融庁が主導して推進したのが、「**長期・分散・積立投資**」というわかりやすいフレーズと、そのコンセプトを包含した「**つみたてNISA制度**」です。

「長期・分散・積立投資」は個人の投資ニーズを満たしている

長期・分散・積立投資は、資産形成にとって大切なポイントを押さえています。それは、これらはすべて**価格変動のリスクを抑える効果**があるからです。短期間では価格が上下する株式や債券などの資産も、長期間の投資により、リターンを得る可能性は確実に高まります。また、投資対象を分散することにより、特定の影響を和らげてリスクを抑え、安心して投資ができます。そして、価格が下げた局面でもコツコツと投資する積立による手法は、長期投資にうってつけです。

これらの手法は、金融リテラシーの高くない個人にとって特に有効です。逆に言えば、投資の基本でもあるこれらの手法が声高々に推奨されること自体、これまで長期投資や分散投資が行われていない、そして、積立投資の有効性が十分に認識されていないことへの裏返しでもあります。

これらの手法は、投資信託の機能を最大限に活かしています。投資信託は小口で投資できるので積立にうってつけです。また、投資信託は、その器で多くの銘柄を組み入れた分散投資をしています。このように、資産形成にうってつけの手法と、そのための商品（投資信託）を活かしているのがつみたてNISAです。

つみたてNISAは長期・分散・積立を具体化した制度

つみたてNISAの制度で利用できる投資信託は、金融庁により**一定の条件を満たすものに限定**されています。5千を超える投資信託のうち、2021年では約200程度と全体の4%しかないことを見ても、絞り込まれた印象を受けます。その主な条件は、費用面では購入手数料がゼロ、保有する期間にかかり続ける運用管理費用も一定水準以下と低いものに限り、原則としてパッシブ運用で、株式を投資対象として組み入れているファンドのみです。

長期投資だから期待リターンの高い株式を組み入れること、費用を抑えることが主な狙いです。まだスタートして数年ですが、若い世代の利用割合が高く、その狙いは伝わっているようです。後述する確定拠出年金と違い、一般的な投資であるつみたてNISAでは投資教育は用意されていません。そのためにも、**誰でも安心して利用できる制度と投資信託を用意**したのです。

長期・分散・積立投資を具体化した、つみたてNISA制度

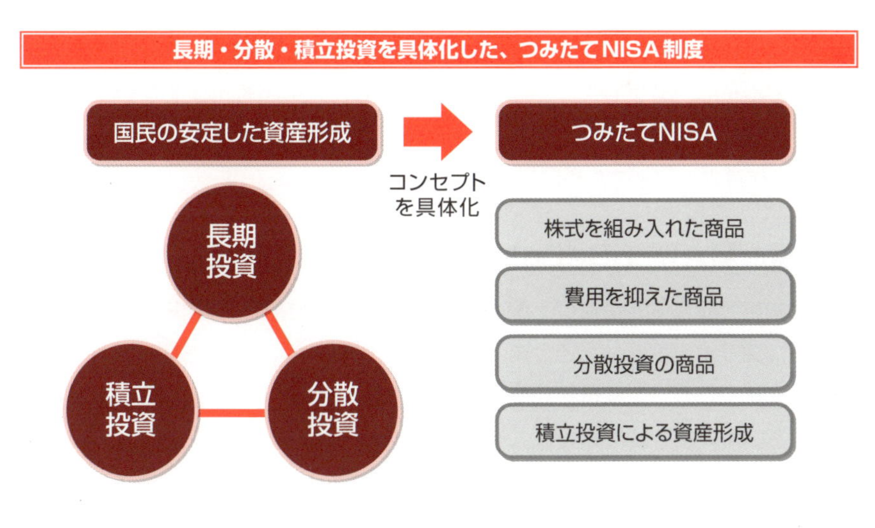

16-3 今後の成長が期待される確定拠出年金

確定拠出年金は近年に始まった制度です。従来の確定給付とは異なり、将来に受け取る給付額は自分の運用で決まるものです。

確定拠出年金の特徴と従来型の年金との違い

確定拠出年金は給付額が「確定」している年金とは違い、「拠出」するお金は確定していますが、投資成果として受け取る給付額は確定していません。先進国では、確定給付型の年金制度が幅広い企業で採用されましたが、経済成長率の低下に伴うリターンの低下や、年金を受け取る高齢者の寿命の伸びによって制度に綻びが生じました。その代替として導入されたのが確定拠出型の年金です。

確定拠出年金も年金制度なので、現役世代が将来の年金のために利用することを前提にした特徴や制約があります。税制面では、掛け金は所得税などの課税所得の対象外（**実質的な非課税**）です。一方で、利用にあたっては年齢上限までしか掛け金を行うことができず、途中でお金を引き出すこともできません。

最後に、これが最も重要な点ですが、**投資の成果は自分に帰属する**ことです。今までの年金は、国が半ば強制的にお金を徴収し、企業が福利厚生の一環として、将来の年金給付の形で運用してくれるものでした。それに対して確定拠出年金では、自らが将来の年金のために運用しないといけません。

企業型と個人型（iDeCo）

確定拠出年金には、**企業型**と**個人型**があります。企業では、従来の確定給付型の一部に確定拠出型を加える企業、また、確定拠出型へと制度を切り替える企業があります。今や、企業年金制度を設ける企業の5割以上は確定拠出年金制度を採用しています。それに対して、個人が確定拠出年金を利用する制度を、企業型との対比で個人型（iDeCo）と呼びます。これは個人事業主、企業型の年金のないサラリーマンや公務員、専業主婦などが対象です。それぞれの立場によって掛け金の上限は違いますが、基本的な制度は共通しています。

企業型と個人型によって、自分が投資の責任を負うことへの意識には違いがあります。企業型は会社が制度を変えるのですから、従業員にとっては受け身の変化です。個人型は自ら進んで制度の利用を申し込むので、企業型よりは前向きな姿勢になります。いずれにしても、投資教育の重要性が認識され、継続的な投資教育が義務付けられました。

将来性が期待される確定拠出年金

個人の資産形成として期待される確定拠出年金制度ですが、企業型、個人型を合わせて2020年においても20兆円程度の残高しかありません。これは、年金の世界はもとより、アセットマネジメントのビジネスから見ると、かなり小さい金額です。しかし、**確実に伸びている分野**です。米国では、日本の原型となる企業型と個人型を合わせると600兆円を超える残高があり、大きな存在に成長しています。日本も、これからのアセットマネジメントは、個人の資産運用抜きには語れません。

確定給付年金と確定拠出年金の違い

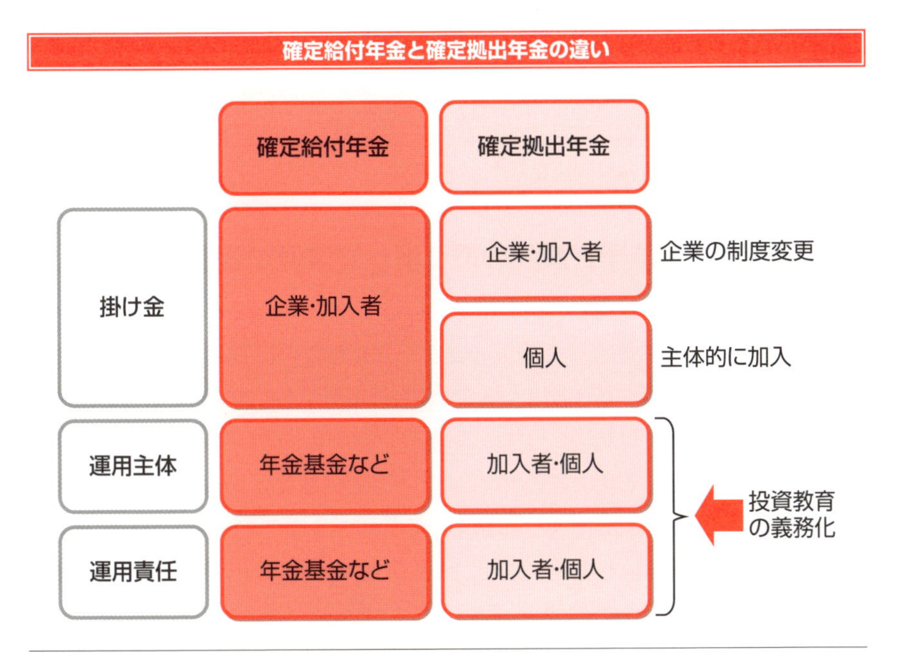

16-4 人生100年時代、資産防衛と資産取り崩しへの課題

人生100年時代には、これまでの資産形成だけではなく、長期にわたって運用をしながら資産を取り崩すための工夫が求められます。

人生100年時代を想定していなかった制度設計

資産形成は蓄えるだけではありません。それは、老後の生活を豊かにするための準備でもあります。それに対して、日本では国民の**資産取り崩しへの議論**が十分になされていません。近年、この課題がクローズアップされています。

日本人の平均寿命はここ数十年で急速に伸び、平均寿命は80歳台になりました。これは半分の人が亡くなる年齢ですから、残り半分の人はこれ以上も生きる可能性があります。それに対して、今の年金制度や国民の備えは、以前のもう少し低い平均寿命を前提としており十分な対応はできていません。

年金の資産をそのまま引き継いで運用するには制約があります。これからは、人生100年時代の長い人生を豊かに歩むためにも、寿命の延びに合わせて資産寿命を延ばすためにも、蓄えたものを取り崩して使うだけでなく、蓄えたものをさらに運用しながら引き出すことが求められます。

資産形成と資産防衛、資産の取り崩しでは何が違う？

資産形成は積み立てることです。これは坂にたとえれば上り坂です。目標とする金額に対して、金融商品への投資を通じてお金を増やしていきます。許容できるリスクの範囲の中で、できるだけ多くの資産形成を目指します。上り坂は角度が急なほど喜ばしいことです。

それに対して、自分で働いて収入を得ることができなくなったときからは、資産防衛、資産取り崩しの時期が始まります。それは下り坂です。豊かな人生を送るためにいかにして下り坂を緩やかにしていくのか、それが資産防衛、資産取り崩しの目指すものです。

資産取り崩しへの金融商品、サービスの課題

日本では、制度のみならず、金融商品・サービスにおいても資産取り崩しへの対応はこれからです。多くの人に提供されている金融商品には、資産形成に向けた商品が並んでいます。**資産防衛、資産取り崩しの鍵は、減らすことを抑える資産運用**です。年金生活では、多くの家計では、支出が年金収入を上回りやすくなります。その際に、安定した運用を行いながら支出の影響を抑える商品を提供することが求められます。

金融庁は「変革期における金融サービスの向上にむけて〜金融行政のこれまでの実践と今後の方針（平成30事務年度）〜」において、金融機関に対し「CtoB」の視点を打ち出しました。高齢者のニーズは資産形成層と比べて多様であるため、顧客（C）のニーズを金融機関など（B）が受け止めたサービスを展開することが肝要であることを唱えたのです。

長期で安心して保有ができ、低くても安定したリターンが期待できる低コストの金融商品の提供が望まれること。また、**年率数%の安定した払い出しが可能な仕組み**などが求められます。この点では、近年、一部の金融機関では、自分が望む引き出し方法が選択できるサービスが始まりました。顧客に商品を売るのではなく、顧客のニーズに合わせた商品・サービスを提供するためのアプローチが求められています。

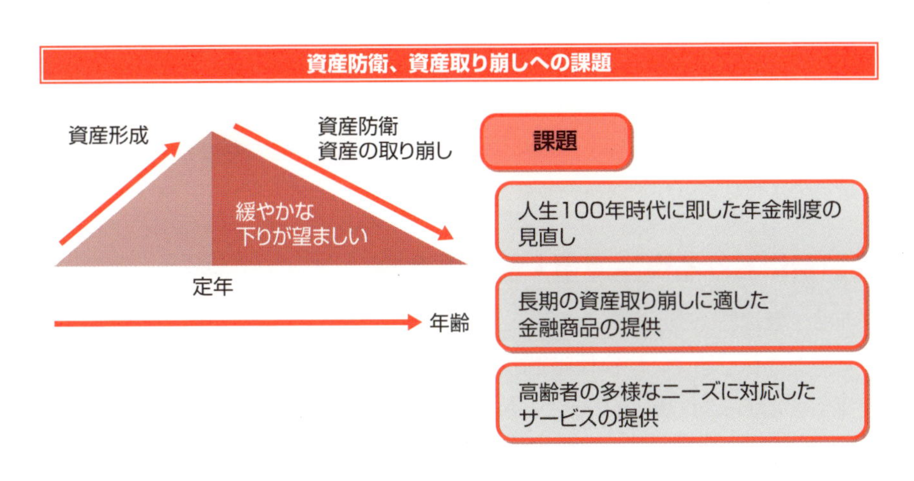

16-5 注目を集めるファイナンシャル・ジェロントロジー

高齢化時代において、高齢者の資産運用・管理の課題や対処法を考えるファイナンシャル・ジェロントロジー（金融老年学）が注目されています。

高齢化時代における高齢者の課題のクローズアップ

日本では少子高齢化が進んでいます。現役世代にとってこの影響は、年金制度に対する不安として受け止められ、自助努力による資産形成の必要性が唱えられてきました。

一方で、高齢者にとっては、自分の資産をどのように適切に管理していくべきなのかも大きな課題です。長寿社会において、高齢化による身体能力や認知能力の低下に対し、どのような課題があり、対処すべきなのかをいろいろな視点から考えるのが、**ファイナンシャル・ジェロントロジー（金融老年学）**です。

老齢に焦点を当ててその課題を扱う考えは、金融だけではありません。医療の世界でも、成人の内科とは別に、老齢内科の領域が確立してきています。この領域ならではの課題が存在することを、社会が認識し始めているのです。

金融庁も2017年に公表した「金融行政方針」においてファイナンシャル・ジェロントロジーを取り上げ、世界で最も高い高齢化率の日本において、退職世代の金融資産の運用・取り崩しをどのように行い、幸せな老後につなげていくか、金融業はどのような貢献ができるのかについて検討を進めることとしています。

高齢者における資産運用・管理の課題

年金生活において、多くの家計では、支出が年金収入を上回りやすくなります。平均寿命が伸びる中、現役世代での蓄えだけで賄うことは難しく、退職後も資産を運用しながら取り崩しを行うことが必要になってきます。

しかし、高齢者が資産運用・管理を行うには課題もあります。高齢者の行動として、相手の話に左右されやすく、また、判断能力が衰えやすくなるなどの傾向が強くなります。さらには、認知症になると、自分で判断して資産の運用・管理ができなくなるなどの支障が生じます。

現在でも銀行などの金融機関では、75歳以上の高齢者に対しては、金融商品の販売を単独で行わないとか、その場で取引を行わないなどの配慮を行っていますが、もう一歩進んだサービスや高齢者との付き合い方が求められています。

社会全体にとっても無視できない課題

高齢者は、家計の金融資産の多くを保有しており、その額は数百兆円とも言われています。高齢者の認知症や障害などにより十分な判断能力がない人の資産の保護を図る制度として「成年後見制度」がありますが、他人にお金を任すことに抵抗感を持つ人が多く、利用者数は想定通りには増えていません。このままでは、高齢者が保有する莫大な金融資産を動かせなくなる恐れもあり、金融市場全体から見ても大きな課題です。

これらに対して、判断能力がしっかりしているうちに、特定の目的に利用することを取り決めた信託型の金融商品の提供や、高齢者に寄り添った相談やサービスを行うなどの取り組みが徐々に進められています。ファイナンシャル・ジェロントロジーへの取り組みは始まったばかりです。

高齢者の金融に関する課題とファイナンシャル・ジェロントロジー

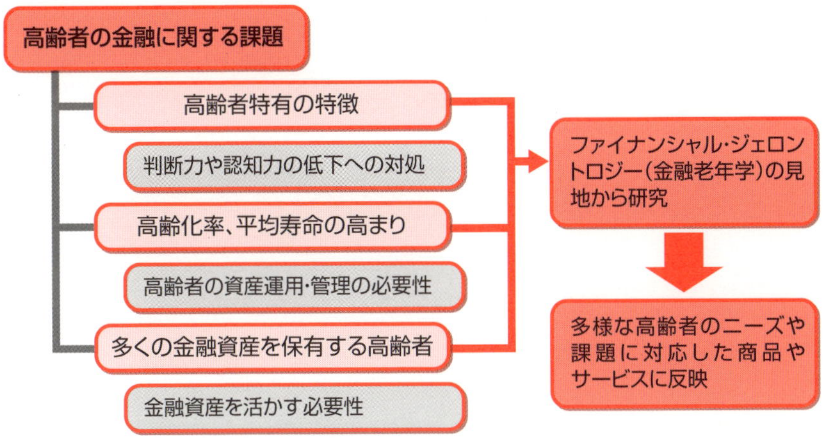

ナッジ（Nudge）とファンセオリー（Fun Theory）

投資を通じて資産形成を始めるように個人を促す際に、「老後に向けて自分で資産形成しないといけません」といった必要性を正論で訴えかけても、簡単にいくものではありませんよね。そこで注目されているのが、ナッジとファンセオリーです。

ナッジの好例として有名なのは、アムステルダムの空港における「小便器のハエ」です。空港では、費用がかさむ床の清掃費を抑えるために男子トイレに目をつけました。そこで、小便器の内側に1匹のハエの絵を描いたところ、清掃費は8割も減少したのです。

ナッジとは、「ヒジで軽く突く」という意味です。科学的分析に基づいて、人間の行動を変えることを指します。これは、ノーベル賞を受賞したリチャード・セイラー教授の考えに基づくものと言われています。小便器のハエの例では、「人は的があると、そこに狙いを定める」という分析が応用されたものです。

ファンセオリーとは、楽しさが人の行動を変えるという考えです。これは、ドイツの有名自動車メーカーがスウェーデンの地下鉄の階段で行った実験が有名です。エスカレーターではなく階段を利用してもらうにはどうしたらよいかというテーマで、階段をピアノの鍵盤に見立てて、階段を上がると音が奏でられるようにした結果、普段より6割以上も多くの人が階段を利用したそうです。

個人の資産形成においても、ナッジやファンセオリーの要素を加えることが大切なのではないかと言われています。

第17章

アセットマネジメント・ビジネスの課題と展望

今後とも成長が見込まれるアセットマネジメントですが、一方で、社会・経済的な環境変化などへの対応が必要です。

最後に、この章では、アセットマネジメント・ビジネスにおいて起こっている変化や、社会的要請における課題、将来性について、お話しします。

17-1 AIがアセットマネジメントの仕事を奪う？

AIにより、運用業務における熟練者の仕事は徐々に置き換わっています。また、人間のような非効率性がないため、既存の投資機会を奪う可能性もあります。

AIによって置き換わる余地が大きい金融業務

税理士などの士業や簡単な事務作業とともに、AIによって多くの仕事が置き換わるとされるのが、金融に関する仕事です。アセットマネジメントも例外ではありません。AIが得意とするところは、**ビッグデータ**を用いて特徴をつかむこと、そして、**ディープラーニング**によってそのパターンを深化させることです。その点では、経験に基づいた職人芸のような運用やトレーディングの世界、また、資産管理における事務などにも、AIが活躍できる場が数多く潜んでいます。

海外の大手投資銀行では、大勢いたトレーダーの多くはすでにシステムに置き換わり、また、社員の3分の1はIT系の技能を持った人だそうです。運用に関する基本的な業務の多くはAIによって賄える時代が来ることは避けられません。

すでにアセットマネジメントにおいて活用が進むAI

変化は確実に進み、ある日突然にやって来ます。すでに、運用会社ではAIを用いることを謳った商品やサービスが提供されています。たとえば、膨大な情報（ビッグデータ）をAIが分析して投資に活かす金融商品は、相当数が提供されています。また、投資判断においても、ファンドマネージャーによらず、AIの判断による投資信託も生まれました。まるで、ロボットが車を運転するようなものです。

AIの強みの1つに、人間では対応しきれない膨大なデータを簡単に解析して利用できることがありますが、それに加えて、運用の世界における、人の判断や心理的バイアスによる非合理性（アノマリー）もAIは排除してくれます。これは、今まで市場における非効率性と言われていた投資機会も、AIによって埋められていくことを感じさせます。

金融商品を販売する立場にあっても、ロボアドバイザーはデータ分析の応用により、投資アドバイザーの専門分野とみなされていた、個人の状況に合わせた資産配分を無料ですぐに提供します。

AIの利用が進むと、求められる役割や資質は変わる

その中で私たちが生かされる道、それは、**AIでは置き換えにくい役割**になります。与えられた情報を用いて正しい選択肢を選ぶことが得意なAIも、与えられていない情報までは読み込めません。その点では、ゲームの範囲が定まっていない分野では、まだまだ人間の価値は高いのです。

たとえばアナリストの業務でも、フェア・ディスクロージャー制度によって誰でも同じ情報しか得られないとすれば、その情報をもとに分析するのはAIの方が確実に長けています。しかし、企業に影響を与える外部環境の変化がわずかに生じるだけで、未来の天気図はガラリと変わります。それらも踏まえて企業の将来予測をする鍵は、まさに人間の洞察力です。

AIによって既存の非効率性による投資機会は減るかもしれませんが、それによって新たなゲームのルールが生まれれば、そこには新たな非効率性が存在します。AIを用いる立場として、深い洞察力や創造力を磨いていくことが望まれます。

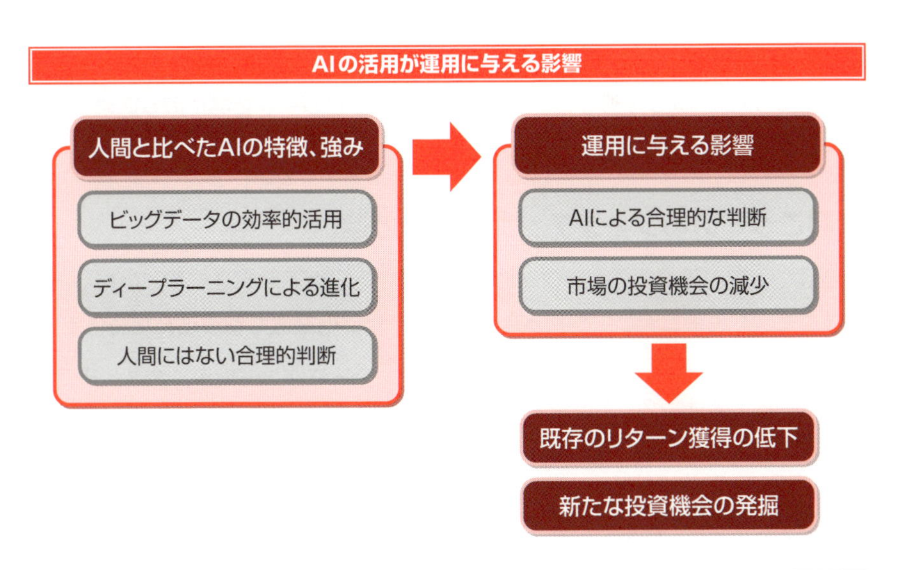

17-2 フィンテックがアセットマネジメント・ビジネスに与える影響

金融とテクノロジーの融合によるフィンテックの動きは、アセットマネジメントの世界に大きな変革を突きつけています。

フィンテックは、時代のテクノロジーを金融に取り込む動き

フィンテックは新たな変革と思われがちですが、金融にテクノロジーを取り入れることは今回が初めてではありません。過去に何度となく生じてきた変革です。たとえば、20年ほど前まで株式は実物の株券で取引されていたのですが、電子帳簿に置き換わり、それ以降、株券は流通しなくなりました。これも、その時代の技術を用いて新たなサービスに生まれ変わったフィンテック事例です。

身近なところでは、電話で受け付けるのが当たり前だった株式の注文は、ネット環境とデータ伝送技術が進展したことにより、人を介さずに取引できるようになりました。証券会社の主要な収益元であった株式の売買注文において、10年足らずで新興のネット証券がシェアの9割を握る変化が起こったのも、テクノロジーと金融の融合がなせる技です。

このように、フィンテックは、その**時代のテクノロジーを金融に取り込むことで既存ビジネスに大きな変革が生じること**です。

今起こっているフィンテックと過去の違い

今起こっている変化も、テクノロジーを取り込む点では同じです。ただし、過去はあくまで金融機関が主役だったものが、今回は**他業態も巻き込んだ変化**です。一般の会社がテクノロジーを用いて金融サービスを展開し始めています。携帯電話のサービス会社やネット通販、デパートまでが、自社の顧客層に対して、投資信託などの販売を始めました。スマホを介して顧客との接点が容易になり、決済機能の利便性が高まったことで、金融サービス回りへの参入が容易になったのです。

これらを背景に、貯まったポイントで投資、お釣りで投資など新しい積立の仕方

も始まるなど、使い勝手のよい、工夫を凝らしたサービスが次々と生まれています。

フィンテックはビジネスを広げるが、その枠組みに変化をもたらす

アセットマネジメントにおいて、今起こっているスマホを介したサービス手段の多様化と簡便化の動きは、銀行などの金融商品を販売する業態からすれば、新たなサービス形態による競争をもたらします。異業種から参入してくるものの多くは、既存の金融機関のアプローチとは異なる手法を用います。また、マーケティング力も強く、強敵です。

しかし、資産運用全体で見れば、敷居の高かった金融取引が身近になることで、顧客層は大きく広がりを見せることでしょう。運用会社にとってみれば、販売チャネルが多様になり、今までアプローチできなかった層に対しての金融商品の提供や、きめ細かなサービスが可能になります。

フィンテックによって掘り起こされる新たな顧客層は、自らが選択する術を持っています。これらに対しては、金融商品を作って販売するというプロダクトアウト型よりも、**顧客本位**であり、**顧客ニーズ**を適えるものが求められます。フィンテックによって、アセットマネジメント・ビジネスは大きな変革を迎えています。

フィンテックによる金融サービスの変化のイメージ

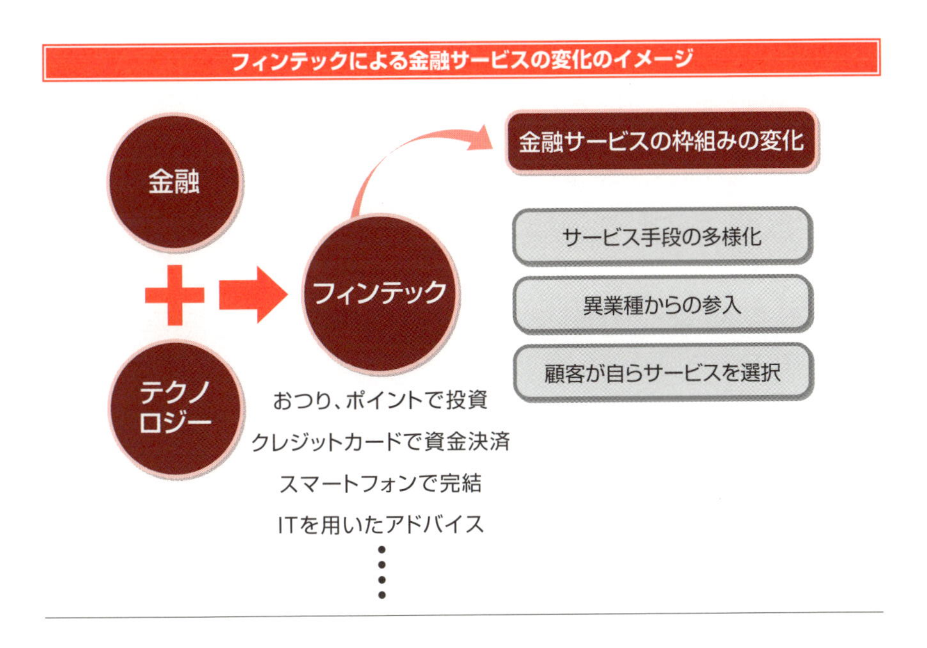

17-3 富裕層から小口化、確定給付型年金から拠出型への広がり

アセットマネジメント・ビジネスは、投資信託などの金融商品の活用やサービス提供のスキームの進展などにより、個人を中心とした幅広い層へのさらなる広がりが期待されます。

富裕層向けビジネスから幅広い顧客層向けに進展

アセットマネジメント・ビジネスは、どちらかと言えば、まとまったお金、まとめられたお金を運用するビジネスでした。まとまったお金としては主に**富裕層向けビジネス**であり、まとめられたお金としては公的年金や企業年金など**運用目的の定められた運用**でした。

これには、金融サービスにおける様々な制約も大きく影響していました。市場で取引を行うには、今よりも取引単位が大きかったために、ある程度のお金を用意しなければ柔軟な投資はできませんでした。商品の販売においても、小口のお金を集め、管理して運用するサービスは経費がかさみ、十分なサービスを提供できないという制約がありました。また、金融リテラシーが高くない個人に対しては、フィデューシャリー・デューティのみならず、多様な個人の事情に応じたサービスを提供するためには負荷がかかります。

それらの課題に対して、投資信託などの金融商品の活用、サービス提供のスキームの進展などにより、個人に対してきめ細かな対応ができるようになってきました。また、個人の運用ニーズの高まりも相まって、広く小口でお金を集める動きが広がっています。

富裕層によるまとまったお金、年金のような特定の専門性のある顧客から、より**幅広い一般の顧客**に金融商品が販売され、サービスが提供される裾野が広がっていく、こういった動きは今後も着実に進展していくことが見込まれます。

個人による小口の運用へのさらなる広がりの可能性

これからの日本では、給付型の年金のお金は増えません。運用原資としては200兆円以上もある大きなお金を擁する給付型の年金では、高齢化により、むしろ、給付のほうが増えることが見込まれます。

その一方で、個人は資産形成を行っていない現金を多く保有しています。個人の預金は1千兆円近くもあります。そして、個人の資産形成に対する意識には徐々に変化の兆しが見られています。

また、給付型ではなく、拠出型の年金による運用の拡大も期待されます。米国では、日本のように公的年金が充実していなかったこともあり、日本の確定拠出型年金に相当するお金は企業型、個人型を合わせて約600兆円にまで拡大しています。人口が日本の3倍だとして、日本に当てはめたとしても約200兆円です。それに対して、日本の確定拠出年金の残高は20兆円程度です。潜在的な余地は大きいのです。

国の社会保障（**公助**）や企業の福利厚生の一環（**共助**）としての運用の役割は徐々に低下し、その一方で、投資にお金を回す主体は個人自らが行う資産形成（**自助**）へと変化が進んでいくことでしょう。

資産運用の主体の変化と広がりのイメージ

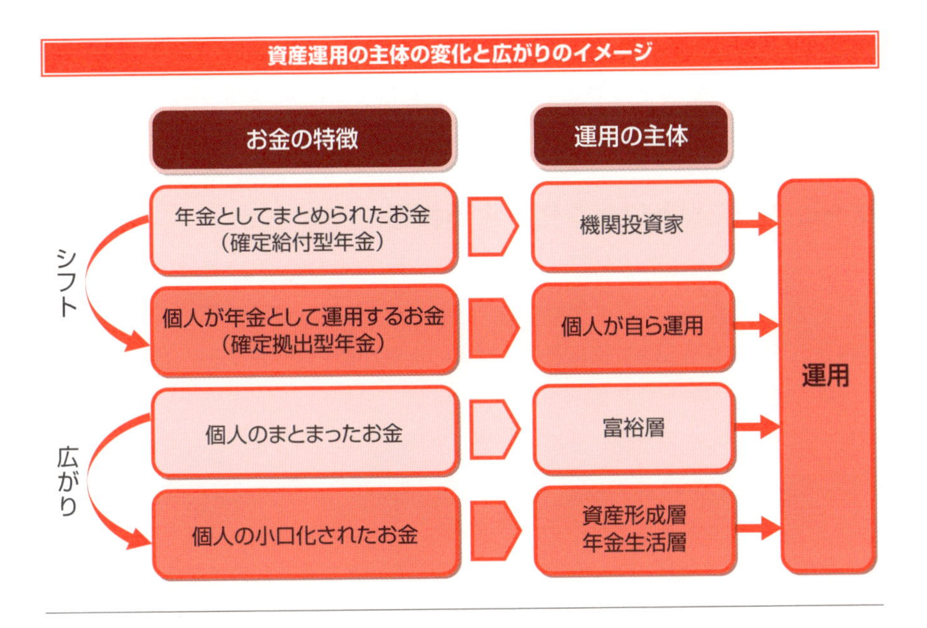

17-4 個人向けサービスのネットワーク化による影響

顧客口座の管理をベースにした金融機関の強みは、スマートフォンなどを通じたネットワーク化により変化が生じています。様々なサービスがネットワーク上で行われるようになると、サービスの差別化や顧客への訴求力のあり方も変わってきます。

個人向けのサービス提供はコミュニケーションからネットワークへ

アセットマネジメントにおける個人向けの金融サービスは、個人との**コミュニケーション**をベースに提供されることが長らく一般的でした。それに対して、サービスが様々な形で**ネットワーク化**されることにより、ビジネスの形態も大きく様変わりする可能性が高まっています。

コミュニケーションが必要な環境下では、顧客との接点を有していることが圧倒的に有利な立場にありました。それは、顧客の口座を管理している多くの金融機関の強みでもありました。それに対して、スマートフォンなどにより、個人は金融機関に頼らなくても自分の手元で様々なサービスを選択することが可能になりました。お金を動かすこともスマートフォンでできるようになり、それをサポートする機能も続々と現れています。

サービスのネットワーク化による影響

これは、サービスの形態としてはフィンテックによる変化ですが、サービスのネットワーク化として捉えることもできます。顧客をつなぎ止める手段が、口座による管理とコミュニケーションによるサービスの提供から、ネットワーク上における顧客自身の管理とサービスの選択へと変化してきています。

サービスがネットワーク化されることは、情報もネットワークの上で動くことになります。投資や資産形成のアドバイスや提案、また、新たな金融商品の提供なども、そのルートで展開されます。これは、コミュニケーションをベースとした分散したサービス提供が、ネットワークという**プラットフォームの上で集中化**する動きと捉えることもできます。

金融機関の優位性の低下と対応

個々の金融機関がこれらに対応しようとすれば、大きな設備負担などの負荷が生じます。そのため、共通のプラットフォーム化が進み、商品やサービスはプラットフォーム上で提供され、管理されるようになる可能性があります。つまり、個別化や差別化に基づいた金融機関の強みは、サービスのネットワーク化のもとでは、その優位性は失われていきます。そういった中、現在のビジネススタイルでサービスの差別化や顧客への訴求力を高めていくことは難しくなるかもしれません。

金融商品や金融サービスへのアクセスが容易になることは、提供する商品やサービスの質を高めることが差別化の源泉になり、販売基盤や販売網の強みは相対的に低下します。ネットワーク化、情報の一元化は、**競争のもとで選ばれる立場への変化**です。アセットマネジメント・ビジネスは、ますます、**良質の商品やサービスを提供**することが求められる時代へとシフトしています。

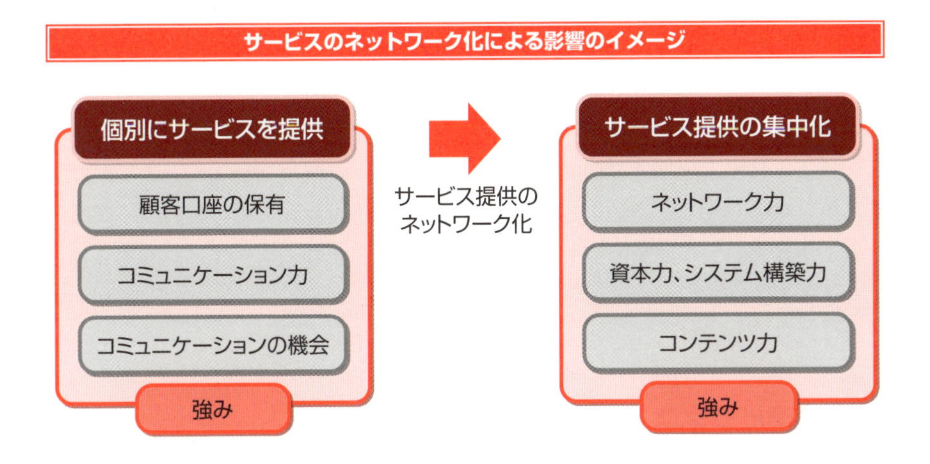

17-5 資産運用ビジネスへの対応が求められる銀行

日本のお金の流れが資産運用へと向かう中で、貸出を中心とした銀行のビジネス構造には大きな変化が生じています。金融商品販売のメインプレーヤーである銀行は、顧客とWin－Winの関係になることが求められます。

資産運用ニーズは高まっているが、銀行における位置付けは高くない

日本では、お金の世界において銀行が重要な役割を占めてきました。設備投資などの資金需要に対して効率よくお金を収集して企業に提供するシステムを作り上げ、それを核に金融サービスを手掛けてきました。

銀行ビジネスの根幹は預金と貸出であり、その中心は企業に対する融資です。それに対して、個人の資産形成に関わる金融商品の販売収入が銀行全体に占める収益割合は未だ低く、戦略的な位置付けも低い状況です。

しかし、こういった構図には地殻変動が生じています。法人では上場会社の半数以上は実質無借金との報道もあるように、民間部門では資金余剰が一段と高まっています。貸出先が増えない中、貸出金利の引き下げ競争が続いています。以前から資金余剰部門である個人でも、少子高齢化で現役世代の借り入れニーズは住宅購入に絞られ、平均寿命が伸びる中で高齢者の資金運用ニーズが時間の経過とともに大きくなっています。

法人や個人の運用ニーズへの対応を柱に据える必要性が、否応なく増しています。

資産運用ビジネスへの対応が求められる

運用の世界では、法人に対して、貸出における銀行のような強い立場は発揮できません。純粋に、優れた商品を提供できるかどうかにかかっています。借り入れと違い、法人はどこからでも金融商品を買うことができるからです。

また、個人に対して資産運用のビジネスを展開するためには、少額による取引の積み上げでも収益を上げることができる体制の構築が必要です。販売面でも顧

客を引きつける魅力や仕掛けが求められます。

資産運用の世界は、お金の貸し借りの世界とは違い、**お互いがWin－Winであること**が求められます。投資家は求める投資機会や金融商品の提供を受け、それによって金融機関も収益を上げる関係です。

それに対して、現在の金融機関には改善の余地があります。今まで以上に資産運用を重視することが必要であるとともに、資産運用に合ったビジネスの仕方への変化や工夫が求められます。社内では、行員の評価基準の見直しとともに、ローテーションの長期化による顧客との信頼関係の構築やキャリアパスの仕組み作りも必要でしょう。シニア行員の活用による同世代の気持ちを汲み取った提案活動も有効です。

顧客に対しては、背中を押してあげるような自発的行動を促す仕掛けと、単純で楽しい仕組みが求められます。こういったことは、銀行のカルチャーにはなかったものです。投資や資産形成は、「老後のために必要」という正論だけでなく、手軽に「やってみよう」と思ってもらうことも重要です。

アセットマネジメントの世界は広がり続けますが、金融商品販売の面で主要プレーヤーである銀行の役割は、従来の金融仲介ビジネスにはない対応や変化が求められます。

銀行の運用ニーズへの対応のイメージ

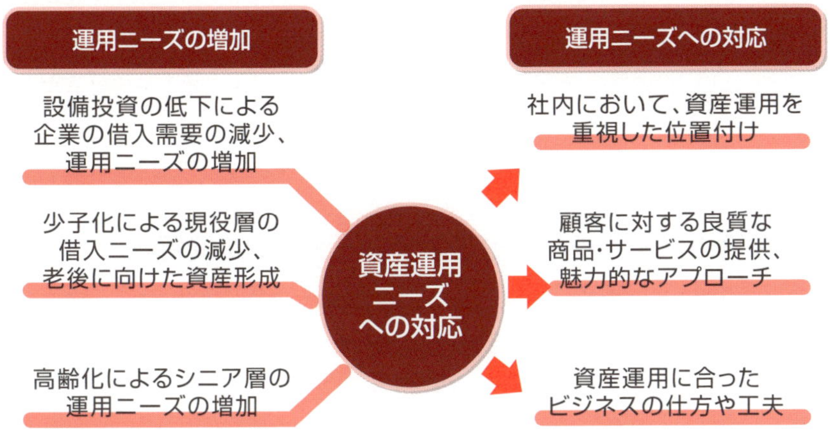

17-6 グローバル化によるリターンの同質化と新たな投資機会の模索

経済、資本、情報のグローバル化が進み、格差が縮小することにより、投資機会は減少し、様々な投資対象のリターンも同質化する傾向にあります。世界的に成長率が低下する中、新たな投資機会の発掘によるリターン獲得へのニーズは高まっています。

投資機会がリターン獲得の源泉

資本主義の本質とは何でしょう？　歴史的に経済を分析する専門家に言わせれば、その大きな特徴の1つに、搾取の経済という構図があるとされます。

大航海時代、航海する船団にお金を提供し、リスクを取ることにより、無事に航海を終えて帰ってきたときには大きなリターンを得ることができました。産業革命後の欧米列強による植民地政策も、そこから多くのリターンを獲得しました。最近では、共産主義イデオロギーとの冷戦に打ち勝ったことで、西側諸国は多くの共産主義諸国への投資機会を獲得し、その恩恵を受けました。

資本主義は、投資家から資本を集め、それを投下して高いリターンを目指します。そのためには、リターンを得る対象・相手が必要になります。平たく言えば投資機会です。**資本主義は、株主である投資家のために投資機会を求め続ける経済活動**です。そして、投資機会からある程度のリターンを取り尽くすと、その経済環境では成長が鈍ってしまいます。歴史では、そういうときに戦争が起こってきたことも多いとされます。

格差の縮小による投資機会の減少とリターンの同質化

翻って現代はどうでしょう？　ここ数十年は、先進国と新興国の間には大きな経済格差が存在しました。格差は投資機会を生みますが、最近は格差もかなり縮まってきました。加えて、資本移動の自由化が進み、投資機会はすぐにでも誰かの資本によって奪われます。また、世界中がネットワークと通信技術によって結ばれたことにより、情報格差もなくなっています。アフリカでもスマホが当たり前になり、世界中の誰でも同じ情報を同時期に利用できるようになりました。

このように、今考えられる環境においては、あらゆることがグローバル化し、様々なことにおいて**格差が縮小**しています。これは、格差による投資機会が少なくなってきたことを意味します。世界的に成長率が低下し、先進国の金利が低水準で推移していることも、これらを背景としている可能性が高いです。

また、経済、資本、情報のグローバル化が進むことは、様々な投資対象の**価格変動も同質化**する傾向が強まります。国や地域、様々な投資資産におけるリターンの相関は高まり、分散投資の効果も低下し、上昇するときは多くのものが上昇し、下落するときも同じように動く傾向が強まることでしょう。

これは、パッシブ運用とアクティブ運用に置き換えれば、パッシブ運用による成長性への依存（β）によるリターンの獲得よりも、アクティブ運用による投資機会の発掘（α）によるリターン獲得への期待が高まる可能性も否定できません。

分散投資に過度に頼るよりも、投資対象の選択が一層重要になってきます。私たちは、新型コロナ流行時からアフターコロナにおける市場の動きにおいて、その世界を垣間見た気がします。こういうときこそ、本質的な物事の見極めが**投資機会の発掘**に他なりません。近年はパッシブ運用が席巻してきましたが、物事を本質的に見極める力を養うことは重要であり、その力を発揮できる時期が来るかもしれません。

グローバル化によるリターンの低下と同質化のイメージ

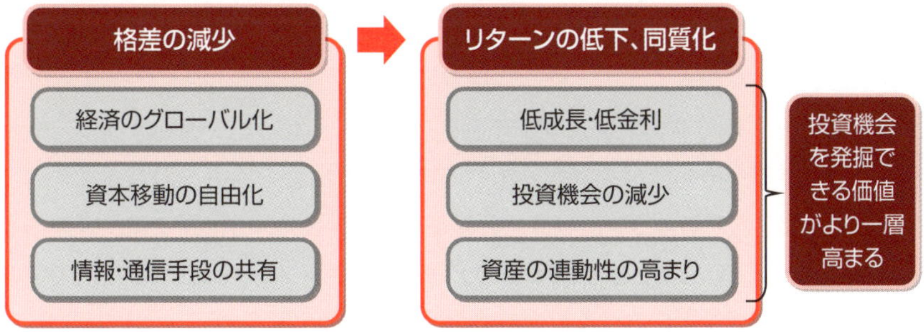

格差の減少
経済のグローバル化
資本移動の自由化
情報・通信手段の共有

→

リターンの低下、同質化
低成長・低金利
投資機会の減少
資産の連動性の高まり

投資機会を発掘できる価値がより一層高まる

17-7 アセットマネジメント・ビジネスへの社会的要請の高まり

低成長下において、資産運用を担うアセットマネジメント・ビジネスに対する社会の期待は高まっています。

キーワードは「社会的要請」

日本におけるアセットマネジメントの展望には、大きく3つのポイントが見出せます。それは、①個人自らによる資産形成への取り組みは黎明期であること、②低成長下においては今まで以上に投資機会の発掘力が求められること、③投資による社会全体の持続的成長への貢献です。これらの背景には社会的要請があります。

低成長下におけるアセットマネジメントへの期待は大きい

今、先進国で問題となっているのは、財政赤字と社会保障、平均寿命の伸びと少子化による社会の高齢化です。これらは、今までのような公的年金のあり方や社会保障の維持に課題を突きつけています。欧州では年金の支給年齢が引き上げられ、日本でも議論が着々と進められています。こういった環境は、個人自らによる資産形成の必要性が一層高まることになります。

英国では、すべての会社員は収入の8%を確定拠出年金に振り向けることが義務付けられました。金融制度やサービスに関して進んでいる英国の事例は、日本にも影響を与えるはずです。ましてや、英国は日本よりも財政赤字の規模や高齢者率は低いのです。

先進国は低成長に喘いでいます。年金制度が厳しくなった一因も低成長、低金利にあります。今後も低成長が見込まれる中、投資機会の獲得を目指す動きはより一層強まることでしょう。これは、アセットマネジメントの世界で見れば競争でもあり、チャンスでもあります。今後のアセットマネジメントにおける運用の競争力の源泉は、**低成長下における投資機会の発掘力**、商品開発力にあります。

それとともに、投資にはより一層、社会的な行動規範や規律が求められます。

投資を通じて成長性の高い企業に資金を提供することは、経済の好循環を生みます。また、リターンを上げればよいという考え方ではなく、**投資を通じて社会に貢献する**企業を育み、促すことが大きなテーマとなっています。この考え方が幅広く理解されるまでに、それほどの時間を要しませんでした。アセットマネジメントは社会的に大切な役割を担う存在となることが求められます。

日本における**資産形成の状況は黎明期**です。失われた20年のためにスタートは遅れましたが、着実に変化の兆しが見えています。そして、バブルのピークから2018年で30年間が経過し、そろそろバブル経験者は現役世代から姿を消します。社会に染みついていた、過度な警戒感は払拭される時期に差しかかっています。

課題は多いが社会的責任も大きい

アセットマネジメントを取り巻く環境は大きく変化しています。それは、資産運用の主役の個人へのシフト、投資における社会的責任の高まりへの対応とともに、低成長下におけるリターンの発掘力が求められ、また、フィンテックやAIなどの荒波も同時に起こっているからです。

これらを鑑みると決して順風満帆とは言えませんが、アセットマネジメントの世界は、競争は厳しくともパイは増えていく世界です。その中で情報の開示は進み、よい運用が正しく評価される時代になるはずです。

アセットマネジメント・ビジネスにおける主な課題

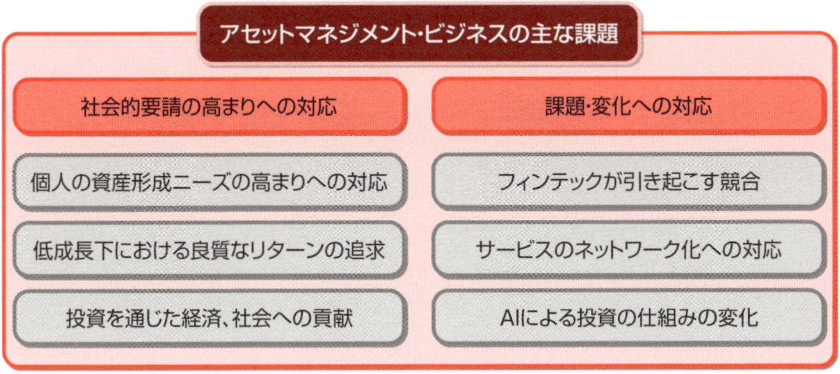

アセットマネジメント・ビジネスの主な課題

社会的要請の高まりへの対応	課題・変化への対応
個人の資産形成ニーズの高まりへの対応	フィンテックが引き起こす競合
低成長下における良質なリターンの追求	サービスのネットワーク化への対応
投資を通じた経済、社会への貢献	AIによる投資の仕組みの変化

アセットマネジメントに身を置く人に求められるもの

アセットマネジメントと一口に言っても、様々な業務があります。運用を行うプレーヤーの立場、年金などの機関投資家や金融機関において投資業務を担う立場、個人などに投資をアドバイスするとか、資産形成を行う立場、金融商品を販売する立場など様々です。

それぞれの立場によって目的は異なりますが、すべてに通じることは、受託者責任のもとで仕事をしていることです。本書でも幾度となく顔を出した言葉ですが、悩んだときに立ち返るべきキーワードです。もちろん、フィデューシャリー・デューティと読み替えても構いません。

受託者責任を果たすためには、顧客、年金の加入者、投資家にとって良質のリターンを提供することに尽きます。この点にフォーカスする限り、顧客からは信頼を得ることができます。

アセットマネジメント・ビジネスは、将来性の豊かな分野です。運用を求めるニーズは確実に増えていくことでしょう。その一方で、常に競争にさらされ、また、新たな考えや機能、手段を取り込んでいく世界でもあります。投資を託してくれる人のために良質なリターンを提供するには、その立場で利用できるものを積極的に活用して最善を尽くすことにほかなりません。そのためには、自らがプロフェッショナルになるための自助努力が求められる世界です。

そこには、ただ単に知識やスキルがあるだけではなく、顧客ニーズを汲み取って適切なアイデアを提供できる、また、情報を発信できる人が求められています。これらはすべて、深い洞察力に基づいた創造性です。そのために、個々の立場で、知識や経験を高めて見識を磨き、求められる役割を果たすことが期待されます。

本書では、様々なテーマを切り口にアセットマネジメントの世界を表現してきましたが、それらを通じてお伝えしたかったことも、まさにこの点にあります。

おわりに

アセットマネジメントは、お金を通じて人々や社会を豊かにする、高い使命と役割を持った魅力ある世界です。アセットマネジメントにおける目的は、突き詰めれば、それぞれの立場における受託者責任のもとで、良質なリターンやサービスを提供することです。これまでは、目の前の「顧客のため」にフォーカスしていましたが、いま、地球規模で持続可能な社会への貢献が求められる中で、私たちの役割も、顧客の背後にある社会に対する使命と責任へとステージが高まりました。

世界には様々な課題による不透明感が漂っています。私が尊敬するリーダーの言葉をお借りすると、それらの課題を打開するために、多くの人たちの「内発的な力の開花（エンパワーメント）」と「困難を乗り越える力（レジリエンス）」の発露が求められています。これは、お金とは程遠い人間性への希求の響きがありますが、私たちも運用を通じてこういった社会に貢献する取り組みが求められ、また、関与できることがわかりました。高い使命と役割を持った私たちは、自らのビジネスを社会の変化に伴って再定義していくことにより、さらに発展していけるはずです。

「アセットマネジメント」という、まとめることが難しいテーマについて初版に続き、第2版での執筆のお話をいただき、また、精力的にサポートしてくださった編集ご担当者をはじめ、株式会社秀和システムに厚く御礼申し上げます。第2版では、初版では十分に伝えきれなかった想いを、細部に反映させていただきました。

また、この世界で生きていく素地を作り、鍛えていただいた、慶應義塾大学の恩師、唐木圀和先生にあらためて深く感謝いたします。

最後に、初版の執筆を温かくご支援くださった三菱アセット·ブレインズの方々に御礼いたします。また、第2版の出版へのご支援を含め、常日頃よりアセットマネジメント・ビジネスの発展に真摯に情熱を傾けていらっしゃる、三菱UFJ信託銀行、森山亮部長をはじめ、アセットマネジメント事業部の皆様に、この場をお借りして御礼申し上げます。この部署に在籍しているからこそ、第2版において新たにお伝えできることを数多く学ばせていただきました。

勝盛　政治

参考文献

『振り子の金融史観―金融史と資産運用』(平山賢一著/シグマベイスキャピタル)
『投資で一番大切な20の教え』(ハワード・マークス著、貫井佳子訳/日本経済新聞出版社)
『バリュエーションの教科書』(森生明著)/東洋経済新報社)
『アメリカの年金・資産運用』(G. ティモシー・ハイト・ステファン・モレル著、中央信託銀行投資調査部訳/東洋経済新報社)
『脱老後難民「英国流」資産形成アイデアに学ぶ』(野尻哲史著/日本経済新聞出版社)
『初心者のための資産運用入門』(加藤康之著/東洋経済新報社)
『総解説米国の投資信託』(野村資本市場研究所編/日本経済新聞出版社)
『運用難時代を切り拓くオルタナティブ投資』(大塚明生・神谷智著/金融財政事情研究会)
『アセットマネジメントの世界』(宇野淳監修、日本証券投資顧問業協会、投資信託協会編/
東洋経済新報社)
『定年後のお金　寿命までに資産切れにならない方法』(野尻哲史著/講談社)
『Q&A金融商品取引法の実務』(黒沼悦郎監修、柏尾哲哉・川村彰志編集/三省堂)
『新・金融商品取引法ハンドブック』(上柳敏郎・石戸谷豊・桜井健夫著/日本評論社)
『資産運用情報2017年9月号　インフラ投資の運用実務』(三菱UFJ信託銀行)
『資産運用情報2020年1月号　PEと日本市場』(三菱UFJ信託銀行)

索　引
INDEX

数字・アルファベット

あ行

か行

索引

さ行

た行

索引

な行・は行

ま行・ら行・わ行

●著者プロフィール

勝盛　政治（かつもり　まさはる）

三菱 UFJ 信託銀行株式会社アセットマネジメント事業部エキスパート。日本証券アナリスト協会検定会員。1 級 DC プランナー。
慶応義塾大学商学部卒、唐木研究会出身。
三菱 UFJ 信託銀行において、20 年以上にわたり、年金などの運用者として、ファンドマネージャー、トレーダー業務に従事。その後、資産管理業務を経て、三菱アセット・ブレインズ（MAB）に出向し、シニアファンドアナリストとして、投資信託の評価、金融機関の投資信託などの販売担当者向けコンサルティング、また、投資教育や資産形成に関する啓蒙を行う。現在は、同信託銀行において、受託財産運用に関するリレーション業務に携わる。
書籍『顧客をリスクから守る資産形成術』（きんざい）、『ファンドのプロと考える初めての資産運用－人生 100 年時代の投信活用術』（パンローリング）をはじめ、資産形成に関する記事を新聞、雑誌に多数掲載。

図解入門ビジネス

最新 アセットマネジメントの基本と仕組みがよ～くわかる本 [第2版]

発行日　2022年　2月 14日　第1版第1刷
　　　　2025年　2月 19日　第1版第3刷

著　者　勝盛　政治

発行者　斉藤　和邦
発行所　株式会社　秀和システム
〒135-0016
東京都江東区東陽2-4-2　新宮ビル2F
Tel 03-6264-3105（販売）　Fax 03-6264-3094
印刷所　三松堂印刷株式会社　Printed in Japan

ISBN978-4-7980-6542-7 C0033